# AUTO MANIACZKA

# MARTYNA WOJCIECHOWSKA

# AUTO MANIACZKA

## OD ROMETA DO RAJDU DAKAR

Dla mojego Taty,
dzięki któremu
mam benzynę we krwi

HET LAATSTE NIEUWS
Goodrich
Arras - Madrid - Dakar
24
TOTAL
2002

Nawet niebo jest teraz niczym bladoniebieska pustynia. Jak na złość nie ma na nim ani jednej chmurki… Siedzę wewnątrz rajdowego samochodu na wydmie, która gabarytami przypomina Piramidę Cheopsa. Tyle że nie jestem w Egipcie, ale w Mauretanii, na zachodzie Afryki…

Samochód powoli zamienia się w piekarnik. Teraz temperatura wewnątrz wynosi około 60 stopni Celsjusza, ale z każdą godziną będzie wzrastać. Tutaj jednak mam przynajmniej jakiś cień. Na zewnątrz jest wyłącznie ogromne rozżarzone słońce, przed którym nie można się schronić. Wodzę wzrokiem dookoła, próbuję zorientować się, gdzie utknęłam, jednak zmęczone oczy pieką mnie tak bardzo, że wszystko widzę jak przez mgłę. Jestem w środku niczego. Pustynia. Z tej żółto-rdzawej masy piachu tu i ówdzie wystają krzaki – obrazek nieco surrealistyczny, przyznaję. Krzewy mają pękate zielone liście i tak bardzo kuszą, żeby zerwać gałązkę i zacząć ją żuć. Ale Sahara jest zdradliwa – biała wydzielina tych roślin jest gorzka jak piołun i nawet wielbłądy nie chcą jeść tego zielska. A tak bardzo chce mi się pić… Marzę o szklance czystej zimnej wody… Tymczasem żar leje się z nieba niczym woda. Bardzo gorąca woda. U nas w kraju jest mroźny styczeń. Tu, kilka tysięcy kilometrów na południe, upał wysysa z nas resztki sił.

Zupełnie inaczej wyobrażałam sobie ten Wielki Wyścig przez Saharę. To miała być wspaniała Przygoda – dwoje młodych ludzi pełnych pasji w terenowym samochodzie, kolorowe rajdowe kombinezony, ogorzałe od słońca twarze uśmiechnięte do obiektywów kamer, mechanicy pracujący na nasz wspólny sukces i walka o cenne sekundy… (no, może… minuty!) na mecie kolejnych odcinków specjalnych. Czułam się silna i wytrenowana jak nigdy. Poza tym mój wiecznie niesłabnący zapał miał wystarczyć za wszystko.

Wraz z Jarkiem Kazberukiem, moim pilotem, zmieniamy się kolejny już raz za kierownicą naszej rajdówki, jesteśmy na trasie od kilkunastu godzin non stop. Znów jednak, chyba po raz dziesiąty tego dnia, utknęliśmy po osie w piachu. Rzucam łopatę i plastikowy podkład pod koła obok samochodu i kolejny raz przymierzam się do przekopania wydmy na pół, żeby się z niej wydostać. Nawet nie jestem zła, bo i na kogo? Na siebie i niedostatki umiejętności? Na warunki? Na pogodę? Nie mówię „szlag by to trafił", jak jeszcze parę godzin temu, bo nie mam nawet siły gadać… Jest mi wszystko jedno – jak będzie trzeba, to pazurami wykopię ten cholerny samochód z saharyjskiego piachu. Byleby tylko zameldować się na mecie odcinka specjalnego. Tylko tam mamy szansę dostać wodę i paliwo do auta. Nie daję po sobie poznać, jak potwornie jestem zmęczona. Nie narzekam też, bo sama się w to wpakowałam i nawet gdybym miała teraz pchać ten rozklekotany samochód przez to bezludzie, będę walczyć do końca – ot, taka już ze mnie uparta baba.

24ᵉ **Dakar** 2002
**TOTAL**
Arras - Madrid - Dakar

2002

Ce laissez-passer, **non transmissible,**
est valable pour **1 personne**
et doit être porté de manière **apparente.**
Il donne accès à des espaces
**strictement réservés aux adultes.**

**COURSE**

– Pani Martyno, to jak się zaczęła ta pani przygoda z motoryzacją?
Pani, jakby nie było – kobieta, a jednak zdecydowała się na takie...
Jakby to powiedzieć? Takie... męskie zajęcie?
Oczywiście nacisk pada na słowo „męskie". I towarzyszy mu świdrujące
spojrzenie dziennikarza, najczęściej zresztą płci męskiej (tak się jakoś
składa...), który i tak ma swoją tezę. I wierzy, że zaraz zatriumfuje,
przypierając mnie do muru swoim „zaskakującym" pytaniem,
które słyszę przecież setny raz w życiu i zapewne nie ostatni.

# CHŁOPAKI NIE PŁACZĄ?

Ja i mój pierwszy
pojazd czterokołowy
kupiony w Baltonie za
dewizy. Mercedes wśród
wózków w tamtych
czasach!

Moja kochana Mama.
Kobieta o wielkiej
cierpliwości do swojego
niesfornego dziecka…

# BABA TO ZAWSZE TYLKO BABA

Nie cierpię tego pytania. Od razu sugeruje, że coś jest ze mną nie tak. Że jestem dziwolągiem, ciekawostką przyrodniczą, „rodzynką"…

– Pani Martyno, to jak się zaczęła ta pani przygoda z motoryzacją? Pani, jakby nie było – kobieta, a jednak zdecydowała się na takie… Jakby to powiedzieć? Takie… męskie zajęcie?

Oczywiście nacisk pada na słowo „męskie". I towarzyszy mu świdrujące spojrzenie dziennikarza, najczęściej zresztą płci męskiej (tak się jakoś składa…), który i tak ma swoją tezę. I wierzy, że zaraz zatriumfuje, przypierając mnie do muru swoim „zaskakującym" pytaniem, które słyszę przecież setny raz w życiu i zapewne nie ostatni.

Wiem, jak to jest. Faceci patrzą na mnie i myślą sobie:

– OK, może ona i jest dobra, ale my i tak jesteśmy i zawsze będziemy lepsi.

Dlaczego? Przecież wiadomo – żadna kobieta nie startuje w Formule 1 i w ogóle co tam baba o motoryzacji może wiedzieć.

– Przecież „one" tylko malują paznokcie, gadają o ciuchach, a samochody rozróżniają wyłącznie po kolorze karoserii, ha, ha, ha! – perorują jeden z drugim przy piwie.

I jak znam życie, po cichu dopowiadają sobie:

– Baba zawsze pozostanie babą, nieważne, na jaki kolor się przefarbuje.

Motoryzacja, lotnictwo, wojsko i kilka innych zawodów to ostatnie bastiony męskości. Jak najlepiej ich bronić? W ciągu wieków zmieniały się strategie walki. W Europie jeszcze w średniowieczu kobietom za noszenie spodni (czyli udawanie mężczyzny) w niektórych krajach groziła nawet… kara śmierci. Bo, nie daj Boże, tak zakamuflowane mogłyby robić niedozwolone rzeczy zarezerwowane dla tej bardziej doskonałej płci. Dziś mężczyźni chcieliby zapewne wprowadzić ten zakaz ponownie, ale już z innych powodów – żeby móc do woli oglądać nasze nogi. I komentować, czy są one zgrabne, czy nie.

Zmasowany atak zastępują więc kuluarowe rozgrywki. Subtelnie, jak na dżentelmenów przystało, panowie deprecjonują osiągnięcia pań. Dowcipy o blondynkach i babach za kierownicą to dyżurny temat wielu wieczorków w męskim gronie.

– Co jest gorsze od baby za kierownicą?

(Cisza).

– Baba za kierownicą twojego samochodu!

(Już słyszę te gromkie „ha, ha, ha!").

A potem zaczyna się wyliczanka: jak to laski malują się na czerwonych światłach albo nie potrafią zaparkować na jednym miejscu w centrum handlowym, tylko od razu zajmują dwa. I prawdziwy gwóźdź programu – jak uroczo nasze dysfunkcyjne mózgi mylą lewą stronę z prawą. Każdy facet potrafi godzinami analizować wypaczenia motoryzacyjne płci pięknej. Jeżeli chodzi o błędy panów, to obowiązuje wśród nich zmowa milczenia. Tymczasem twarde dane są bezwzględne. Według statystyk podanych przez Komendę Główną Policji w 2010 roku panie były sprawczyniami 5681 (18,5 procent) wypadków drogowych, zaś panowie 23 619, co stanowi 77,1 procent kolizji. Zatem trochę pokory, panowie. Szczególnie że większość naukowych badań podważa ten oczywisty dla was fakt, jakoby o tym, kto jest lepszym kierowcą, decydowała płeć (czyli poziom testosteronu). Okazuje się, że istotniejsze są umiejętności, wiek kierowcy i nadużywanie alkoholu.

# NIEBIESKO-RÓŻOWY ŚWIAT

Rzecz w tym, że sami narzucamy sobie pewne schematy myślowe, zasady i… ograniczenia. Dawniej zaczynało się to tuż po narodzinach dziecka, dziś nawet wcześniej, właściwie w chwili, gdy rodzice podczas badania USG poznają płeć potomka. Kiedy młoda matka wchodzi do sklepu dziecięcego (dajmy na to do Smyka) i mówi, że potrzebuje wózka, wyprawki albo kompletu pościeli do łóżeczka dla niemowlaka, to miła pani ekspedientka pyta rezolutnie:

– Ale to dla chłopca czy dla dziewczynki?

– A jakie to ma znaczenie?! – mam ochotę zapytać ze zdziwieniem za każdym razem, kiedy robię zakupy z myślą o mojej córce.

Dlaczego uważamy, że chłopcy koniecznie powinni nosić niebieskie śpioszki, a dziewczynki – różowe? Że chłopcy automatycznie zainteresują się piłką nożną, bronią palną oraz… motoryzacją? A wszystkie dziewczynki zostaną primabalerinami w tiulowych spódniczkach przebierającymi swoje lalki w coraz to nowe fatałaszki. I że te księżniczki w oczekiwaniu na swojego księcia z bajki będą się intensywnie edukowały, by w przyszłości zostać perfekcyjnymi paniami domu. Będą się zatem uczyły z matkami gotować, sprzątać, prasować i pamiętać, gdzie ich bracia lub ojcowie zostawili skarpety, buty albo inne fragmenty garderoby. Bo na pewno zostaną o to zapytane.

Jak wiele przekazujemy naszym dzieciom własnych lęków i ograniczeń? Niechcący uczymy je, że węże są oślizgłe, obcym nie należy ufać i, co gorsza, że nie wolno mieć zbyt ambitnych marzeń. Czy na pewno? Bawię się z moją córką w łapanie robaków, tłumaczę, że nie powinna bać się myszy bo to przecież sympatyczne zwierzątka, że może ubrać się w spodnie moro, jeśli tylko ma na to ochotę, a marzyć… No cóż, marzyć możemy o wszystkim, bo wierzę, że niemożliwe nie istnieje. Jedyne co nas ogranicza, to własna wyobraźnia.

Tymczasem słucham ze zdziwieniem, jak na placu zabaw mama tłumaczy małej księżniczce, która nagle zapragnęła taplać się w błocie i skakać po kałużach:

– Ależ dziewczynki się tak nie zachowują!

A do syna, który spadł z huśtawki i zalewa się z tego powodu łzami, mówi:

– Chłopaki nie płaczą!

Ja mówię NIE na ten niebiesko-różowy podział świata! I stanowczo sprzeciwiam się stereotypom, które w dobie lotów w kosmos są po prostu absurdalne.

Ten Fiat 125p mojego Taty
    miał czarną maskę i był świetnym
autem rajdowym (100 KM). Jednak
w wieku kilku miesięcy nie umiałam
    jeszcze tego docenić...

Ktoś powie, że przecież od tysięcy lat obowiązywał podział ról. Oczywiście, ale miał bardzo konkretne i praktyczne powody – przetrwanie naszego gatunku. Kobiety dbały o ognisko domowe, zbierały warzywa i owoce, szyły ubrania, rozbijały obozowiska, targały wodę, rodziły dzieci i jeżeli ów poród przeżyły – zajmowały się nimi. Panowie w tym czasie intensywnie polowali i walczyli o to, który z nich jest najlepszy, czyli o przywództwo, a w tak zwanym międzyczasie – prowadzili wojny. I tak jest do dziś wśród ludów pierwotnych. Im bardziej dzikie plemię, tym ten podział ról jest bardziej wyraźny. Ale jakie to ma uzasadnienie w cywilizowanym świecie, w którym kobiety znacząco przyczyniają się do wzrostu PKB, a mężczyźni coraz częściej biorą urlop wychowawczy?

Postępu nie da się zahamować. Co wcale nie znaczy, że nagle większość kobiet zapragnie zostać kierowcami rajdowymi albo górnikami. Ważne, żeby wszyscy, i te kobiety, które chcą zostać komandosami, i ci mężczyźni, którzy na przykład zamiast samochodami wolą zajmować się szydełkowaniem, mieli wolny wybór. Podobno mamy gorszą koordynację oko-ręka, czego dowodem jest to, jak zazwyczaj czytamy mapy (i wtedy nam faceci tłumaczą, że lewa ręka to ta, z której po rozłożeniu kciuka da się zobaczyć literę L). Statystycznie kobiety częściej obracają je na przykład do góry nogami, żeby widzieć kierunek jazdy zgodny z faktycznym. Natomiast mężczyźni nie muszą tego robić, co ma niby przesądzać o ich przewadze nad nami w orientacji przestrzennej i w rezultacie – także za kierownicą. Może i to badanie naukowe, poparte jakimiś ważnymi dowodami, pogrążyłoby nas, kobiety, ostatecznie, gdyby nie jeden fakt. A nawet dwa. Kto dziś używa atlasów zamiast GPS-ów?! A po drugie – ja akurat czytam mapy lepiej niż większość znanych mi facetów, bo nabyłam tę umiejętność jeszcze w harcerstwie. Nie tak dawno temu z determinacją godną zastępowej rozkładałam na środku skrzyżowania mapę mojego rodzinnego miasta i bez problemu odnajdowałam drogę do celu, jak na harcerza przystało. I takich kobiet jak ja jest znacznie więcej. Może nie robią z tego wielkiego halo, ale potrafią wywiercić dziurę w ścianie, naprawić cieknący kran i jeżdżą na wymianę klocków hamulcowych (ponieważ często są singielkami i nikt za nie tego nie zrobi). Tak się jakoś bowiem stało, że gdzieś obok nas (myślę, że jest to jednak ślepy zaułek ewolucji) wykształciło się pokolenie zniewieściałych facetów, którzy używają kremu pod oczy, depilują klatkę piersiową, jeżdżą samochodami jak pierdoły albo wręcz (o zgrozo!) nie mają prawa jazdy.

Odkąd pamiętam, byłam wychowana w przeświadczeniu, że... mogę wszystko. Że cokolwiek zapragnę w życiu robić – być przedszkolanką, stomatologiem, zawodowym żołnierzem albo sprzedawać zapiekanki w budce koło przystanku autobusowego – moi rodzice to zaakceptują. Dlatego żeby dowiedzieć się, co mnie pociąga najbardziej... nieustannie eksperymentowałam. Chciałam być lekarzem (uczyłam się na pamięć anatomii człowieka, a lekospis do dziś recytuję z pamięci), malarką (zamknięta na strychu domu godzinami stałam przy sztalugach), grałam na gitarze (i to z takim zapałem, że kiedyś zajęłam nawet pierwsze miejsce na Festiwalu Piosenki Młodzieżowej „Młyn"), potem postanowiłam zatrudnić się w budżetówce, bo pociągały mnie mundury. I przez cały ten czas rodzice towarzyszyli mi w poznawaniu świata.

Nie obyło się bez ostrych zakrętów, ale zawsze udawało się nam wyjść na prostą... Poza tym wychowałam się w totalnie zakręconym domu, gdzie nie było tematów tabu. Rozmawialiśmy o seksie, narkotykach i innych sprawach, które im bardziej są przemilczane, tym bardziej wydają się młodemu człowiekowi fascynujące. Przyznam, że chętniej moje coraz-to-nowe-pomysły-na-życie wspierała moja postępowa Mama (urodzona w roku 1950). To Ona tak wszystko tłumaczyła Ojcu, że On był przekonany, że w zasadzie cała ta inicjatywa wyszła od niego... Tata, rocznik 1934, starszy od Mamy o ponad 16 lat (czyli o całe pokolenie), niejednokrotnie był, delikatnie mówiąc, poważnie zaniepokojony moimi pomysłami. Ale to właśnie Stanisław Wojciechowski w największym stopniu ukształtował moją motoryzacyjną pasję. No właśnie. Mój Tata...

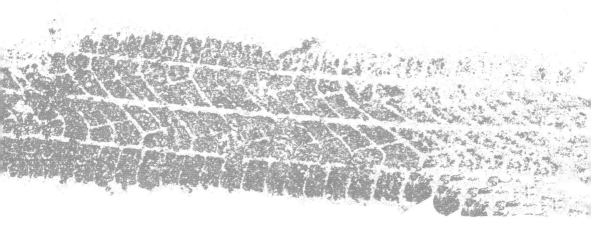

# (MOTO)
## RODZINNA
## HISTORIA

Mój Tata oraz duma
naszej rodziny
– Chevrolet Fleetmaster

# Z POKOLENIA NA POKOLENIE

Rok 1944. Pod solidny dwupiętrowy dom przy Szosie Poznańskiej 16 (dziś to jest Połczyńska 96) podjeżdża czarny Mercedes z niemieckim oficerem i dwoma żołnierzami. Wywlekają Michała Wojciechowskiego ze sklepu wielobranżowego, który prowadzi wraz z żoną Heleną, moją Babcią. Skuwają go kajdankami i pakują do auta w ostatnią, jak cała rodzina wtedy sądzi, podróż. Na wysokości dzisiejszej pętli tramwajowej przy Cmentarzu Wolskim Mercedes, mimo że to przecież solidna niemiecka konstrukcja... psuje się. Po prostu robi „prych, prych" i staje na środku ulicy. Żołnierze zaglądają pod maskę, marszczą czoła, coś tam do siebie mówią, ale widać po ich minach, że nie mają bladego pojęcia, jak naprawić ten pojazd.

– Ty, Polak. Znasz się na samochodach, nie? – pyta Dziadka Michała jeden z nich.

– Ano znam się. Przedsiębiorstwo przewozowe prowadzę, więc muszę się jakoś orientować w mechanice – Dziadek odpowiada spokojnym głosem.

Jest wyjątkowo opanowany, jak na kogoś świadomego faktu, że zaraz zostanie poddany torturom, a może nawet rozstrzelany za działalność dywersyjną i współpracę z Armią Krajową.

Wysiada z auta, jak każą. Niemcy zdejmują mu kajdanki, żeby mógł naprawić grata.

– Poważna sprawa, ale dam radę – zapewnia Michał Wojciechowski po wstępnych oględzinach silnika. – Mogę papierosa?

Niemiec zawiesza broń na ramieniu i sięga do kieszeni, skąd wyjmuje paczkę fajek. Kiedy przypala zapałkę, płomień lekko go oślepia – Dziadek, jakby na to czekając, popycha mocno żołnierza na maskę samochodu i zaczyna uciekać. Kilka serii z pistoletu maszynowego mija go szczęśliwie bokiem i po chwili Dziadek Michał (w końcu silny, wysportowany gość) znika za zakrętem. Wraca do domu tylko po to, żeby ostrzec rodzinę:

– Zaraz tu przyjadą Niemcy!

Po czym zabiera kilka niezbędnych rzeczy i ucieka do pana Bozika w Ożarowie Mazowieckim pod Warszawą, gdzie przebywa do końca wojny. Mój Tata wraz z bratem zostają ukryci na wsi pod Piotrkowem i mieszkają tam aż do wyzwolenia.

Po wojnie Dziadek Michał ponownie uruchamia przedsiębiorstwo przewozowe. Ma między innymi kilka Opli Blitz (takimi jeździł niemiecki Wehrmacht), zatrudnia kierowców, w tym mojego Tatę Stanisława. Mimo że ten ma wtedy 11 czy 12 lat, prowadzi tę najlepszą na tamte czasy ciężarówkę z wprawą doświadczonego kierowcy. Trzeba przyznać, że wcześnie zaczął!

Ojciec prawo jazdy robi, za zgodą rodziców, w wieku lat 16 i niemal od razu dostaje pozwolenie na jazdę Oplem P4 – nowym nabytkiem Wojciechowskich (auto przedwojenne, zapewne składane w Polsce na licencji w zakładach Lilpop, Rau i Loewenstein). Potem wraz z bratem ujeżdża Chevroleta Fleetmastera. Pewnego dnia, kiedy zabierają samochód bez niczyjej wiedzy z podwórka, niefortunnie wjeżdżają nim na przejazd kolejowy na Górczewskiej wprost pod nadjeżdżający skład. Oczywiście maszynista nie jest już w stanie zahamować i pociąg ścina cały przód auta! Chłopcy ściągają samochód na plac przed domem, nakrywają plandeką i czekają na rozwój wypadków. Babcia Helena próbuje bronić synów, robiąc jakiś długi wstęp, że „to cud, że chłopcy przeżyli", ale i tak obaj dostają manto, bo samochód w rezultacie idzie na złom… Jednak miłość do motoryzacji pozostaje.

Dziadek trafia do więzienia na siedem lat (komuniści także nie lubili AK-owców) i po ciężkiej chorobie, już w domu, umiera. Obowiązki głowy rodziny przejmuje więc Stanisław Wojciechowski. Prowadzi biznes po dziadku, kończy technikum motoryzacyjne na ulicy Wiśniowej na Mokotowie, a następnie zalicza dwa lata studiów WSI (Wojskowa Szkoła Inżynieryjna). Podczas urlopu dziekańskiego Tata trafia do wojska (takie to były „urlopy") na długie trzy lata. Służy w lotnictwie i równolegle uczy się w Technicznej Szkole Wojsk Lotniczych w Zamościu.

Stanisław Wojciechowski w wieku 16 lat
nieźle łansował się na swoim Royalu Enfieldzie

Chwila jazdy i godzimy
dłubania w silniku

Prawie jak James Dean...

Tata w akcji na fortach
przy Szeligowskiej

Ku chwale ojczyzny!

Później są szybkie przenosiny do Inowrocławia (czas zdobywania doświadczeń w serwisowaniu samolotów tak zwanych tłokowych), następnie do Bydgoszczy i ponownie Inowrocławia (samoloty odrzutowe Mig 15 i 17).

– Byłem mechanikiem pokładowym, mam za sobą 170 godzin nalotu, a nawet dwa przymusowe skoki spadochronowe wpisane do książeczki wojskowej – wspomina Tata.

Jest to o tyle dziwne, że cierpi na lęk wysokości…

– Pod tym względem to ty jesteś bardziej odważna. Ja ciężko przeżywałem te skoki, bo jak ktoś ci każe na siłę skakać, to… – waha się – no sama wiesz, że inaczej jest, kiedy czegoś pragniesz, przygotowujesz się i robisz to z pasją, a inaczej, kiedy po prostu musisz…

Wiem.

Tata w młodości stał się również szczęśliwym posiadaczem kultowego wówczas motocykla, angielskiego Royala Enfielda. Co prawda więcej przy nim ślęczał w garażu, niż jeździł, ale jego sesja zdjęciowa zamieszczona na łamach tej książki niezbicie dowodzi, że sporo się na tej maszynie lansował i pewnie też wyrwał na nią wiele dziewczyn. Mojej Mamy akurat nie, bo kiedy Tata został posiadaczem prawa jazdy, ta miała jakieś… sześć miesięcy (wspominałam już, że dzieli ich pokolenie!). Motocykl był tak zwany górnozaworowy, więc Tata Stasio cały czas kombinował z opuszczaniem głowicy, żeby było lepsze odejście, większa moc… Czy moc może być wystarczająca albo zbyt duża? Jak widać, nie dla chłopaków i to bez względu na to, czy urodzili się 100 czy 20 lat temu… Ojciec uczył się jeździć dokładnie w tym samym miejscu, gdzie wiele lat później ja szlifowałam swoje umiejętności, czyli na fortach przy ulicy Szeligowskiej na warszawskiej Woli. Dziś patrzę z podziwem na tego szczupłego 16-latka na błyszczącym motocyklu i w czarnym płaszczu.

– Tato, skąd miałeś taką skórę?! – wskazuję na niewyraźną czarno-białą fotografię.

– Ojciec nie chciał jej nosić, a ja ją zawsze pastowałem, czyściłem i w końcu mi ją podarował. Wyglądałem w niej jak niemiecki tajniak. Dumny byłem.

I wierzę, że w tamtych czasach był Jamesem Deanem Warszawy!

Potem mój Tata przesiada się na SHL-kę, na której startował w rajdach motocyklowych w klubie Lech w Jelonkach. Miał też Beessę, Nortona, AJS-a i wiele innych maszyn, aż do dziś, kiedy to własnego motocykla nie ma, bo… notorycznie podkrada go swojej córce! Tak, tak, już słyszę ten komentarz:

– O ty niewdzięczna gówniaro! To ja cię nauczyłem wszystkiego, co wiesz o motoryzacji! To już nawet ojciec nie może spalić gumy na twoim Kawasaki?!

Tak więc mój 76-letni Tata zasuwa moim superszybkim motocyklem z piskiem opon i notorycznie „stawia go na gumę" (czyli na tylne koło). Zaczyna szaleć zaraz na pierwszym zakręcie za domem, kiedy tylko zniknie mi z oczu! I na nic się zdają tłumaczenia, prośby czy groźby ani to, że zwyczajnie się o Niego martwię... Dokładnie tak samo On próbował mnie kiedyś przekonać, żebym trochę się na dwóch kołach uspokoiła. Czyli jednak wszystko się w życiu wyrównuje...

## ZAPACH SMARU I BENZYNY

Tata, który pasjonował się motoryzacją na poważnie i startował już w rajdach samochodowych w Autoklubie Rzemieślnik (dziś to Automobilklub), założył w końcu wymarzony warsztat samochodowy. Najpierw to był garaż przerobiony na punkt naprawczy, który powoli rozrastał się przez pączkowanie do czegoś na kształt stacji obsługi samochodów. Jak na tamte czasy zakład był ogromny – Ojciec zatrudniał 25 czy 30 osób i zajmował halę 300 m$^2$ z wieloma stanowiskami, tak zwanymi kanałami. (Dla niewtajemniczonych – to taka wybetonowana dziura w ziemi, gdzie wchodzi mechanik, żeby zajrzeć pod spód auta. Teraz używa się do tego podnośników).

W każdym razie warsztat samochodowy przy ulicy Połczyńskiej 96 w Warszawie to było szalenie fascynujące miejsce! Niczym w sklepie z zabawkami – spędzałam w nim każdą wolną chwilę. Pachniało tam smarem i benzyną i było strasznie głośno od huku młotów uderzających o blachy, które w ten sposób, metodą chałupniczą, prostowano. Ale mnie, kilkuletniej wówczas dziewczynce, to zupełnie nie przeszkadzało. Wręcz przeciwnie!

Poza tym w latach 70. Tata był też rzeczoznawcą PZMotu, więc przez to miejsce przewijały się samochody większości notabli i celebrytów z tamtych czasów. Bywał u nas profesor Aleksander Bardini, który prowadzał mnie na spacery za rączkę i twierdził, że jestem wyjątkowym dzieckiem i on właśnie przepowiada mi karierę. Stanisław Zaczyk, wspaniały aktor, który miał pięknego czerwonego Fiata 131 Mirafiori, Tadeusz Łomnicki, Marek Perepeczko vel Janosik czy wielka diwa ówczesnej sceny muzycznej – Violetta Villas, właścicielka białego Mercedesa 280 SE (tak zwanego W108). Podobno zawsze przed nią uciekałam i chowałam się za fotelem w salonie, bo przerażał mnie jej entourage... Przyjeżdżała też do nas znana himalaistka Wanda Rutkiewicz, której charyzmy i osiągnięć wtedy jeszcze nie rozumiałam. Rutkiewicz była entuzjastką rajdów i z sukcesami startowała w nich swoim tuningowanym Polonezem, a na takich właśnie samochodach Stanisław Wojciechowski znał się najlepiej. Bywały też inne wybitne osobistości sceny i estrady (pół zespołu Mazowsze naprawiało auta u mojego Taty), widywaliśmy wiele samochodów z Instytutu Transportu Samochodowego czy milicji. Ojciec serwisował Wołgi ambasadora Rosji, a dzięki temu, że naprawiał również samochody ambasadora Wielkiej Brytanii – zawiózł moją Mamę do ślubu czarnym Rolls-Royce'em na dyplomatycznej rejestracji. Ale okazało się, że są też wady posiadania tak wpływowych klientów...

Podjechało kiedyś na Połczyńską 96 dwóch oficerów ze Służby Bezpieczeństwa:
– Towarzyszu Wojciechowski, tyle naprawiacie samochodów francuskich i angielskich... – zwrócili się do Ojca.

A potem przeszli do konkretów, czyli propozycji założenia podsłuchów w i tak z konieczności wybebeszanych autach pracowników ambasad wrogich państw zachodnich. Robota czysta, żadnych podejrzeń.

Długo by opowiadać, ale czy to na skutek popijania dużych ilości napojów wyskokowych, czy ewidentnych umiejętności dyplomatycznych Taty (choć nie pracował w MSZ), do założenia owych podsłuchów nie doszło... Ale tylko pozornie SB odpuściła Ojcu obowiązki wobec ojczyzny.

W 1974 roku, kiedy Mama była w dziewiątym miesiącu ciąży, do domu wpadły służby. Rewizja! Wywrócili całe mieszkanie do góry nogami i znaleźli coś, co miało świadczyć o wrogiej działalności Stanisława W. przeciwko Państwu. Kiedy, w zasadzie wszystkie obciążające dowody zgromadzono i poważni panowie spisywali protokół, Joanna Wojciechowska weszła do gabinetu, podniosła słuchawkę telefonu i... wyrwała cały aparat ze ściany! Zamieszanie było tak ogromne, że Mamie udało się jakimś cudem wyrwać im z rąk dowody rzeczowe, czyli zaświadczenie o zatrudnieniu ponadnormatywnego pracownika, a następnie je... zjeść! Oto cała moja rodzicielka – kobieta czynu! Uratowała męża przed niechybnym więzieniem, skończyło się na „domiarze", czyli podatku uznaniowym, a faktycznie – dotkliwej karze pieniężnej (jego celem było niszczenie „prywaciarzy"). Niemniej niedługo potem mówiło się, że kiedy Cyrankiewicz jeździł Mercedesem, to i Wojciechowski też takim jeździł, więc najwyraźniej aż tak bardzo mu nie zaszko-

Rok 1972. Ojciec
kupił tę superfurę
(Peugeot 504), żeby
zrobić wrażenie na
swojej przyszłej
żonie. Podziałało!

Jako posiadacz
Mercedesa w kolorze
kości słoniowej
(w latach 80!)
Tata etatowo woził
do ślubów całą bliższą
i dalszą rodzinę

dzili. Tata zawsze radził sobie świetnie, bo po prostu był (i nadal jest) tytanem pracy, który nigdy nie siedzi w jednym miejscu dłużej niż pięć minut. Nigdy się też nie spóźnia, o niczym nie zapomina i wymaga tego samego od innych. Mam to po Nim.

W moim domu zawsze było mnóstwo ludzi dyskutujących albo o samochodach, albo o motocyklach. A Mama całe to towarzystwo dokarmiała sałatkami, pieczonym mięsem, ciastami. Nie wiem, jak zdobywała produkty w tamtych abstrakcyjnych czasach, także kiedy wszystko było na kartki i każdemu obywatelowi miesięcznie przypadał ściśle określony w dekagramach bądź kilogramach deputat mięsa, masła, cukru, czekolady, ryżu, a nawet mąki. Do dziś, choć warsztat samochodowy nie istnieje, Mama z radością prowadzi otwarty dom pachnący obiadem i deklaruje, że: a) uwielbia gotować, b) wcale jej to nie męczy, c) uszczęśliwia ją to jak mało co.

Może właśnie dlatego nigdy specjalnie nie nalegała, żebym z Nią przygotowywała posiłki. Ja się też do tego nie garnęłam i tak mi już zostało – kuchnia nie jest moim żywiołem, niestety.

Za to w warsztacie zawsze coś się działo! No i Ojciec z chęcią uczył mnie wszystkiego.

– Tato, a co to jest sworzeń? A wahacz? Tato, a jak wygląda w środku gaźnik? – pytałam z wypiekami na twarzy.

Czy tak wyglądają rozmowy typowej małej dziewczynki z ojcem? Pewnie nie, ale moje właśnie tak przebiegały. Dzięki temu ilekroć teraz wchodzę do warsztatu samochodowego, zaciągam się zapachem smarów, benzyny, lakierów do karoserii… przypomina mi się moje dzieciństwo. I jest to cholernie miłe wspomnienie. Jednym kojarzy się ono z aromatem szarlotki zrobionej przez babcię, innym – balonowej gumy do żucia, a mnie powrót do tamtych czasów gwarantuje zapach warsztatowych chemikaliów. Szkoda tylko, że te nowoczesne hale naprawy aut są niczym prosektoria – wyłożone kafelkami od sufitu do podłogi. Nie to co kiedyś… Wtedy były umazane kombinezony i brudne od smaru paznokcie, które mogła wyczyścić tylko specjalna pasta BHP. I jeszcze ta specyficzna atmosfera kombinowania, bo przecież nie było części zapasowych, brakowało nawet najzwyklejszych śrubek, każdą najbardziej błahą rzecz trzeba było załatwiać albo wymyślać na nią patent. Na przykład jak silnik z malucha włożyć do Poloneza i odwrotnie… Trzeba przyznać, że Polacy osiągnęli mistrzostwo świata w naprawianiu samochodów, nie posiadając do nich części zamiennych! Wciąż pamiętam, jak to się z trzech samochodów robiło jeden. Ech, to już nie wróci…

# PŁEĆ MÓZGU

Mój Tata marzył o słodkiej królewnie tak bardzo, że przez całą ciążę chodził za swoją żoną Joanną Wojciechowską z domu Kowalczyk i powtarzał:

– Tylko pamiętaj, żebyś urodziła mi córkę.

Miał już pierworodnego syna z pierwszego małżeństwa, zbudował dom i zasadził drzewo, więc jako facet, można powiedzieć, się spełnił. Po wykonaniu planu podstawowego wyznaczył sobie kolejny – cudownie byłoby mieć małą księżniczkę. Może to właśnie te błagania (wręcz naciski!) ze strony Ojca spowodowały, że – choć Matka Natura planowała pewnie, żebym była chłopcem – w ostatniej chwili nie urósł mi ciulasek i… zostałam dziewczynką… Ale wszystko inne gdzieś tam głęboko w duszy pozostało jednak bardzo chłopięce.

Nie mam żadnych wątpliwości, że jestem-jaka-jestem za sprawą swojego Taty, który dał mi do zabawy klucze i kombinerki zamiast pluszowych misiów czy lalek Barbie (nigdy takowej nie posiadałam!). I opowiadał te wszystkie cudowne historie o startach w rajdach i motocyklowych szaleństwach. Mogłam tego słuchać bez końca. To były moje ukochane bajki na dobranoc. Zamykałam oczy i w wyobraźni ja również się ścigałam na motorach albo samochodami. Byłam mistrzynią!

Pewnego dnia Stanisław Wojciechowski zorientował się, że zamiast wyrosnąć z motoryzacji, tak jak się wyrasta ze smoczka, kokardek i białych podkolanówek, ta stała się najważniejszą częścią życia Jego córki. Wówczas spanikowany postanowił cofnąć czas i przywrócić mojemu wciąż dziecięcemu światu kolor różowy, a wyeliminować błękitny.

– Ups, przepraszam! Sorry, chyba się zagapiłem. Czy możemy to jakoś zmienić i zacząć jeszcze raz? – zdawał się nieustannie pytać.

No cóż, okazało się, że jest to trudne, żeby nie powiedzieć – niemożliwe. No bo jak z dorastającej chłopczycy, która ma krótkie włosy, podarte dżinsy i rozbija się jednośladami, nagle zrobić grzeczną panienkę? Jak sprawić, żeby ten „chłopak" (choć jednak biologicznie dziewczyna) z dnia na dzień zaczął nosić loki związane wstążkami, grał na skrzypcach oraz mówił cichutkim, delikatnym głosikiem? Było za późno.

Ja, mój Simson i wierny pies Olaf.
Tak, przyznaję, że tę tablicę
zwędziłam z autobusu limii 708,
którym jeździło się
z Izabelina do Warszawy

# OD CZEGOŚ
# TRZEBA
# ZACZĄĆ

# O CZYM MARZY MARTYNA, GDY DORASTAĆ ZACZYNA

Tak, muszę się w końcu do tego przyznać. Zatrzymałam część pieniędzy, które dostałam od Mamy, żeby zapłacić pani Ewie za korepetycje z „anglika". Wtedy nie było innej opcji niż prywatne lekcje, bo w podstawówce za darmo uczono tylko rosyjskiego. A rodzice trafili mi się całkiem zapobiegliwi, więc język angielski wkuwałam w czasie wolnym od szkoły.

Zgadza się, nie dotarłam na kilka zajęć, a pieniądze w ten sposób „zaoszczędzone" schowałam do skarbonki.

Owszem, dokonałam tego czynu z premedytacją, myślałam o tym od chwili, gdy zaczęłam chodzić na korepetycje.

Kasa była mi potrzebna na zakup, hm… jednośladu. A nie bardzo wiedziałam, jak ją w inny sposób zarobić – miałam przecież ledwie 10 czy 11 lat. (Początkowo zbierałam makulaturę i butelki, ale szybko się zorientowałam, że zgromadzenie odpowiedniej sumy potrwa wieki, a mnie się bardzo śpieszyło).

Zanim jednak zagłębię się w temat jednośladów, najpierw kilka słów wyjaśnienia dla tych, którzy urodzili się w latach 80. (lub później). Zapewne nie macie pojęcia, czym był Romet w czasach mojej wczesnej młodości? No to, drodzy moi, zacznijmy tę jazdę…

Motorynka była wówczas marzeniem tysięcy nastolatków, którzy do szkoły chodzili na piechotę lub wybłagali u rodziców zakup roweru; składaka lub damki – wynalazków pozbawionych udogodnień w postaci ręcznych hamulców, oświetlenia czy przerzutek, z których już po jednym sezonie pedałowania odłaziła farba i notorycznie zrywał się łańcuch. Motorower marki Romet oznaczał awans do wyższej klasy, zazdrość nie tylko kolegów, ale i koleżanek. To był niewyobrażalny dziś (kiedy młodzież ma Wszystko) szpan. Niektórzy szczęśliwi posiadacze jeździli nimi tylko w weekendy i codziennie pucowali swoje cacka. Patrzyli na nie z zachwytem i nikomu nie pozwalali ich dotknąć. Nawet najlepszym kumplom.

Romet miał silnik o pojemności 50 cm$^3$ oraz rozmiar zdecydowanie kompaktowy – krzepki facet lub uparta dziewczyna mogli takie coś zabrać pod pachę, do windy. A na noc motorynkę dało się zaparkować choćby obok własnego łóżka! (Wiem, wiem, to niezdrowe, bo się można chemii nawdychać, ale wtedy nikt się takimi rzeczami nie przejmował). Cud-maszyna nosiła kodowe oznaczenie 50 M-coś-tam, ale to wiem dopiero dziś. Podobnie jak to, że moja motorynka pochodziła z fabryki w Bydgoszczy, w której prócz mojego „pojazdu silnikowego" na miliony tłukli socjalistyczne odpowiedniki dzisiejszych górali: składaki marki Wigry. W tamtych latach człowiek zyskiwał na podwórkowym znaczeniu, gdy miał Wigry, białe enerdowskie buty na licencji firmy Salamander, dżinsy marmurki, deskorolkę z przekręconym logo Mercedesa oraz wideoodtwarzacz, na którym do znudzenia można było zajeżdżać kopiowane na lewo kasety z „Johnem Rambo". Co prawda ckliwo-głupie filmy ze Stallone kompletnie mnie nie interesowały, ale wtedy repertuaru bardziej ambitnego na kasetach nie było. Jak ktoś chciał obejrzeć na przykład „Mechaniczną pomarańczę", musiał stać w tasiemcowych kolejkach do Elektronika – kina na Żoliborzu, do którego czasem wpuszczali maniaków filmowych z tak zwanego DKF-u (skrót od Dyskusyjny Klub Filmowy). I, owszem, stało się, stało. Nogi bardzo bolały, a przecież z „Rambo" było jednak prościej.

„Pięćdziesiątka" wymagała pieszczenia, precyzyjnego mieszania benzyny 95 z olejem Mixol w stosunku 30:1. Złe dobranie proporcji sprawiało, że nie jechała i kopciła, dobre – też kopciła, ale (i to chyba było dla mnie najważniejsze) jechała, dokąd JA CHCIAŁAM! Dwa biegi (wow!), a do tego zero prędkościomierza, a zamiast klaksonu… rowerowy dzwonek. Każdy chciał mieć motorynkę i to nawet za cenę uduszenia własnych rodziców, nie mówiąc o próbie oszukania ich na kasę.

# MOTORYNKA
# ROMET
### TYP
## 50-M-1

ROMET

ZAKŁADY
ROWEROWE

85-959 BYDGOSZCZ
SKR. POCZT. Nr 4
UL. BORDOŃSKA 24c
Telefon 42-00-21
Dalekopis 0562394

Ten był mój!

Romet w liczbach:

- Całkowita długość: 1,3 m
- Dopuszczalne obciążenie: 90 kg
- Prędkość maksymalna: 40 km/h
- Zużycie paliwa: 2,2 l/100 km
- Masa pojazdu: 40 kg
- Silnik: 49,8 cm³ o mocy 1,7 KM

# ROMET 50

Jego dwusuwowy silnik produkowano w fabryce w Nowej Dębie. Miejscowość ta powstała jeszcze przed wojną, kiedy prezydent Mościcki postanowił w szacownej odległości od wszystkiego, co cywilizowane (w sensie, że wielkomiejskie) zorganizować COP (Centralny Okręg Przemysłowy) – każdy tę lekcję historii przerabiał w liceum. Ale nie każdy wie, że w Dezamecie, którego logo było na wszystkich silnikach motorynek, na wielką skalę robiło się amunicję oraz... (nie, nie mogę, bo chyba popłaczę się ze śmiechu) żelazka oraz opiekacze elektryczne...

Silniki – rozumiem. Naboje – w gruncie rzeczy też, bo to w końcu zakłady metalowe (amunicję robią w Nowej Dębie do dziś, strzelają z niej polscy żołnierze w Afganistanie). No, ale żeby na boczku, niejako z pomilitarnych odpadów, składać też podstawową broń polskich gospodyń wiejskich i miejskich!? Kolejny absurd tamtych czasów :-) Od 1951 do 1990 roku (kiedy zakłady Romet zbankrutowały) sprzedawano rocznie około 1 mln sztuk różnego typu żelazek oraz ponad 300 tys. różnego typu silników do motocykli – tak chwalą się na stronie internetowej Dezametu do dziś.

Taki cud-sprzęt-wehikuł można było kupić w… sklepach ogrodniczych. Dlaczego akurat tam? Za socjalizmu wiele było podobnych absurdów i właściwie nic nikogo nie dziwiło. Przecież sklepy świeciły pustkami, na większość produktów (mięso, słodycze, buty) były kartki, a cukierki kupowało się w barze mlecznym nie na kilogramy, tylko na sztuki. Ale żeby cokolwiek nabyć, nie wystarczyło posiadanie talonu i pieniędzy. Trzeba było mieć albo naprawdę dużo szczęścia, albo wyrobione układy (czyli informatora, który uprzedzi, kiedy towar rzucą do ogrodniczego), a najlepiej i jedno, i drugie. No i jeszcze miejsce na liście społecznej, żeby taki sprzęt uczciwie, cierpliwie wystać w kolejce.

## MARTA VEL MARTYNA

Do dziś zastanawiam się jednak, dlaczego Wojciechowscy, kiedy już odkryli, że nie wydałam pieniędzy na lekcje języka angielskiego (tylko przechowałam je nielegalnie w śwince-skarbonce z przeznaczeniem na zakup motoroweru), dołożyli mi do tej uciułanej kasy, żeby mój szalony pomysł udało się jednak zrealizować. A mogli, dla zasady (wtedy nie znano terminu „bezstresowe wychowanie", a nauczyciele w szkole za byle przewinienie walili linijką po łapach), sprać mi po prostu tyłek. Ale może wówczas Marta nie stałaby się Martyną?

(Tak na marginesie, w akcie urodzenia i innych dokumentach mam wpisane imię Marta. Ale już od szkoły podstawowej mówiono na mnie Martyna, choć wtedy uważałam to za beznadziejne przezwisko. Tak bardzo to nowe imię do mnie przylgnęło, że nawet na świadectwie maturalnym wypisano je czarnym tuszem i przez to miałam problem z dostaniem się na studia. W oficjalnych papierach musi być porządek! Dziś wiem, że Marta pochodzi od języka aramejskiego i oznacza „piastunkę ogniska domowego", zaś Martyna, podobnie jak Marcin, oznacza Marsa – boga wojny. Czyli wszystko się zgadza, choć wcale tego nie zaplanowałam ani nie jest to, jak sugerują niektórzy, pseudonim artystyczny).

W owym czasie byłam pewna, że bez motorynki nigdy nie osiągnę prawdziwego szczęścia, co zresztą powiedziałam Rodzicom aż nadto wyraźnie:
– Będę najszczęśliwszą osobą na świecie, kiedy będę miała ten motorower! Wy nic nie rozumiecie!

(To ostatnie zdanie to stały tekst wpisany w rozmowy międzypokoleniowe, jak sądzę. Dodałabym jeszcze „Co WY wiecie o życiu…". Czyż nie mam racji?:-)

No i nie wiem do końca, czy moje wybitne umiejętności negocjacyjne to sprawiły, czy litość, a może Rodzice zrobili to dla świętego spokoju (biorąc pod uwagę fakt, że byłam dobrą i sumienną uczennicą), w każdym razie – spełnili moje marzenie.

O tak! Doskonale pamiętam tamten dzień! Pojechaliśmy do sklepu w Legionowie i spomiędzy grabi, konewek, gumowych węży ogrodowych i zakurzonych kosiarek do trawy pan w szarym fartuchu wyciągnął mojego niebieskiego Rometa 50 M-coś-tam ze zbiornikiem „łezką". Hurrrra!

Pierwsze lekcje jazdy pobierałam (a jakżeby inaczej?!) u Taty… Co sprawiało mi największą trudność? W zasadzie tylko jedna rzecz – ruszanie, czyli na tyle łagodne puszczenie sprzęgła i dodanie gazu, żeby mój żelazny rumak jechał, zamiast szarpnąć i gwałtownie się zatrzymać. Sfrustrowana wymyśliłam sobie nawet, że jak odepchnę się dwa razy (tak grzebnę nóżkami), to Romet będzie się już lekko toczył i start przebiegnie płynniej. Po kilku próbach odpaliłam „sprzęta" (jak mawiali wtajemniczeni) i śmiało ruszyłam przed siebie. Jednak ten manewr tak bardzo wszedł mi w krew, że potem – kiedy jeździłam już japońskim wyścigowym motocyklem – wciąż miałam nawyk lekkiego odpychania się od podłoża.

Wiele osób opowiadało mi o swoich pierwszych doświadczeniach z jednośladem i właściwie przebiegają one według podobnego scenariusza. Najpierw jest wszystko super, na zasadzie „Hurra! Jadę!". A potem… z emocji jednośladowi neofici coraz mocniej zaciskają prawą rękę na manetce, co sprawia, że… dodają coraz więcej gazu. I wtedy uświadamiają sobie z przerażeniem, że nie mogą sobie przypomnieć albo nie wiedzą, jak zahamować. Jest więc „lot" przez ogródek sąsiada, potem off-road na najbliższym polu i… twarde lądowanie. Sprzęt, ukochane dwa koła, ulega dezintegracji. Tak było w przypadku mojej Mamy, która swoją historię jazdy na motocyklu WSK opowiedziała mi z lekkim zażenowaniem, bo jednak co jak co, ale motoryzacja w naszej rodzinie stała i stać powinna na wysokim poziomie…

# LOT TRZMIELA

Dlaczego zainteresowałam się takim „męskim" hobby? Nie wiem. Zawsze to było dla mnie oczywiste. Ba! Miałam nawet plan, że zostanę kierowcą wyścigowym, a potem rajdowym. Wielu pukało się wówczas w czoło, dając mi do zrozumienia, że zwariowałam. I w tym momencie muszę wspomnieć o owadzie, który się nazywa trzmiel. Otóż nad tym latającym stworzeniem pochyliło się mnóstwo naukowców – fizycy, matematycy, biolodzy. Wszyscy uważnie obliczali jego masę, analizowali trajektorię ruchu… I orzekli zgodnie:

– Trzmiel nie ma prawa latać. Jest za ciężki w stosunku do swoich małych skrzydełek. Nie utrzyma się w powietrzu.

Ale wiecie co? Nikt tego trzmielowi nie powiedział. I w związku z tym on, nieświadomy niczego, LATA! I chyba tak samo jest ze mną. Nikt mi nie powiedział, że są marzenia, które się nie spełniają. Ani że dziewczynki nie powinny jeździć na motocyklach, więc… po prostu to zrobiłam.

I tak, kiedy byłam jeszcze bardzo nieletnia, zaczęłam rozbijać się tym moim niebieskim Rometem, który (jak mi się wtedy wydawało) mknął z zawrotną szybkością (czyli max 40 km/h.). Dodam tylko, że nie były to czasy, kiedy zakładało się kask, ochraniacze i wszystkie te bajery dzisiaj po prostu niezbędne i obowiązkowe. Natomiast ja (codziennie, nawet zimą!) dojeżdżałam swoim sprzętem do Szkoły Podstawowej 306 przy ulicy Połczyńskiej, na warszawskiej Woli, i parkowałam go gdzieś w krzakach, bo przecież nie posiadałam karty motorowerowej, więc nauczyciele nie mogli mnie zobaczyć, jak łamię prawo. Po zajęciach zaś intensywnie trenowałam, żeby w niedalekiej przyszłości, po zrobieniu prawa jazdy i licencji wyścigowej (co wydawało mi się oczywiste ze względu na sportową tradycję w rodzinie), wystartować w jakichś Wielkich Zawodach.

Poligonem moich motorynkowych manewrów były carskie forty przy ulicy Szeligowskiej, na krańcach warszawskiej Woli (tam gdzie 40 lat wcześniej trenował też mój Tata) – góra, dół, prawo, lewo, śliskie zjazdy, strome podjazdy… Mnóstwo kamieni i zdradliwych krzaków. Ileż to razy testowałam tam granicę możliwości swoich bądź swojego sprzętu! Sprawdzałam, w jakich okolicznościach moja dzielna motorynka nie da rady i jednak się przewróci. Albo jak położyć ją w zakręcie… I do jakiej wysokości można podjechać, a na jakiej koncertowo się wyglebię (jak mówią motocykliści)?!

W końcu musiał mi się przydarzyć ten PIERWSZY poważniejszy wypadek. Dobrze pamiętam ten dzień. Moi koledzy, starsi ode mnie nawet o parę lat, mieli już wówczas Romety, Ogary 200 lub nawet Simsony! Pewnego dnia podjechali do mnie, gdy próbowałam z kopniaka odpalić moją „pięćdziesiątkę", i powiedzieli:

– Ej, Martyna, jedziesz z nami na forty?

Przełknęłam ślinę, przeczesałam dłońmi swoje krótkie włosy (Mama uważała, że staną się mocne i gęste, jeśli będzie mnie strzygła na chłopaka – więc długo wszyscy byli przekonani, że jestem małym łobuziakiem płci męskiej). Oczywiście nie mogłam odmówić.

– Jasne – rzuciłam zadziornie, choć nogi mi się trzęsły ze strachu.

Nie mogłam uwierzyć, że osiedlowy guru zwany Zdulkiem i jego świta zwrócili na mnie uwagę! Liczyłam na to, że jeżeli nie zaimponuję chłopakom, to przynajmniej się nie zbłaźnię.

Nagle atmosfera zgęstniała niczym w westerne „W samo południe". Odpalamy sprzęty i ruszamy w stronę ulicy Szeligowskiej. Skręcamy w lewo, gdzieś pomiędzy drzewa, i… zaczyna się. Robię wszystko, absolutnie WSZYSTKO, co tylko potrafię, żeby za nimi nadążyć. Palę sprzęgło, wykręcam manetkę gazu do oporu, podpieram się nogami, ale… wciąż pozostaję z tyłu. A chłopcy ani myślą dać mi jakiekolwiek fory. Najwyraźniej postanawiają (widząc, że mimo wszystko nadal się toczę) złośliwie prowokować mnie do wyciskania więcej i więcej, tylko że nie ma już z czego. Mój sprzęt i ja osiągnęliśmy absolutny szczyt wydolności. Kiedy wreszcie docieramy do celu, czuję ulgę. Ale tylko przez chwilę, bo oto czeka na mnie wyjątkowo stromy podjazd zakończony zdradliwym podcięciem. Należy mocno się rozpędzić, wyjechać ostro i na samej górze lekko zdławić gaz, żeby przejść przez niebezpieczne siodełko, a potem rozpocząć zjazd w dół. Ja niestety nie wyczułam tematu – wjeżdżam na sam szczyt na pełnym gazie, przekręcam manetkę do oporu i tylne koło, mimo że moc nie była wstrząsająca, zakręciło się mocniej, a Romet wystrzelił w powietrze… Wylądowałam na plecach, a motorynka, niemal 40 kilo blachy i kabli, na mnie. No cóż, nie było to miłe doświadczenie i poważnie je odchorowałam, nie wspominając o nadszarpniętej reputacji, żeby nie powiedzieć dosadniej – totalnej kompromitacji. Myślałam, że połamałam sobie wszystkie kości, ale wstałam, otrzepałam się (jakby nic wielkiego się nie stało) i udając, że nie utykam, rzuciłam:

– Spoko, chłopaki, daję radę.

Wtedy nie chciałam się przyznać do własnej słabości. I dzisiaj też tego nie robię. W trudnych sytuacjach po prostu bardziej zaciskam zęby. Ewentualnie idę gdzieś w kąt potrenować, żeby udowodnić – nie tyle komuś, ile samej sobie – na co mnie naprawdę stać. Uparta jestem jak jasna cholera.

To właśnie był ten okres, kiedy bacznie obserwowałam wszystkich kolegów, ale przede wszystkim – swojego Tatę, wyśmienitego kierowcę. Znał niesamowite triki, a ja po prostu musiałam wiedzieć, JAK ON TO ROBI. Kiedy więc Tata pokazał mi, że moja motorynka też potrafi spalić gumę albo pięknie zakręcić kółeczkiem na bardziej miękkim podłożu, to… oszalałam! Wystarczyło trzymać klamkę hamulca ręcznego, dodać gazu, puścić sprzęgło i koło zaczynało się obracać – świadomość nowych możliwości dodała mi wieeeeeelkich skrzydeł! Trenowałam z taką pasją, że w ciągu paru tygodni zniszczyłam ileśtam tylnych opon (Tata musiał je skądś wytrzasnąć, co w latach wiecznego deficytu towarów pewnie nie było łatwe). Koleżanki w tym czasie grały w gumę, szyły ubranka dla lalek, bawiły się w sklep albo w szkołę i miały jakieś takie dziwne dziewczyńskie zainteresowania. Natomiast ja wkręcałam się coraz bardziej w chłopięcy świat. Co więcej, koledzy zaczęli mnie fascynować też z innych powodów. I vice versa. No bo z iloma dziewczynami można było wówczas godzinami gadać o samochodach, motocyklach i wyścigach? Tak więc, jako chyba pierwsza przedstawicielka swojej płci, wstąpiłam w szeregi motocyklowego bractwa naszego wolskiego osiedla. A wraz ze mną Agnieszka Wierzbicka, nazywana przez nas Wierą, która co prawda na motorowerach nie jeździła, ale też, na szczęście, nie bardzo interesowała się lalkami. Obie byłyśmy więc takimi osiedlowymi twardzielkami – ubierałyśmy się wyłącznie w spodnie, razem jeździłyśmy na moim Romecie, siejąc postrach wśród dziewczyn i, wstyd się przyznać, jako pierwsze zaczęłyśmy palić papierosy za szkołą. (Dziś jestem absolutną przeciwniczką tytoniu i innych używek – żeby było jasne!).

W każdym razie to był bardzo pracowity okres w moim młodym życiu. Trenowałam wtedy gimnastykę artystyczną w klasie mistrzowskiej i kiedy większość dzieciaków po lekcjach bezmyślnie wisiała na trzepaku i dłubała w nosie, ja musiałam jechać na zajęcia do Pałacu Młodzieży (świetny trening systematyczności i hartu ducha, jak każdy sport). Potem chodziłam jeszcze na grafikę, malarstwo, rysunek i kilka innych kółek zainteresowań, a resztę wolnego czas pochłaniało mi rozkładanie i składanie mojego jednośladu. Polegało to głównie na odkręcaniu mało znaczących śrubek, żeby jednak czegoś przez przypadek nie popsuć. I cieszę się, że nie miałam wówczas tak zwanych pustych przebiegów, bo nauczyło mnie to ogromnej dyscypliny. Gdy tylko odrobiłam lekcje, wskakiwałam na Rometa i ruszałam przed siebie. Dzięki temu czułam się wolna, niezależna, ale też – inna. Wyjątkowa. Byłam outsiderką. Wymykałam się stereotypom. Bo, owszem, szyłam sobie sama jakieś przedziwne ciuchy, miałam włosy obcięte na chłopaka i chodziłam w pionierkach – butach, które ładnie się nazywały, ale wyglądały jak buty ortopedyczne. I przy tym całym dziwacznym wyglądzie i zainteresowaniach à la zbuntowana nastolatka byłam wzorową uczennicą, która zawsze miała świadectwo z czerwonym paskiem. Z drugiej strony do dziewczyn, które były *cool* (wtedy raczej mówiło się „ona jest równy gość"), też nie przystawałam, bo za dobrze się uczyłam. I do tego byłam bardzo posłuszną i zdyscyplinowaną córką swoich Rodziców. Raczej nie popadałam z nimi w konflikty, bo Oni byli po prostu fajni i skoro mnie akceptowali, to po co było wyważać otwarte drzwi?

Mimo że mój Romet nie był ani mocny, ani ambitny, ani tym bardziej wyczynowy, to zdarzyło mi się wykonać na nim kilka totalnie abstrakcyjnych numerów. Pamiętam, jak wjeżdżałam z ulicy Siematyckiej w Lazurową (w internecie szukajcie tego skrzyżowania na mapie Warszawy!). To był taki ostry prawy przy zielonym warzywniaku. Jestem w kasku, dżinsowa kurteczka – pełen szyk motorowerowy. Skręcam w drogę osiedlową, która biegnie wzdłuż Lazurowej, i nagle widzę gościa, który idzie poboczem. On też mnie zauważył. Skręcam więc w lewo, żeby go wyminąć, a ten, zamiast zrobić unik, wykonuje krok w moją stronę... I teraz (uwaga!) sytuacja staje się maksymalnie idiotyczna, jak w komedii o głupim i głupszym. Rozpłaszczam mu cztery litery przednim reflektorem, a on siada na niego zdziwiony. Wtedy pudełko, które niesie w prawej ręce, wykonuje spektakularny lot i z żałosnym „plask" ląduje obok nas na asfalcie, oczywiście do góry nogami. Kątem oka dostrzegam serwetkę, która żałośnie wystaje spod sznurka elegancko obwiązującego paczuszkę. Cukiernia Hotel Europejski. O Chryste! W ułamku sekundy dociera do mnie, że to był tort urodzinowy. Powtórzę: tort urodzinowy z cukierni Hotelu Europejskiego! Do tej kultowej cukierni stały zawsze gigantyczne kolejki i obowiązywała lista społeczna, żeby po paru godzinach wyszarpnąć coś smakowitego i z zawartością prawdziwego cukru (wtedy nawet wedlowskie tabliczki czekolady zastępowały wyroby czekoladopodobne). Tort kupiony za ciężkie (założyłam od razu w myślach) pieniądze i to ja jestem sprawcą zniszczenia owego słodkiego ukoronowania niezapomnianych urodzin! Gość miał ze 25 lat, był duży i silny. Ja miałam, przypomnę, 12 i chciałam być duża, ale silna nie byłam z pewnością...

Facet odwraca się do mnie z wściekłością i – zanim zdążyłam cokolwiek powiedzieć na usprawiedliwienie – wali mnie koncertowo w głowę (chronioną na szczęście przez kask), a potem cedzi przez zęby:

– Jak jeździsz, ty debilu?!

I w tym dostrzegam swoją szansę.

Pomyślałam, że jak zdejmę kask i on zorientuje się, że jestem dziewczyną, to będzie po prostu dramatycznie. Wiadomo, usłyszę, że kto w ogóle takiej gówniarze pozwolił jeździć motorowerem. Może nawet wezwie milicję! W związku z tym mówię najgrubszym głosem, na jaki było stać moje struny głosowe:

– Sorry, stary, nie widziałem cię…

Skończyło się ugodą i tym, że pojechałam wysupłać od znajomych te bodajże 5 tysięcy złotych (dziś to pewnie byłoby jakieś 150–200 zł), żeby zwrócić kasę za tort, który zamienił się w smętny placek.

# SZYBKO, CORAZ SZYBCIEJ...

Z małymi przygodami, ale w całkiem niezłej formie dojechałam do końca „okresu błękitnego" w swojej twórczości. Podsumowując: kilka razy zdarzyło mi się wywrócić, tu i ówdzie podparłam się niefortunnie nogą lub przypaliłam łydkę rurą wydechową. O tak, to zresztą jest znak charakterystyczny wszystkich „motorynkowych upalaczy". Kiedy patrzę na prawą łydkę kogoś z przedziału wiekowego 35–45 i widzę na niej dziwny stygmat, to mogę założyć, że ów ktoś zaliczył w przeszłości jazdę jednośladem „made in Bydgoszcz".

Czy było coś po motorynce? Oczywiście! Młoda Marta-Martyna zapragnęła przesunąć swój horyzont. Zamarzyłam o Simsonie. Niemiec w tym miejscu zapewne przerwałby mi i sprostował (co postaram się wpisać fonetycznie, żeby nie popełnić żadnego ortograficznego błędu):

– Ah ja, Zimzun, sonderklasse.

Bardziej po ludzku? No, że Simson to klasa sama dla siebie.

W ósmej klasie podstawówki, czyli jako 15-latka, stałam się dumną posiadaczką Simsona (przepraszam, już się poprawiam – Zimzuna). I poczułam, że to jest moja przepustka do wielkiego świata. Na tamte czasy i tamte możliwości mój zielony Simson z naklejką Castrol to było naprawdę COŚ. Niemcy produkowali ten motorower metodami niemal chałupniczymi, ale solidnie i po germańsku – Simson był złożony niczym Mercedes. Poskręcany jak należy, precyzyjny i – co wówczas wcale nie było takie oczywiste – bezawaryjny. Simson był wypuszczany w różnych wersjach – od takiego „golasa" bez wyposażenia po odmiany enduro oraz maszyny eksportowane nawet do Wielkiej Brytanii. Zdziwieni? Brytyjczycy może i lubili Hondy czy inne Suzuki, ale Simsona kupowali, bo był niezawodny i przede wszystkim tani.

Ale do rzeczy. Mojego Simsona postanowiłam przerobić na sprzęt do zadań specjalnych. Otóż przednie koło notorycznie obijało mi się o błotnik. Wymyśliłam więc, że jeżeli odkręcę ten przedni błotnik, to skok zawieszenia będzie większy. Co też wkrótce uczyniłam. Zadowolona ruszyłam w teren z mocnym postanowieniem, że zostanę wielkim offroadowym kierowcą motocyklowym. Niestety było błoto. Skończyło się na tym, że ochlapałam sobie całą twarz, umorusałam się szkaradnie i stwierdziłam, że jednakowoż przedni błotnik w pojeździe jednośladowym przydaje się i to bardzo.

Wtedy Tata pokazał mi, że można nie tylko palić gumę, ale też strzelić mocno ze sprzęgła, dodać gazu, poderwać kierownicę i… kawałek przejechać na tylnym kole! No tak! Oczywiście błyskawicznie spaliłam sprzęgło, ale musiałam… po prostu musiałam (!) nauczyć się tej sztuczki. I jeszcze posiąść umiejętność robienia takiego obrotu wokół własnej osi. Trzeba było wprowadzić tylne koło w obroty i jednocześnie – pochylić Simsona lekko. Sprzęt wtedy niemal tańczył dookoła mnie. Doprawdy nie wiem, dlaczego Ojciec pokazywał mi te wszystkie wygibasy (oczywiście ku przerażeniu mojej Mamy), bo pewnie sama tak szybko bym na to nie wpadła. A potem, w akcie troski o zdrowie własnego potomka – zabraniał mi je robić. Uznałam to za brak konsekwencji, więc do dzisiaj jest to powód sprzeczek między nami.

Kiedy skończyłam podstawówkę, przeprowadziliśmy się do Izabelina pod Warszawą. To był prawdziwy raj – okolice Kampinoskiego Parku Narodowego, gdzie można było do woli jeździć leśnymi duktami (teraz tego nie robię, bo jestem eko!). Nie mam bladego pojęcia, co by się stało, gdybym wówczas wjechała na jakiś korzeń, kamień lub wywróciła się, uderzyła w głowę i utknęła w środku tego WIELKIEGO LASU… W jaki sposób wezwałabym pomoc, skoro nie było żadnych telefonów, nie mówiąc już o komórkowych?! Wtedy jednak moja wyobraźnia nie sięgała tak daleko – z zawrotną prędkością jeździłam pomiędzy drzewami, krzakami, zakopywałam się po kolana w wydmach. (Ha, mało kto wie, że w Puszczy Kampinoskiej są ogromne piaszczyste łachy i nawet coś na kształt małej pustyni!).

*Niezapięta kurtka, bez kasku, ale z nalepką Castrol na baku — taki był motoszyk lat 80.*

## SIMSON

Firma produkująca te motocykle, jak na motoryzacyjne standardy, jest stara jak świat. Jej historia zaczęła się w roku 1854, kiedy bracia Löb i Moses Simson kupili jedną trzecią udziałów w fabryce... młotków w miejscowości Shul w Turyngii. Od narzędzia do wbijania gwoździ przeszli do produkcji auta parowego, potem były też wyścigówki (Simson Supra), rowery oraz broń. Z wyprodukowanych tam karabinów Mauser i pistoletów Parabellum (to nim tak ochoczo wymachiwał kapitan Kloss) można byłoby usypać drugie Tatry. Po wojnie rozpętanej przez szaleńca z wąsikiem do fabryki przyszli Rosjanie i wykręcili wszystko, co się dało, a w Simsonie oficjalnie zaczęto produkować auta dla dzieci oraz broń sportową. Do jednośladów powrócono dopiero w latach 50. XX wieku – od 1954 roku Niemcy z NRD chwalili się Simsonem AWO 425, który bywa nazywany Honecker-Harleyem (Erich Honecker był szefem samych szefów w NRD, odpowiednikiem Edwarda Gierka i Piotra Jaroszewicza razem wziętych). Tata jeździł takim „DDR-Harleyem" i ładnie na nim wyglądał na zdjęciach... Dziś Simsony można kupić na Allegro – sama znalazłam takiego „prawie jak z fabryki" za (uwaga!) 7 tys. zł! Kosztuje tyle co nowe skutery całkiem solidnych marek.

I to był naprawdę wyjątkowy czas! Chyba jeden z najbardziej beztroskich i cudownych okresów w moim życiu.

I też czas pierwszych ucieczek przed milicją… No cóż, trudno polemizować z faktem, że 14-letnia dziewczyna nie powinna jeździć jednośladem bez uprawnień. Do tego często bez kasku i zdecydowanie za szybko. W dwie, trzy albo i cztery osoby w charakterze pasażerów, bo przecież „my, Polacy, to ułani” i „wojowaliśmy pod Grunwaldem”. Zdarzyło mi się więc co najmniej kilka razy uciekać przed służbami mundurowymi. Na usprawiedliwienie powiem tylko, że przed rokiem 1989 bardzo trendy było płynąć pod ten milicyjny prąd. Bycie w niezgodzie z ogólnie panującym systemem i władzą (dosłownie!) nobilitowało.

# PIERWSZA MIŁOŚĆ [POZA JEDNOŚLADAMI :-]

Jeszcze w podstawówce zakochałam się po raz pierwszy. Moja wielka miłość miała na imię Marcin – był znacznie starszy ode mnie i świetnie jeździł na jednośladach (dodam, że nie odbyła się żadna konsumpcja tego związku). Niemniej chyba zawiodłam jego oczekiwania (może dlatego, że właśnie do owej konsumpcji nie doszło), bo w połowie pierwszej klasy liceum mój chłopak nie chłopak postanowił wyjechać, a w zasadzie uciec do Londynu. To był rok 1989 i wtedy, pracując nielegalnie w Anglii na zmywaku w podrzędnej restauracji, można było zarobić naprawdę duże pieniądze. Kiedy wtajemniczył mnie w owe plany – byłam zdruzgotana. Pamiętam dokładnie, że był 9 stycznia, siedziałam w domu, słuchałam płyty „101” zespołu Depeche Mode i wyobrażałam sobie, że oto moje życie się kończy. Mężczyzna, którego kocham i którego najwyraźniej nie umiem zatrzymać przy sobie (uwaga, miałam wtedy lat 15!) – właśnie nielegalnie emigruje za granicę. Tysiące scenariuszy przemykało przez moją nastoletnią głowę. Na przykład żeby spakować się i razem z nim uciec na ten kraniec świata. Wreszcie doszłam do wniosku, że jednak zostaję, bo następnego dnia mam ważną klasówkę z fizyki. Musiałam się jednak z nim należycie pożegnać.

Ja byłam w Izabelinie – wówczas „trzy chałupy na krzyż stojące w gęstym lesie”. Marcin – w Warszawie. I jak na złość postanowił opuścić dom jakoś bladym świtem, chyba o piątej rano. Żeby pomachać mu białą chusteczką, przytulić się do niego mocno i powiedzieć, że zawsze go będę kochać i zawsze będę za nim tęsknić, musiałam poczekać, aż Rodzice zasną. Otworzyłam drzwi garażu, wypchnęłam swojego Simsona za róg i o trzeciej nad ranem odpaliłam go z kopniaka. Nie miałam

wtedy reflektora, nawet nie pamiętam dlaczego, więc jechałam w kompletnych ciemnościach, przyświecając sobie jakąś latarką na tych leśnych wertepach. Zima, noc,
lód na drodze i do tego jeszcze padający śnieg… Było tak piekielnie zimno, że mając
na sobie różową puchową kurtkę, gogle narciarskie, wełnianą czapkę, rękawiczki,
i tak cała dygotałam. I musiałam podpierać się nogami, żeby nie wywrócić się na tej
śliskiej nawierzchni. Dojechałam, pożegnałam Marcina, który odjechał był Polonezem za wielką wodę. Cierpiałam. Ale tak to już jest, że po zimie przychodzi wiosna.
A wraz z nią pojawił się kolejny chłopak i kolejne wyzwania oczywiście.

## TWARDYM TRZEBA BYĆ

W pierwszej klasie XXII Liceum im. José Martí jeździłam swoim zielonym „od-
kurzaczem" z Izabelina na Żoliborz. To było naprawdę coś. „Samodzielna kobitka,
która ma swój styl. Jestem dorosła i świadoma" – tak właśnie sama o sobie myślałam. Dziś widzę to nieco inaczej – byłam totalnym obciachem. Tak z kobiece-
go punktu widzenia. Brakowało wtedy bajeranckich sprzętów, skór czy rękawic…
Pierwszy kask, który kupiłam w pawilonach handlowych na ulicy Marchlewskiego
(wtedy, Jana Pawła II – dziś), był marki Bella. Nie wiem, czy był bezpieczny i czy
przy walnięciu o coś twardego nie rozsypałby się w kawałki – jednak o takich rzeczach nie myśli się, gdy ma się naście lat. Nawiasem mówiąc, można go było kupić – jak słynnego Forda T – w jednym jedynym kolorze, tyle że czerwonym. Kto
mający choć szczątkowe wyczucie stylu do zielonego Simsona założyłby czerwony
kask?! O zgrozo! Ale przecież Polak potrafi… Zmatowiłam więc ten kask papierem ściernym (najpierw, tak jak trzeba – gruboziarnistym, potem przetarłam całość
gładszym), okleiłam dokładnie uszczelki taśmą i wszystko zasprejowałam na czarny
mat. Na tym nie koniec. Na wierzch nakleiłam jeszcze lisią kitę, która miała być
takim niby-punkowym irokezem. I byłam z siebie piekielnie dumna! Uważałam, że
wyglądam po prostu czadowo.

To był też okres mojej fascynacji kolorem czarnym i khaki – właśnie wtedy
zakochałam się w armii. Wszystkie pieniądze, jakie miałam, wydawałam na amerykańskie mundury z demobilu. Nie były to dobra tak dostępne jak obecnie, ale kupowałam kamuflaże, kombinezony sił powietrznych Stanów Zjednoczonych, parki
albo buty nazywane rumunkami od ojczyzny armii, która ich używała. Owe à la
glany nie występowały na bazarach w moim rozmiarze 39. Te, które miałam, o trzy

numery za duże, zostały ściągnięte, jak znam życie, z jakiegoś gościa na Starówce (to były czasy, kiedy skinheadzi rozbierali punków na warszawskich ulicach także z obuwia!). Ale na szczęście włosy miałam trochę dłuższe, więc trudno mnie już było pomylić z chłopakiem.

Mój pokój przypominał wtedy koszary wojskowe. Siatka maskująca zwisała ze ścian i sufitu (wyglądało to wszystko mrocznie, nie mówiąc o tym, że siatka była fenomenalnym magazynem kurzu), na drzewcach wisiały trzy amerykańskie flagi, kolekcja noży w skrzyni, równo ułożone mundury – kamuflaż letni, kamuflaż zimowy, no i zaklejone papierem okna, ponieważ dopływ słońca był absolutnie niewskazany. Uczyłam się przy świecach. Zrezygnowałam też z tak podstawowych wygód jak łóżko. Bo po co rozleniwiać się, skoro wystarczy śpiwór rzucony na podłogę? Święcie przekonana, że kiedyś będę służyła w armii – postanowiłam się hartować. Codziennie biegałam po lesie, uczyłam się takich czynności jak czołganie czy strzelanie. Poszłam nawet na komisję wojskową ze swoim przyjacielem Orestem, ale pan pułkownik mnie przegnał, twierdząc, że mogę sobie zostać co najwyżej sanitariuszką – oburzona już wtedy wykrzykiwałam coś o braku równouprawnienia czy coś w tym stylu… Zresztą wszyscy chłopcy próbowali się wtedy wymigiwać od służby wojskowej na tyle sposobów, że moje dobrowolne stawienie się na pobór można było uznać za przejaw ciężkiej choroby. Miałam w sumie szczęście, że nie wezwali karetki z psychiatryka.

# FASCYNUJĄCY WIELKI ŚWIAT

A gdzie motoryzacja? To szło jakby równolegle. O Tacie i jego przemożnym wpływie już wiecie. Pozostaje jeszcze Mama, którą swego czasu ojciec obsadził w roli pilota na jednym z KJS-ów (Konkursowa Jazda Samochodowa, czyli taki rajd dla osób bez licencji sportowej). Mama może nie znała się za bardzo na dyktowaniu trasy, ale oryginalny pilot mojego Ojca akurat miał kaca i wystartować w owej imprezie nie mógł, więc Joanna Wojciechowska pierwszy i ostatni raz w swoim życiu miała go wyręczyć. Nikomu jakoś nie przeszkadzało, że moja rodzicielka była ze mną w dość zaawansowanej ciąży. Tak, to wszystko nie mogło zostać bez wpływu na mój dalszy rozwój…

Kiedy miałam cztery lata, pierwszy raz uciekłam z domu. Już wtedy wiedziałam, że jako niezależna jednostka powinnam podążać własną drogą. Ulica Połczyń-

To tytuł utworu kultowego punkowego zespołu Dead Kennedys. Dodam, że nie skonsultowałam z Rodzicami projektu wystroju mojego pokoju... Była totalna afera!

Wyniki moich trafień do tarczy strzelniczej. Miałam naprawdę celne oko i pewną rękę

Mój pierwszy kask, własnoręcznie przemalowany na czarny mat...

...i zapasowa szybka do kasku

Mój osobisty telewizor! To było coś...

Yamaha Virago 535. Fascynował mnie jej błyszczący silnik – dwa cylindry w układzie V

Flaga amerykańska, bo fascynowało mnie wtedy wszystko co za Wielką Wodą...

Cała dyskografia Pink Floyd skopiowana na kasety

Przepisane wiersze miłosne od moich adoratorów...

Kolejny motocykl, do którego wzdychałam po nocach. Oczywiście wycięty z pisma Motorrad

Wiem, trudno w to
uwierzyć, ale to naprawdę
ja... Rok 1990

Tego dnia Rodzice wstydzili się pozować
ze mną do zdjęcia :-)

ska w Warszawie, przy której wtedy mieszkaliśmy, to była (i nadal jest) trasa wylotowa na Poznań, bardzo ruchliwa, dwupasmowa. I choć wydarzyło się to dawno temu, doskonale pamiętam każdy detal. Spakowałam torbę ze wszystkimi potrzebnymi rzeczami, piekielnie przemyślnie opracowałam szczegóły ucieczki, tak żeby nikt mi nie przeszkodził. I z wielką torbą siajtu-majtu powędrowałam na pobliską stację CPN (skrót od Centrala Produktów Naftowych). Ta stacja benzynowa, która wciąż stoi w tym samym miejscu, tylko w innych barwach (to Orlen, a ponieważ nie jest sponsorem tej książki, więc nie będę im więcej robić reklamy), jawiła mi się jako Centrum Wszechświata. Tam bowiem zatrzymywała się większość samochodów, które jechały trasą wschód-zachód, tą co to ciągnęła się spod granicy rosyjskiej, przez Poznań, aż do Berlina. Były więc ciężarówki z zagranicznymi blachami (rejestracjami) i w ogóle mnóstwo niesamowitych pojazdów. To był też czas ogromnych kolejek i list społecznych za benzyną, ale w kawiarni, gdzie stały flipery, można było usiąść, przykleić nos do szyby i obserwować te cudowne kolorowe jedno- i dwuśladowe maszyny. I to właśnie tam chciałam się wtedy udać – do tego miejsca pachnącego Przygodą.

Nawet nie jestem w stanie wyobrazić sobie stresu, który przeżyli moi rodzice, kiedy zorientowali się, że nie ma mnie, kilku drobiazgów i torby podróżnej. Wszyscy krewni i znajomi rozbiegli się spanikowani na poszukiwania. I w końcu Mama dopadła mnie gdzieś na przejściu dla pieszych już przy stacji na ulicy Połczyńskiej. Musiała być wściekła, ale jednocześnie tak zestresowana i szczęśliwa, że mnie jednak znalazła, że rozpłakała się tylko i przytuliła bardzo mocno. Uniknęłam kary, ale byłam bardzo rozczarowana, bo ta moja samodzielna eskapada została przerwana w najciekawszym momencie, a przecież miało być tak pięknie… Planowałam, że zasiądę na CPN-ie i popijając kawę (osobliwy napój dla dziecka w moim wieku), będę godzinami patrzeć na te samochody przejeżdżające w te i z powrotem. I na ludzi, którzy jechali skądś - dokądś i mieli na pewno mnóstwo Ważnych Spraw na głowie. Tak, to był mój świat. I jest nim do dzisiaj! Uwielbiam stacje benzynowe, dworce kolejowe i lotniska. Te wszystkie miejsca, gdzie ludzkie ścieżki przecinają się tylko na chwilę, a potem każdy zmierza w swoją stronę. Zawsze próbuję dopisać historię pana, który właśnie płaci za paliwo przy dystrybutorze numer 3. Dokąd jedzie? Po co? Jakie ma życie? Czy jest szczęśliwy? Dlaczego wybrał ten, a nie inny samochód dla siebie? A potem zagaduję te osoby i weryfikuję, czy moje o nich wyobrażenie w jakikolwiek sposób pokrywa się z rzeczywistością.

Kiedy patrzę na swoją niespełna czteroletnią córkę Marysię, przypominam sobie własne dzieciństwo. I jak wiele dostarczałam (i nadal dostarczam!) trosk swoim

Rodzicom. Oczywiście sama będąc matką, wiem już, ile energii i siły trzeba poświęcić na wychowanie dziecka. A stoję dopiero na początku tej drogi! Najpierw te szkraby są całkowicie od nas zależne, potem – już świadomie – chcą, żebyśmy zawsze z nimi byli, a w końcu… marzą, żebyśmy wreszcie dali im święty spokój. I pozwolili iść własną drogą. A my tak bardzo pragniemy, żeby miały życie usłane różami…

I właśnie w tej chwili pojawiło się w swojej głowie pytanie:

– A co będzie, jeśli moja córka za 13 lat, licząc od dziś, przyprowadzi mi do domu długowłosego motocyklistę i powie: „Mamo, zakochałam się".

Ten obrazek mnie prześladuje! Może dlatego, że sama zafundowałam to moim Rodzicom?!

# PÓŁBÓG NA EMZECIE

Z wypiekami na twarzy oglądałam zdjęcia w magazynach, które znajomi przywozili z zagranicy – z Wielkiej Brytanii, ale przede wszystkim z Niemiec. Kultowe pismo „Motorrad" było moją Biblią. Wycinałam z niego fotografie motocykli, naklejałam na ścianie i w czasie, kiedy koleżanki przypinały pineskami plakaty Joe Tempesta z Europe albo Modern Talking, ja patrzyłam na Kawasaki ZX10 i mówiłam:

– Panie Boże, dlaczego nigdy, przenigdy nie będę miała takiego motocykla…?

Wahałam się wtedy, który z motocykli podoba mi się najbardziej: CBR1000 (tak zwana mydelniczka), wspomniane ZX10, a może jednak coś z linii klasycznej, na przykład Yamaha Virago 535? Choć Kawasaki (4 cylindry, 4 gaźniki, 6 biegów, prawie 140 KM mocy, masa – całkiem nieanorektyczna – aż 260 kilogramów) zwyciężyło – to jednak wszystkie te motocykle były absolutnie poza moim zasięgiem. Dziwicie się? W Niemczech taki sprzęt kosztował 15 tysięcy marek – wtedy dla mnie nie górę, lecz cały Mount Everest pieniędzy. Moje wymarzone motocykle były wszędzie – jak tapetą pokryłam plakatami drzwi i ściany pokoju. Ale nawet nie śniło mi się, że kiedykolwiek będę mogła czymś takim jeździć. Dlatego właśnie po skończeniu liceum postanowiłam zdawać do Wyższej Szkoły Policji w Szczytnie…Wykombinowałam sobie bowiem, że jak będę już oficerem drogówki, to dostanę do jazdy Hondę CB, ponieważ takie sprzęty zakupiono wówczas dla naszej policji. Z kariery oficerskiej nic jednak nie wyszło, bo rozmyśliłam się w ostatniej chwili. A japońskim motocyklem jeżdżę i tak! Zresztą szybszym i nowszym niż chłopcy z drogówki, bo – jak powszechnie wiadomo – budżetówka w naszym kraju wiecznie niedoinwestowana…

I wtedy właśnie, całkiem niepostrzeżenie, jak to u nastolatków bywa, przyszedł czas Darka, pseudonim Leon. Był niższy ode mnie o głowę, miał dość mroczne usposobienie, słabe wyniki w nauce oraz długie, kruczoczarne włosy. Ale najważniejsze było to, że jeździł czarną MZ ETZ 150. Oszalałam! I wtedy mama powiedziała mi:

– Dziecko, pewnego dnia, kiedy już ochłoniesz z tego wszystkiego, to spotkasz swojego Leona na ulicy i przejdziesz na drugą stronę, bo wstyd ci się będzie przyznać, że się z nim spotykałaś.

No cóż, nie wierzyłam w to, ale Mama (jak to zwykle Mama) miała rację. Najpierw, oczywiście pod wpływem mocnej fascynacji Dariuszem-Leonem, zapomniałam o Kawasaki. Potem uznałam, że to MZ 150 jest jednak właściwym punktem odniesienia. Zafundowałam więc sobie kolejne marzenie. Ten dwusuwowy motocykl (choć to słowo raczej na wyrost) rozjaśniał socjalistyczny mrok skuteczniej niż Simson.

W enerdowskich reklamach (do zobaczenia choćby na YouTube) emzetkę pokazywano jako pojazdy dla superfacetów oraz dzielnych i pięknych *frau*-kobiet! Na zdjęciach był i kulig za emzetką, i podróż emzetkami po plaży (faceci w czapkach z płaskimi daszkami za kierownicą – bezcenne), i wjazd na wielką hałdę piachu. Można się było zakochać. Mnie też to wzięło... Problem w tym, że kiedy facet wygląda jak jaskiniowiec, to z dużą dozą prawdopodobieństwa nim jest (choć oczywiście zdarzają się wyjątki). Ja akurat miałam pecha, ale w końcu gdyby nie nasze doświadczenia, także te złe, to nie bylibyśmy tymi, kim jesteśmy.

# TESTOWANIE MOŻLIWOŚCI

Zainspirowana MZ ETZ 150 sprzedałam Simsona. Udało mi się zarobić trochę pieniędzy z prywatnych lekcji, które dawałam kolegom z młodszych klas oraz z uczenia dzieci angielskiego (cóż za paradoks po moich ucieczkach z korków!), pozbyłam się też gitary klasycznej i dzięki temu jakoś uzbierałam na emzetkę. Kupiłam ją na ulicy Malowniczej w Warszawie – znów była wystana i wymarzona. Miała być co prawda czarna, ale dostępne były tylko czerwone. Błyskawicznie podjęłam decyzję i własnoręcznie przelakierowałam ją (sprejem, oczywiście!) na czarno. Byłam tak dumna i tak szczęśliwa, że już nigdy potem (nawet kiedy kupowałam najlepsze i najdroższe motocykle) nie czułam takich emocji, jak wtedy, gdy zobaczyłam swoją „stopięćdziesiątkę". Popłakałam się ze szczęścia.

# EMZETA

Korzenie firmy Motorradwerk Zschopau, czyli MZ sięgają początku poprzedniego wieku. Historia zaczęła się od przedsiębiorstwa o nazwie DKW. Fabryka z Saksonii kombinowała ze skuterami na długo przed tym, jak te rozpanoszyły się we Włoszech. Już w połowie lat 20. XX wiek z Zschopau wyjeżdżało dziennie 300 jednośladów i 300 gotowych silników, a w roku 1932 nasza DKW połączyła się z Horchem, Audi i Wanderer, tworząc... Audi (tę nazwę zna każdy). Kiedy wybuchła II wojna światowa, po niemieckich „autobanach" jeździło już pół miliona jednośladów DKW. Potem powtórzył się scenariusz znany z Simsona, czyli Rosjanie wywieźli całe wyposażenie fabryki na wschód. Dopiero w 1949 roku pozwolono na wznowienie produkcji – Niemcy zaczęli tłuc masowo jednoślady na podstawie przedwojennych planów DKW, bez patentu. Stąd był już tylko krok do 1952 roku i założenia VEB Motorradwerk Zschopau, czyli – w skrócie – MZ.

Twórcą dwusuwowego silnika do pierwszych motocykli tej firmy był Walter Kaaden, inżynier związany z przemysłem zbrojeniowym. To on, w oparciu o doświadczenia zyskane przy konstruowaniu pocisków V1, opracował tłumik emzety, który dawał dwusuwom totalnego kopa. Kaaden wypłynął na światło dzienne, kiedy enerdowskie motocykle zaczęły triumfować na arenie międzynarodowej. Chwała NRD nie trwała jednak długo. Niejaki Ernst Degner – motocyklowy gwiazdor-rajdowiec, człowiek Kaadena – wykradł bowiem sekret jego tłumików, a potem uciekł na Zachód, gdzie sprzedał technologię... Suzuki! Japończycy do dziś chwalą się, że dzięki temu mogli zwyciężyć w klasie 50 cm³. Co później stało się z Degnerem? Podobno przedawkował środki przeciwbólowe, które uśmierzały cierpienia spalonej w wypadku motocyklowym skóry. Ci lepiej doinformowani plotkowali, że to nie był wypadek, lecz zemsta tajnych agentów Stasi.

Firma z Zschopau produkowała swoje jednoślady do roku 2008, kiedy zatrzymano taśmy (właścicielem był wtedy koncern Hong Leong z Malezji). Resztki po imperium MZ przejął były zawodnik Moto GP Ralf Waldmann. Jako ciekawostkę dodam tylko, że po upadku NRD licencję na emzetki sprzedano Turkom. I jeszcze że niemieckie dwusuwy składano w Brazylii, a w latach 60. powstał prototyp z silnikiem rotacyjnym (Wankla). Poza tym emzetki uczestniczyły (i wciąż uczestniczą) w wyścigach. Oczywiście dla amatorów, ale (i to zabawne) na torze w Wielkiej Brytanii można sobie wynająć motocykl z ekspertem, mechanikami — wpisowe 500 funtów (cena całkiem świeża, bo tegoroczna za jeden start).

Oto moja duma – EMZETA 150! Motocykl produkowany był w latach 1985-1990. Pojemność skokowa – 143 cm³ (jeden cylinder). Moc maksymalna 12,2 KM. Masa własna 118 kg. Ale przede wszystkim – był MÓJ!

Powiedziałam wówczas głośno pamiętne słowa: „Nigdy nie będę jeździć samochodem, bo po co mi on, skoro są jednoślady".

Natychmiast postanowiłam sprawdzić, co potrafi mój nowy sprzęt (i ja). No i… zaczęło się. W tym okresie przyjeżdżałam do domu albo z rozbitym reflektorem, albo z rozbitym kolanem. W zasadzie – na zmianę. Cieszę się jednak, że ten mój okres „badania granic wytrzymałości wszelkiej" i nauki przypadł na czas, kiedy jeździło się motocyklami o małej mocy i stosunkowo niewielkiej prędkości maksymalnej. Dziś nastolatek staje się posiadaczem prawa jazdy i gdy ma trochę pieniędzy, może sobie kupić używanego „japończyka" o pojemności 600 lub 1000 cm³, nie zdając sobie zupełnie sprawy, co mu grozi przy prędkości ponad 200 km/h. Taka, dajmy na to, Honda CBR600 osiąga ją po mniej więcej 10 sekundach, czyli liczycie do dziesięciu i już jest szybciej niż wieje huragan… Dlatego bardzo się cieszę, że moja edukacja przebiegała na pseudomotocyklach. A ponieważ rozpoczęłam ją w 10. roku życia, to jazda jednośladem jest dziś dla mnie tak oczywista i prosta jak oddychanie. Mogę w środku nocy wsiąść na dowolny jednoślad i wykonuję wszystkie czynności bezbłędnie. To jest też rutyna (w dobrym tego słowa znaczeniu), którą się nabywa przez lata treningów. Taka niemal podświadoma umiejętność rozglądania się na boki, analizowania każdej sytuacji na drodze. W zasadzie zanim zdążę pomyśleć, że muszę zahamować, to już działa ten impuls w mojej głowie – naciskam „klamkę" przedniego hamulca, a dopiero za tym – stopa i hamulec nożny.

W tym roku stuknie mi 27 lat mojej przygody z motocyklami i nadal nie mam na swoim koncie poważnego wypadku. To znaczy miałam jeden, ale wtedy jechałam „na kolarza", czyli jako pasażer (pierwszy i ostatni raz w życiu), więc to się nie liczy, prawda?!

Leon-Darek, jego koledzy i ten „czarny etap" w moim życiu kojarzą mi się z muzyką heavy metal, z koncertem Metalliki w Chorzowie, i z jeżdżeniem jednośladami niemal non stop. I bycia owładniętą myślą, że zostanę albo zawodowym żołnierzem, albo kierowcą wyścigowym. Aby zrealizować drugie marzenie, godzinami siedziałam przed telewizorem (mieliśmy wtedy nawet antenę satelitarną!) i oglądałam każdą rundę wyścigów motocyklowych klasy 500. Kevin Schwantz, Luca Cadalora, Wayne Rainey, John Kocinski czy wspaniały Australijczyk Mick Doohan – rozpisywałam sobie kiedy, na jakim zakręcie nastąpiło przetasowanie i kto z kim wygrał. Na przełomie lat 80. i 90. mogłam wyrecytować z pamięci wyniki poszczególnych Grand Prix. Ale że kiedyś sama znajdę się na TAKIEJ imprezie, że będę mogła usiąść na TAKIEJ maszynie i rozmawiać z WIELKIMI kierowcami – o tym, przyznaję, nie pomyślałam. Bo tak naprawdę nikt nie dawał mi żadnych szans na sukces, od czasu do czasu komentując moje poczynania w stylu:

– Ech, Ty i te Twoje motocykle... Jaki z tego pożytek? Pomyślałabyś lepiej o przyszłości i poważnych rzeczach…

Jakoś nikt nie chciał mi uwierzyć, że będę żyć z motoryzacji i jeszcze świetnie się przy tym bawić.

– Praca to jest obowiązek, a nie przyjemność, moja droga – twierdzili niektórzy.

Moi rodzice jako jedyni nie werbalizowali takich przemyśleń, choć jestem gotowa przyrzec, że nie sądzili też, że właśnie od motosportu zacznie się w moim życiu wszystko co najważniejsze. Ale też nie dziwię się, bo faktycznie w tamtych czasach niewiele dziewczyn miało podobne pasje.

Okres fascynacji MZ 150 minął, kiedy zamarzyłam o emzetce 251. To była konstrukcja oparta na ramie „stopięćdziesiątki", ale o całkiem solidnej mocy (całe 21 KM, czyli jak porządna kosiarka do trawy, niewiele więcej potrafił też wygenerować znacznie cięższy Polski Fiat 126p). W dodatku (a może – co najgorsze) działanie silnika tego motocykla było dziwne – do 3 tysięcy obrotów wału emzetka nie chciała jechać, a później, przy mniej więcej 5 tysiącach, gwałtownie ożywała. Ta nierównomierność momentu obrotowego wymagała od kierowcy uwagi, bo sprzęt – na pozór spokojny – po odkręceniu manetki łatwo ponosił. Czym się to objawiało? Notorycznie podrywało przód motocykla. Jeśli na drodze był piach – masakra. Wywrotka gwarantowana w ułamku sekundy! OK, sprzęt może i nie był zbyt stabilny, ale za to – jak wyglądał! Szpan, nawiasem mówiąc, robiło się też Jawą 350, koniecznie czarną z czerwonymi (sportowo wyglądającymi) paskami. To był ciężki i mało zwrotny klamot, ale za to do zaimponowania koleżankom i kolegom nadawał się idealnie!

Niebawem dla osób z mojego otoczenia stało się oczywiste, że zajmuję się motoryzacją, znam się na tym i rozkładam silnik z zamkniętymi oczami. Kiedy uczyłam się naprawiać elektrykę w mojej emzetce, to tyle razy spaliłam bezpieczniki, aż dowiedziałam się w końcu, który kabelek powinien być połączony z którym. Sama regulowałam silnik, tuningowałam swój sprzęt i dbałam o niego – pieściłam, polerowałam każdy element na błysk. Robiłam przy swoim ukochanym jednośladzie absolutnie wszystko i to dzięki swojemu Tacie, oczywiście, który zaczynał mi coś tłumaczyć, potem machał ręką, gdzieś tam znikał... A kiedy wracał, to okazywało się, że zdążyłam już rozłożyć i złożyć gaźnik, a nawet wyciąć uszczelkę z tekturki, bo poprzednia się zdefasonowała. Wielce żałuję, że dzisiaj te sprzęty są tak zaawansowane... Chyba nawet mechanicy nie bardzo wiedzą, o co w nich chodzi.

# MAŁY POLAK, A POTRAFI

To był jesienny, raczej chłodny dzień. Rano wychodziłam do szkoły (pierwsza klasa liceum) i olśniło mnie – zrobię wrażenie na kolegach i koleżankach (jakie to jest ważne, kiedy ma się naście lat!). Postanowiłam wystąpić w białej skórzanej kurtce z frędzlami, którą moja Mama kupiła za ciężkie pieniądze na bazarze w Rembertowie. Traktowała ją jako rodzinną relikwię i mogłam sobie ją co najwyżej założyć przed lustrem w domu. Na motor – zapomnij! Zapakowałam ją potajemnie do plecaka, wyszłam ubrana normalnie, a już na przystanku autobusowym dumnie paradowałam w owej skórzanej katanie, wzbudzając sporą sensację w szarej rzeczywistości ówczesnej Polski Ludowej. Po lekcjach pojechałam odwiedzić swoich kolegów motocyklistów na Woli. Nagle pojawił się jakiś gość z cezetką – maszyna fajna, ale koleś wyglądał jak kompletny lamus, więc powiedziałam od niechcenia:

– Ej ty, daj się przelecieć.

Ten spojrzał na mnie, a dodam tylko, że byłam odstawiona, jakbym się wybierała do teatru.

– Tobie?! Chyba żartujesz! – prychnął pogardliwie.

Ale moi kumple wstawili się za mną, oczywiście.

– Ty, ona jeździ jak stara. Nie rób siary!

No i gość zmiękł, po czym dał mi ową cezetkę na przejażdżkę.

Wyjechałam na szutrową drogę (w tej spódniczce, kozaczkach i skórzanej kurtce) i... wyglebiłam się koncertowo! Na pierwszy rzut oka nic poważnego się nie stało – zarysowałam tylko zbiornik paliwa. Największą ofiarą tej kraksy stała się garderoba, a konkretniej – kurtka mojej Mamy. To była prawdziwa katastrofa. „Rodzinna relikwia" wyglądała naprawdę żałośnie. Po upadku na prawym rękawie i na piersiach zrobiła się zmechacona ircha! Oddałam motocykl osłupiałemu właścicielowi i – nie zwracając uwagi na krwawiące kolano – zaczęłam działać. Wykombinowałam sobie, jak kurtce czarodziejskim sposobem przywrócić nowe życie. Potrzebna jest tylko dobra FARBA! W pawlaczu mieszkania kumpla znalazłam białą olejną. I nią pomalowałam skórę, potem schowałam ją do torby, wróciłam do domu i odwiesiłam na miejsce, do szafy. Była kara, ale nie od razu, ponieważ Mama, traktując owo okrycie wierzchnie jak Dobro Najwyższe, zakładała je zaledwie raz na kilka tygodni.

Sprawa wydała się dwa miesiące później, ale wtedy to ja już byłam po leczeniu w szpitalu i dochodziłam do zdrowia, więc potraktowano mnie łagodnie. Powód hospitalizacji był dość prozaiczny – nieoczyszczone po upadku kolano po tygodniu ukrywania pod spodniami zmieniło się w ropiejącą ranę. Rodzicom tłumaczyłam, że… zaliczyłam wywrotkę na szutrowej nawierzchni podczas lekcji WF-u, bo się potknęłam w biegu na 200 metrów! Skończyło się zapaleniem naczyń limfatycznych oraz zakażeniem całego organizmu. Do dzisiaj mam bliznę, ale noszę ją z dumą, niczym ślad po obrażeniach odniesionych w ciężkim boju.

Biała skóra Mamusi była wprawdzie całkiem, całkiem, ale ssanie miałam i tak na coś zupełnie innego – ramoneskę, grubą i czarną jak węgiel z suwakiem w poprzek. Skąd nazwa? Oczywiście od punkowej kapeli The Ramones, o której u nas można było wtedy przeczytać co najwyżej w muzycznym miesięczniku „Non stop". Cała reszta świata sformułowania „ramoneska" jednak kompletnie nie rozumie. Na taki „leder dżaket" mówi się bowiem perfecto. Kurtki z suwakiem opatentowała i od lat 20. szyje amerykańska firma Schott NYC (jeśli pogrzebać w detalach, to korzenie ma… rosyjskie, bo skórzany biznes założyli właśnie nasi sąsiedzi zza Buga, oczywiście emigrujący za ocean po chleb, sól oraz wódkę). Prócz perfecto u Schotta robili też kurtki dla wojska, ale kiedy wojna się skończyła, biznes, jak to się mówi, siadł. Na szczęście przyszłą ramoneskę założył na siebie Marlon Brando, który zagrał w słynnym „Dzikusie" – film zastąpił najlepszą reklamę. Potem już poszło. Moje skórzane marzenie nosił też James Dean (podobno ciężko mu było zrobić zdjęcie bez takiej kurtki) oraz… Grigorij Saakaszwili z „Czterech pancernych…". Nie do uwierzenia, ale ktoś nie dopilnował sprawy i ów odzieżowy symbol zgnilizny kapitalizmu w tysiącach kopii rozszedł się po całym socjalistycznym świecie. Dla mnie sprawa była prosta – skoro ramoneskę nosił Sid Vicious z The Sex Pistols, coś takiego musiało znaleźć się w mojej szafie. Koniec i kropka. Aha, bo zapomnę – perfecto szyją do dziś. Ale nie kosztują, jak na początku, pięć, lecz nawet 600 dolarów. To tak dla fanów mody i Tomka Jacykowa mi się napisało.

# DLA ZASTANOWIENIA

Pewnego dnia wróciłam swoją emzetką wcześniej ze szkoły. Mama stała w progu zalana łzami. Zanim na mój widok odwróciła się na pięcie, tylko lodowato wycedziła:
– Masz w tej chwili zabrać stąd ten motor. Nie chcę go więcej oglądać.

Mój cioteczny brat Darek miał wtedy 17 lat, ja 15. Spędziliśmy razem wakacje, szaleliśmy na motocyklach i bardzo byliśmy ze sobą związani. Tego dnia Darek miał na swojej MZ 250 wypadek. Jechał spokojnie drogą z Warszawy do Radomia, kiedy z bocznej uliczki pod koła wyjechał mu dostawczy Żuk. Było kilka złamań, trepanacja czaszki, śpiączka... Darek do dziś jest sparaliżowany i choć minęły od wypadku 22 lata, to nic więcej nie dało się dla niego zrobić. Wciąż nie mogę się pogodzić, że wszystkie najlepsze lata swojego życia spędził na wózku inwalidzkim przez idiotę, który „niczego nie widział". I to jest właśnie najbardziej przerażające w jednośladach. Nasze ciała są przecież osłonięte tylko jakimiś, w gruncie rzeczy, skromnymi ochraniaczami (o ile oczywiście ktoś jest na tyle przezorny, żeby je założyć). Pochowałam już wielu kolegów, którzy przeszarżowali, przecenili swój sprzęt, zagapili się albo zwyczajnie mieli pecha, bo... ktoś inny postąpił lekkomyślnie. Motocykl to jest bardzo niebezpieczna zabawka w rękach nieodpowiedzialnych ludzi.

Niestety, wybierając jakikolwiek sport, lub choćby styl życia, trzeba być świadomym wliczonego w niego ryzyka. Jedyne co mogę powiedzieć na swoje usprawiedliwienie (i usprawiedliwienie wszystkich miłośników dwóch kółek), to to, że z wiekiem poziom świadomości i odpowiedzialności rośnie. Mamy też coraz lepsze ochraniacze, kombinezony, kaski, motocykle posiadają system ABS, który ułatwia kontrolę nad nimi w sytuacji podbramkowej.

Dzisiaj nie jeżdżę jak kiedyś. Dzień, w którym mój brat został sparaliżowany (wtedy nie wiedzieliśmy nawet, czy przeżyje), był też końcem mojej motoryzacyjnej beztroski. Temat dwóch kółek stał się w moim domu, delikatnie mówiąc, drażliwy...

Po trzydziestce miałam okazję poszaleć
na sprzętach przewidzianych dla kilkulatków.
Szkoda, że kiedy sama byłam małolatą,
ominęła mnie taka frajda :-(

# MOTORYZACYJNE
# REALIA PRL

*Kiedyś motocykl WSK był świetnym rodzinnym kombi...* →

Dobrym motorem
to i do księdza
w niedzielę na mszę,
i pole dało się zaorać

To tylko pozory,
że polskie motocykle
składano tak precyzyjnie...

## CZASY JEDNOŚLADÓW

Polska miała pecha – Rosjanie otoczyli nas kordonem tak zwanej przyjaźni i na blisko 45 lat znaleźliśmy się w strefie, gdzie normalna ekonomia nie miała racji bytu. Kiedy Amerykanie odkładali dolary, u nas żadnej waluty mieć nie było wolno, więc ludzie inwestowali w cztery koła. Ale fabryki wciąż produkowały za mało, za słabo i nie na czas, a import był mikry. Pieniędzy Kowalski nie miał także dlatego, że socjalizm każdemu dawał po równo – z pensji „czy się stoi, czy się leży, dwa tysiące się należy" można sobie było (i to w zasadzie tylko na raty) nabyć meblościankę, dywan lub pralkę. Samochód dla większości stał się nieosiągalnym marzeniem, bo na wolnym rynku auto kosztowało abstrakcyjnie dużo. Taniej można było je dostać z przydziału, a więc na tak zwany talon i to po odczekaniu nawet kilku... lat w kolejce! A potem trzeba było jeszcze kupić benzynę – w latach 70. na drodze ze stolicy do Zakopanego były tylko dwie stacje benzynowe, a lata 80. to już kartki i przydział 30 litrów na miesiąc (jednorazowo można było wlać do baku tylko 10). I w tę lukę idealnie wpasowały się motocykle. Też trzeba było mieć talon i zapisać się na listę społeczną, ale taki sprzęt był tańszy, a więc – bardziej dostępny. PRL to był najlepszy czas dla jednośladów.

Pochód pierwszomajowy
na IŻ-ach i SHL-kach

Propaganda w PRL,
czyli 800 procent normy

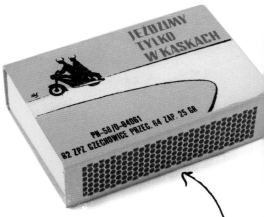

Motocykl WFM,
radio lampowe, pralka Frania,
kuchnia węglowa – I wszystko to
dostępne w jednym sklepie!

Hasło promujące
bezpieczeństwo
na drodze było
równie skuteczne
jak inny slogan
– „Rolniku,
myj jaja”

W latach PRL
lud entuzjazmował
się zmaganiami
motocyklistów w tzw.
sześciodniówkach.
Na dzisiejsze
warunki to byłby
chyba – taki polski
Dakar!

Zawody Milicji Obywatelskiej
w jeździe na czas. Na co to było komu?
Nie wiadomo

Towar dostępny, tylko
że na talony i kasy brak

Kulig za koniem.
Tyle że mechanicznym :-)

2=6,
CZYLI
DOBRY
DEAL

# A JEDNAK CZTERY KOŁA

Nie chciałam się zgodzić na sprzedaż mojej emzetki i z tego powodu popadłam w jeden z największych konfliktów ze swoją Mamą. Nigdy więcej już się tak nie pokłóciłyśmy. Ale wtedy Mama po raz pierwszy podniosła na mnie głos. Dziś, kiedy sama jestem matką, widzę to zupełnie inaczej, ale wtedy byłam po prostu upartą 16-latką.

W rolę rozjemcy, wyjątkowo, wcielił się Tato, który zaproponował mi układ.

– Jak sprzedasz swój motocykl, to kupię ci jakiś mały samochód. Nie będzie to może nic wielkiego, ale będziesz miała własne auto.

Dla mnie to nie było dobre rozwiązanie. Samochody niespecjalnie mnie interesowały, ale wykombinowałam sobie, że sprzedam MZ 150, wezmę łapówkę w postaci samochodu, poczekam, aż emocje wygasną, i… odkupię motocykl. To w sumie mógł być całkiem dobry układ! W perspektywie kilku miesięcy miałam zamienić dwa koła na sześć.

Problem polegał na tym, że zupełnie nie umiałam jeździć samochodem. Nawet nie pchałam się, jak każdy dzieciak, na kolana rodziców, żeby pokręcić trochę kierownicą, bo sądziłam, że zawsze (nawet w śniegi, mrozy i kiedy skończę 70 lat, po prostu ZAWSZE) będę jeździć wyłącznie motocyklem… A teraz to się miało zmienić. Poczułam się niczym zdeklarowany wegetarianin na ekopikniku rzucający się na schabowego. To była zdrada! Przeżywałam ją przez kilka tygodni, ale w końcu... złamałam się.

Mama była wtedy szczęśliwą posiadaczką nówki sztuki Fiata 126p w kolorze ZOMO. Któregoś dnia miałyśmy gdzieś razem jechać – siedziałyśmy już w aucie, gdy nagle wybiegł Ojciec i krzyknął, że dzwoni telefon, że to coś ważnego i żeby Mama wróciła na chwilę do domu.

Samochód został z włączonym silnikiem i ze mną wiercącą się na prawym fotelu. Niewiele myśląc, automatycznie, zgodnie z powiedzeniem, że okazja czyni złodzieja... przesiadłam się na lewy fotel, wcisnęłam sprzęgło, wrzuciłam pierwszy bieg i... po prostu pojechałam. Mama, widząc przez okno odjeżdżający samochód, wybiegła z domu razem z telefonem i kablem, który wyrwała ze ściany (nie pierwszy zresztą raz :-). Rodzice byli przekonani, że skończę życie na pierwszym drzewie, bo przecież nie mam pojęcia o kierowaniu tym pojazdem. A ja tymczasem wciskałam już sprzęgło, zmieniałam bieg z jedynki na dwójkę, z dwójki na trójkę, z trójki na czwórkę (tylko tyle było ich w tej polskiej konstrukcji na włoskiej licencji). Zrobiłam całkiem solidną rundkę w okolicach domu, zahamowałam z piskiem opon i... dumna z siebie spojrzałam na Rodziców, którzy stali na podjeździe. Tylko że oni wcale nie bili mi braw z radości, że tak dzielnie sobie dałam radę, i jaką to oni mają zdolną córkę. Byli bladzi i wściekli, i pewnie nie tylko w myślach przeklinali dzień, w którym mnie spłodzili. Może to, co wtedy zrobiłam, nie było najrozsądniejsze, ale dzięki temu zrozumiałam, że absolutnie KAŻDY sprzęt, który posiada silnik i koła, jest mi przeznaczony! Potem jeździłam quadem, ciężarówką, ciągnikiem siodłowym, kosiarką do trawy, WSZYSTKIM. I nie miałam z tym najmniejszych problemów. Myślę, że jest to rodzaj sprawności manualnej, którą w genach odziedziczyłam po Ojcu i wyssałam z mlekiem Matki.

Moje Suzuki Samurai w kolorze białym z czerwono-czarnymi mazajami (taka amerykańska była wtedy moda) Tata przywiózł na lawecie. Było mocno wyeksploatowane, a nawet trochę rozbite. Ojciec zadał sobie dużo trudu, żeby zdobyć dla mnie ten samochód. Pojechał po niego do Niemiec, aż pod holenderską granicę, wybrał jakiś w miarę rozsądny cenowo wrak i sam go wyremontował. Hm... Miałam więc samochód, umiałam prowadzić, ale wciąż byłam 16-latką bez prawa jazdy. Szczęśliwie na mocy umowy z Tatą mogłam nim jeździć do szkoły, pod warunkiem że będę go parkować cztery ulice za budynkiem swojego liceum. W tym okresie raz (o dziwo tylko jeden raz!) miałam bliskie spotkanie z Milicją Obywatelską. Panowie standardowo wyrecytowali:

– Dowód osobisty, prawo jazdy, dowód rejestracyjny i ubezpieczenie, proszę.

Wręczyłam im dokumenty i powiedziałam z rozbrajającym uśmiechem, że nie mam prawa jazdy.

– Ale co, zapomniała pani zabrać je z domu?

– Nie, nie mam w ogóle. Jeszcze go nie zrobiłam!

Tak poruszył mnie fakt, że oto właśnie zatrzymała mnie drogówka, że zamiast biadolić i panikować – byłam wyluzowana, uśmiechnięta od ucha do ucha. I może to zadecydowało, że panowie puścili mnie do domu? Do dziś tego nie pojmuję…

Wreszcie nadszedł dzień moich 17. urodzin, a wraz z nim – koniec ukrywania się i łamania prawa. Teraz będę mogła poruszać się po drogach publicznych legalnie! W moim życiu zapowiadał się Wielki Przełom.

Prawo jazdy robiłam eksternistycznie – teorii uczył mnie Tata, a jeżeli chodzi o praktykę, to przyjeżdżałam na lekcje swoim Suzuki, przesiadałam się do „nauki jazdy" i… obwoziłam swojego instruktora po Warszawie. On w tym czasie załatwiał wszystkie pilne sprawy, ewentualnie wpadał do kolegi na śledzika i wódeczkę, a ja odrabiałam sobie w aucie lekcje, a potem odwoziłam go do domu i już swoim Suzuki wracałam do siebie.

# NOWY ETAP ŻYCIA MANIAKA

Egzamin wypadł na początku października. Z teorii byłam obkuta, praktyki też się specjalnie nie obawiałam, bo wtedy nie było takiego prawojazdowego pogromu jak teraz. Zresztą miałam zdawać na Fiacie 126p, którego znałam już lepiej niż zawartość własnego plecaka. Problemem niestety okazał się brak motocykla. Choć dziś wydaje się to nieco dziwne, 20 lat temu niektóre ośrodki egzaminacyjne nie miały swoich jednośladów i żeby zdać na kategorię A, trzeba było podstawić prywatny sprzęt (paranoja!). Brat koleżanki z klasy zgodził się pożyczyć mi swoją MZ ETZ 251. Miał do mnie przyjechać w jakichś rozsądnych godzinach, zostawić motocykl i wrócić autobusem na Żoliborz. Ale wszystko się przeciągało i kolega pojawił się u mnie jakoś grubo po godzinie 23, kiedy nie kursowały już podmiejskie autobusy do Warszawy. No więc uradziliśmy, że razem pojedziemy do niego do domu, a potem wrócę te 15 kilometrów do Izabelina. I rano sama pojadę na egzamin emzetką.

Od momentu, kiedy wsiadłam na ten motocykl (a to był właśnie ten pierwszy i ostatni raz w moim życiu, kiedy jechałam na kolarza, czyli jako pasażer!), coś mi nie pasowało. Dosłownie ruszyliśmy spod domu i poczułam, że to był zły pomysł, że nie mam zaufania do stylu jazdy tego gościa... Ujechaliśmy może pół kilometra, a potem była droga, pobocze, rów, drzewo, rów, drzewo, drzewo, drzewo, krzaki, zielono, czarno, jeszcze bardziej czarno, noc. Koniec.

Nie pamiętam żadnego białego światła ani Świętego Piotra, który groziłby mi palcem – pewnie straciłam przytomność. Ocknęłam się po kilkudziesięciu sekundach. Kumplowi nic się nie stało – zszokowany próbował mnie reanimować za pomocą szarpania. Bolało. I darł się przy tym tak, że podniósłby umarłego z grobu, a co dopiero mnie. Potem, kiedy odzyskałam świadomość – niech będzie, że „Iks", bo tamtej tożsamości sprzed lat nie ma co przywoływać – wyrzucił z siebie wiązankę wyjątkowo niecenzuralnych słów. Pomstował nad motocyklem, który jeszcze przed chwilą był piękny, a teraz wyglądał, jakby przejechał go czołg albo zrzucono go z 10. piętra. Pamiętam, że tylne koło, jak na filmach, wciąż się obracało...

I tak z tą pogiętą emzetką wróciliśmy na piechotę do mnie – ja, kulejąc, on klnąc na czym świat stoi i twierdząc, że to wszystko oczywiście MOJA WINA (!). Schowaliśmy sprzęt pod wiatę, przykryłam go jakąś plandeką i zaczęłam się modlić, żeby Ojciec rano tego nie zauważył. Przynajmniej nie wcześniej niż opracuję jakiś plan B. Nie, nie bałam się kary cielesnej, bo nikt mnie w domu nie bił, po prostu zawsze zależało mi, żeby Rodziców nie zawieść i nie rozczarować... Bo czy wypada, żeby supercórka bez ich wiedzy i zgody o tej porze przyjmowała męskie towarzystwo? Albo szwendała się po nocy, a potem robiła bałagan w łazience, próbując ratować swoje umazane krwią kolano, z którego sterczą patyki i kawałki żwiru? A na dodatek... No właśnie, musiałam coś zrobić z kolegą, który aktualnie był moim współlokatorem, do tego zupełnie nieprzydatnym, ponieważ nie miał już nawet motocykla. Uznałam, że nie mam wyjścia – wezmę samochód Rodziców i odwiozę go na ten Żoliborz. Teraz, jak o tym piszę, wydaje mi się to kompletnie abstrakcyjne, no bo jak z rozwaloną nogą i bez prawa jazdy można tego dokonać? Mama była w sanatorium, Tata spał, cóż bowiem innego mógł robić o pierwszej w nocy, więc z kolegą wypchnęliśmy po cichu samochód. Gdy wróciłam, zaparkowałam auto w garażu i... dopiero wówczas poczułam, że z kolanem nie jest najlepiej. Przejrzałam jeszcze kilka stron testów na prawo jazdy, łyknęłam garść środków przeciwbólowych i poszłam spać.

Zaśnięcie okazało się niemożliwe. Ból był tak intensywny, że wiedziałam już, że jest źle. Hm... Jest chyba nawet BARDZO ŹLE. Wytrzymałam jeszcze ze dwie godziny, ale w końcu się poddałam. Zawołałam Tatę, który przydreptał zaspany, i powiedziałam najspokojniej, jak umiałam:

– Jest problem. Musisz mnie zawieźć do szpitala...

Tu muszę Wam wyjaśnić jedną rzecz. Mój Ojciec jest silnym psychicznie facetem, który cały świat zawsze organizuje dookoła siebie, ale kiedy cokolwiek dzieje się Jego Córce (a to zdarza się, przyznaję, regularnie), zamiast twardego, superzaradnego, bardzo sprawnego faceta, mam przed sobą kupkę nieszczęścia. Tak było i tym razem. Ojciec wpadł w rozpacz, zalał się łzami, jakby to w czymkolwiek mogło pomóc.

– Tato, proszę Cię, nie rób scen! – w takich sytuacjach zawsze czuję się w obowiązku przejąć kontrolę. – Po prostu zapakuj mnie do samochodu i pojedźmy na ostry dyżur.

Z jednego szpitala mnie odesłali do drugiego. W tym kolejnym też się nie kwapili... Nawet ich rozumiem trochę – był środek nocy, a tu puka do drzwi jakaś kuśtykająca nastolatka z rozhisteryzowanym ojcem, który zamiast ją wspierać, sam potrzebuje środka uspokajającego... Cały mój Tata! Macho i twardziel, który niczym mantrę powtarzał:

– Coś ty narobiła! I co teraz będzie?! Boże, co my Mamie powiemy?!

Szczerze mówiąc, nie miałam bladego pojęcia, co powiemy i co teraz robić. Ale ktoś musiał wziąć sprawy w swoje ręce i tym kimś zdecydowanie nie był mój rozklejający się coraz bardziej Ojciec.

– Tato, ja jeszcze nie umieram. Ogarnij się! – komenderowałam. – Zawieź mnie na ostry dyżur do Szpitala Bielańskiego.

Mój stan nie wywołał poruszenia również wśród tamtejszego personelu. Dyżurujący lekarz przyjął mnie dopiero po bodaj trzech czy czterech godzinach, kompletnie zdrętwiałą od siedzenia na drewnianym korytarzowym krześle. Tata zdążył się już uspokoić, bo zajęłam jego uwagę... przepisami ruchu drogowego. Kazałam się odpytywać, po prostu.

Młody doktor popatrzył, pomyślał, zlecił zastrzyk przeciwtężcowy i chcąc sprawdzić stabilność stawu, szybko pociągnął mnie za nogę. Ból był okropny, więc wrzasnęłam jak oparzona. Na to mój kochany Tata, zalewający się łzami jeszcze przed kilkoma minutami, nagle zamienił się w tygrysa! Rzucił się biednemu pra-

cownikowi państwowej służby zdrowia do gardła. Złapał go za klapy białego kitla
i wykrzyknął:

– Nie dotykaj Mojej Córki. Nie widzisz, idioto, że ją boli?!
– Boże, co za abstrakcja – westchnęłam.

Zrozumiałam, że moja rodzina nie jest całkiem normalna, więc i ja całkiem
zwykła być nie mogę.

Kiedy więc o godzinie 9.30, po nieprzespanej nocy i z usztywnioną nogą,
opuszczaliśmy budynek szpitala, spojrzałam na Ojca i powiedziałam:

– Wiesz co? Chyba jeszcze zdążę na ten egzamin, co?

I mój Tato zaniósł mnie do auta i zawiózł wprost na ten egzamin. Posadził mnie
w pierwszej ławce, tuż przed komisją. Ponieważ nie mogłam wytrzymać z bólu, napisałam test błyskawicznie. I popełniłam tylko jeden mały błąd, więc teorię na prawo
jazdy kategorii A i B oczywiście zaliczyłam. Część praktyczna była jednak poza
moim zasięgiem – obsługa pedałów gazu i hamulca z kompletnie roztrzaskanym
prawym kolanem jest raczej niemożliwa.

Za to w drugim terminie jazdę zdałam śpiewająco! Nareszcie bramy do świata
motoryzacji stanęły przede mną otworem. Czy dużo się zmieniło, gdy już dostałam
prawko? Noooo, nie. Nadal ukrywałam się przed biało-granatowymi radiowozami,
bo tak długo jeździłam bez uprawnień, że dalej reagowałam stresem i ucieczką na
widok wtedy już policji. I parę lat trwało, zanim się wreszcie uodporniłam.

# ŚCIGANTKA

Na początku marca 1992 roku, czyli niedługo po otrzymaniu prawa jazdy, wybrałam
się ze swoim ówczesnym chłopakiem (porzuciłam dla niego długowłosego Leona)
na tor Ławica do Poznania. Plan był taki, że on będzie spokojnie robił licencję wyścigową, a ja wystąpię w roli maskotki, czyli osoby towarzyszącej.

„Maskotka" jednak miała nieco inny plan. Wiedziałam, że poznam tam ciekawych ludzi, dowiem się czegoś nowego o technice jazdy i przede wszystkim – odet-
chnę spalinami na torze wyścigowym. Dla mnie – bezcenne! Wysłużony Fiat 126p
koloru burgund (o ile pamiętam) posłużył za środek transportu. Spokojnie sobie
dopyr-pyr-pyrkaliśmy do Poznania, nie mówiąc nikomu ani słowa, że to właśnie ten
samochód zamieni się wkrótce w... wyścigówkę. Na miejscu zakwaterowano nas
w drewnianych domkach typu brda. (Trójkątne, piętrowe, z desek i sklejki. Skrzypia-

ły okropnie, zawsze było w nich zimno i wiecznie śmierdziało papierosami, bo palić można było wtedy wszędzie).

Do takiej brdy weszło ośmiu chłopa oraz „doczepka" (byłam jedyną dziewczyną na tej kwaterze). Z całej gromady najlepiej zapamiętałam Sebastiana Lewandowskiego, ówczesnego mistrza Polski w klasie N1 (ścigał się na przerabianych Fiatach 126p). Sebastian był młody, przystojny, no i był MISTRZEM. Wow! I tenże wpadł do nas niby przypadkowo, żeby całe towarzystwo rozkręcić i zrobić imprezę. Okazałam się bardzo przydatna. Dlaczego? Bo jako jedyna byłam trzeźwa, więc – na życzenie rozłożonych procentami, niedysponowanych panów – kursowałam co chwilę do sklepu monopolowego w Poznaniu, tuż przy Targach (po dziś dzień tę drogę mogę pokonać z zamkniętymi oczami).

Następnego dnia rano na wykładach tylko ja byłam w stanie robić notatki i uważnie słuchać instruktorów. Kadra szkoleniowa składała się między innymi ze Zbigniewa Szwagierczaka i Ryszarda Kopczyka. Panowie byli mili, muszę przyznać, i nie robiąc żadnych problemów, zgodzili się, żebym została wolnym słuchaczem.

„Sala wykładowa PZMot-u w Poznaniu, ul. Cześnikowska 30, piątek 3 kwietnia 1992 roku. Wykładowca: kolega Zdzisław Horoński. Temat: Przepisy techniczne, z obowiązującymi załącznikami". Ale to brzmi! Zupełnie jak układanie budżetu Unii Europejskiej na 2025 rok... Czytam dalej: „Kolega Zbigniew Szwagierczak i kolega Ryszard Kopczyk przeprowadzą wykłady na temat instruktarzu teoretycznego jazdy wyścigowej oraz sprawdzą technikę jazdy i bezpieczeństwo na torze. Następnie kolega Jan Leśniak prowadzi wykład na temat zachowania się zawodnika oraz obowiązujących wiadomości na temat przepisów ogólnych".

Niczym najpilniejszy student zapisywałam wszystko, żeby – kiedy chłopaki już się dobudzą – uczciwie im całą wiedzę przekazać. Siedziałam cicho jak myszka, nawet nie miałam odwagi o nic zapytać, bo przecież nie byłam prawdziwym kursantem. Panowie w tym czasie pili kolejne kawy i nawet pod koniec dnia zaczęli jakoś uczestniczyć w zajęciach.

Całe to trzydniowe szkolenie miał zakończyć egzamin na licencję wyścigową. Jednak po intensywnych imprezach integracyjnych, które trwały do późnych godzin nocnych, a w zasadzie wczesnych godzin rannych (scenariusz znany i oklepany: wódka, czipsy, sok, gadanie), panowie kursanci byli w stanie bliskim zejścia. Okazało się, że do egzaminu w zasadzie najlepiej jestem przygotowana ja! I wtedy

*Notatki z egzaminu*

# PRÓBA ZRĘCZNOŚCI    06.03.92.

- trudny odcinek (np. slalom) który trzeba
przejechać w jak najkrótszym czasie. Sędzie
musi ogłosić instrukcję i rysunek (pokazać
prawidłowy przejazd). Każdy musi mieć
takie same ściśle określone warunki, żaden
zawodnik nie może pojna wcześc jak !!
starter podaje znak startu chorągiewką
na miecie odnicdneje flagę, podaje czas
na zakoncenie mierzy chronometrzysta.
ważna jest tajemność mierzący (sam się przyzwycza,
że stopu jest przestrzelu)

ZAKONCZENIE - zależce przedniego lub tylnego
resora czas mierzy się tu a dokł. do ? dnieś.
sekunda

- odc. specjalny startuje się co 1 min i czas
podaje się z dokł. co do 1 sek. ale regumuje
się z dokł. dokł. jch chronomełu nie.

# ODCINEK SPECJALNY
- nie krótszy niż 2000 m
- odpowiednio oznakowany, zabezpieczony
- wytrasowany z nim
dotnie: przejechać go w jak najkrótszym czasie
- Rejonie samochód musi się poruszać albo
lub bem elbo się musin zawodników
odc. specjalny startuje się (wyimaginowane
- ze startu i mety                     linia)
- wtoma (mata lotea) strey do pomiaru
maren - oznaczone chudzy dodać. pomiaru aon
się kwestionuje się; 60 g np. te wyimaginowane
linia nie muro być np. taktycy się (dobiedowie)
na odc. specjalnym nie wolno się dobiedowie )!
zatrzymywać, jechać w przeciwnym kierunku
np. listy można wymienić w STREFIE, w
wgda konania samocego. Ne trenie)
odc. specjalnego nie zaśb wożytwać z
docej pomocy. Nie wolno wypraedzić
się pomiędzy linię mety - stop, bo dodają o
tymczasowe drozey tu czasy hpioje się
- jeśli konisim tarelinje, ztorca zpecleś nie

zawodnik znajduje się nie dobrze startuje ... czy
nie wypadła instrukcja dobrze pamiętasz
samochodem. na karcie drogowej zadania nie
wpis na karcie drogowej. o której startuje
kiedy na etapowej próbach (wiąże się z prędkością) tylko WYJAŚNIENIA. Odc. specjalny to ważne
ważne próba - w tym sporcie...
w której minucie wjeżdża się w strefę co
się podaje ???
Moment podania Kartki jest momentem od z
którego liczy się czas! W strefę wjeżdża się
ne 10 min, wcześniej.
Czas wpisuje się w karcie drogowej, karcie
zawodniczej i karcie odc. specjalnego
INTERPRETACJA?, PROWADZI SIĘ z KORZYŚCIĄ DLA
ZAWODNIKA!!! Próby robi się podwójne (dwa razy).
__KOMISARZE SPORTOWI__

PRÓBA ZRYWU i HAMOWANIA - sprawdzić co to
__PUNKT KONTROLI CZASU__ starasz do wpisania
ne odcinki czasowe ...
zajdzie są przyznawane podania odcinków
...

... odcinki
... że ... nie robi zapasów czasowych
... (np: 1 - 2 min)
musimy ... wjeżdżamy w ... min i
... zjechać (z zapasem max 2 min).
__PUNKT KONTROLI PRZEJAZDU__ - sprawdza się czy
... podpis w karcie ... trasę (długość...)
__PUNKT KONTROLI CZASU__ - 3 osoba (min)
jeśli zawodnik np. wjedzie z innej strony to
... zrobić kartę drogową i w ten
sposób dyskwalifikuje go.

to Sebastian Lewandowski, przyglądając się moim niezmordowanym próbom wtłaczania wiedzy w odkorowane alkoholem mózgi kolegów, zapytał:

– Ty, a dlaczego nie zdajesz? Dobrze jeździsz motocyklem i samochodem, masz dobre sportowe wzorce w rodzinie... Dasz sobie radę!

Kolega Lewandowski wstawił się nawet za mną u egzaminatorów. Dopuszczono mnie więc do egzaminu teoretycznego, który zdałam... celująco. Ale została jeszcze praktyka...

O ile wszyscy prawdziwi kursanci mieli tylko coś na kształt ogólnego wykładu na temat poruszania się po torze, a potem wyłącznie kilka prób sprawdzających, u mnie przebiegało to inaczej. Utytułowany zawodnik i instruktor Ryszard Kopczyk wsiadł do malucha (przypomnę – pożyczonego od brata mojego chłopaka) i powiedział:

– No dobrze. Skoro już tak jakoś wyszło, to na szybko nauczę cię jeździć po torze. A zaraz potem przeprowadzimy egzamin.

Moja edukacja przebiegała więc ekspresowo. Najpierw jechał pan Ryś, pokazując mi słynne zakręty, instruując, gdzie i jak je ciąć, na czym polega hamowanie. Potem nastąpiła zmiana za kierownicą. Kątem oka dostrzegłam, że na poboczu zdążyła się już ustawić grupa szyderców, którzy – widząc nacierającego „małkersa" (jak mówiliśmy o Fiacie 126p) – komentowali każdy mój manewr. To było naprawdę deprymujące!

Egzamin praktyczny jednak zdałam, tym samym nic już nie stało na przeszkodzie, żeby Martyna mogła ruszyć z kopyta w świat motosportu. Byłam ambitna. Wkrótce zrobiłam licencję rajdową RII, która uprawniała do startów w prawdziwych zawodach. Wymagało to przejechania kilku KJS-ów (skrót od Konkursowa Jazda Samochodem) i zdania jeszcze jednego egzaminu w Automobilklubie Rzemieślnik, w którym jeszcze w latach 70. rozwijał karierę rajdową mój Tata. Ale On jakoś nie był zachwycony faktem, że oto idę w jego ślady. Cały czas sądził, że z tej drogi można mnie jeszcze zawrócić...

# ZIMNY PRYSZNIC

Skąd wziąć kasę? To problem każdego, kto chce bawić się w motosport na poważnie. Żeby jeździć, trzeba mieć... sportowy samochód, jak sama nazwa wskazuje. Może być dobry albo zły, ale musi być JAKIŚ. Ja wtedy nie miałam ŻADNEJ wyścigówki. Siłą rzeczy musiałam się ograniczyć do okazjonalnych występów na lokalnych imprezach. Dwa miesiące później, w czasie wakacji, pojechałam jako wsparcie duchowe dla mojego ówczesnego chłopaka na pierwszą w moim życiu imprezę motoryzacyjną z prawdziwego zdarzenia! Bieszczadzki Wyścig Górski. Byłam absolutnie podekscytowana atmosferą ścigania się. Miałam wypieki na twarzy z przejęcia (i chyba także z powodu pogody – padało i było raczej zimnawo). Wyobraźcie sobie, co czuje 17-letnia fanka motoryzacji na widok NAPRAWDĘ SZYBKICH samochodów. Kiedy słyszy ryk silników, czuje zapach spalin, spotyka się i rozmawia z mechanikami i MISTRZAMI POLSKI.

Zaglądałam samochodom pod maski, ciągle o coś dopytywałam, wszystko chciałam wiedzieć… Prawdziwy chrzest bojowy przyszedł jednak dopiero wieczorem. W całym tym gronie okazałam się (znowu!) jedyną dziewczyną, a panowie ewidentnie korzystali z wolności. Cóż, byli młodzi, w większości przypadków także bez zobowiązań… Wtedy po raz pierwszy zetknęłam się z fenomenem tak zwanych rajdówek. Cóż to takiego? Nie, tym razem nie chodzi o samochody. „Rajdówki” to odpowiednik *groupies*, czyli dziewczyn jeżdżących za swoimi idolami. *Groupies* ciągną za gwiazdami muzyki, „rajdówki” zaś za gwiazdami motosportu. Ubierają się przy tym w najlepsze stroje, patrzą tęsknym wzrokiem typu „spaniel” i marzą, że pewnego dnia wspaniały książę spojrzy na nie łaskawie, kiwnie palcem i zabierze je na białym koniu (mechanicznym) do lepszego świata.

„Rajdówki”, jakby to powiedzieć delikatnie, z reguły są bardzo chętne do zawierania bliskich lub nawet jeszcze bliższych znajomości. Zawodnicy zaś ochoczo korzystają z popularności, którą cieszą się wśród płci przeciwnej – przecież kto, jak nie oni, są w dzisiejszych czasach ostoją siły i męskości. Kiedyś panowie kruszyli niewieście serca, popisując się podczas turniejów rycerskich. Teraz konie zostały zastąpione przez samochody, a gonitwa z tarczą i kopią – przez rajdy lub wyścigi, na których żądni sławy i chwały wojownicy ścigają się ze sobą, koniecznie w blasku fleszy. Zmieniły się zasady, zmieniły się pojazdy, ale idea w zasadzie jest ta sama. I tak jak wieki temu, tak i teraz kobiety nie mogą się oprzeć tej magii rywalizacji „kto pierwszy, ten lepszy”, można rzec, w wyścigu do ich serc. Dlatego pewnie tak kochamy sportowców. Wszyscy oni pachną i przygodą, i testosteronem, a to zniewalająca kombinacja. No i ta muskulatura, która nie wyrośnie od siedzenia przed monitorem i objadania się frytkami.

Afrodyzjakiem działającym podobno równie silnie na panie co zapach prawdziwego mężczyzny są też pieniądze. Może dlatego wielu facetów podrywa płeć piękną na superfurę. Uwaga amatorki luksusowych aut – znam kolesi mieszkających

# AUTOMOBILKLUB WIELKOPOLSKI

BIURA ZARZĄDU — 60-330 POZNAŃ, CZEŚNIKOWSKA 30

Konto bankowe WBK II O/Poznań Nr 356208-1759-132

67-68-83     67 68 86

L. dz. ..............     Poznań, dnia ...................... 19 ...... r.

### Z A Ś W I A D C Z E N I E

Tor
Samochodowy
"P O Z N A N"
Przeźmierowo
ul. Rynkowa

Automobilklub Wielkopolski w Poznaniu - organizator kursu na licencję sportową " W " - w dniach
3 - 5 kwietnia 1992 roku zaświadcza, że
Kol. ......Martyna......Wojciechowska
słuchacz w/w kursu odbył egzamin z wynikiem
pozytywnym / ~~negatywnym~~ / w części:
- praktycznej - teoretycznej i uzyskał / ~~nie~~ -
~~uzyskał~~ / prawo do otrzymania licencji wyścigowej
samochodowej " W ".

*Moje licencje sportowe*
*z 2001 i 2002 roku*
*(polska i międzynarodowa*
*potrzebna na Dakar)*

Automobilklub Wielkopolski
60-330 Poznań, ul. Cześników ie 30
tel. 67-68-83, 67-68-86

Podpisy Członków Komisji

.................................
.................................
.................................
.................................

---

POLSKI ZWIĄZEK MOTOROWY
Zarząd Okręgowy
02-032 Warszawa, ul. Filtrowa 75
tel/fax 822-15-95

## CERTYFIKAT

Nr    86/2001

**DYSCYPLINA**

sport

samochodowy

Podpis

Imię    Marta
Nazwisko    Wojciechowska
Data urodzenia    28.09.1974 r.
Miejsce urodzenia    Warszawa
Data i miejsce wystawienia    05.12.2001r.
Warszawa

POLSKI ZWIĄZEK MOTOROWY - członek
FÉDÉRATION INTERNATIONALE DE L'AUTOMOBILE
GŁÓWNA KOMISJA SPORTU SAMOCHODOWEGO
Warszawa, ul. Kazimierzowska 66

MIĘDZYNARODOWA/INTERNATIONALE
LICENCJA SPORTOWA KIEROWCY Nr    24/2002
LICENCE DE CONDUCTEUR    2002

ważna do dnia 31 grudnia    2002

Imię i nazwisko kierowcy    Marta Wojciechowska

Pseudonim    28.09.1974 Warszawa

Data i miejsce urodzenia    Warszawa ul. Księżycowa 56/41

Miejsce zamieszkania (dokładny adres)

Warszawa, dnia    14.12.2001

Biuro Sportu PZM

Podpis posiadacza licencji

Verte

w wynajętej kawalerce, którzy jeżdżą samochodami za pół miliona, tyle że leasingowanymi. I rzeczywiście ci panowie rzadko spędzają wieczory samotnie – ilekroć ich widzę, zawsze jakaś blondi wisi na ich ramieniu... Tak więc słynne powiedzenie: „Fura, skóra i komóra – słabo się zarabia, a żyje się jak hrabia" jest ze wszech miar aktualne...

Rajdowcy, podobnie jak faceci, którzy kupują Ferrari w leasingu, z reguły kompletnie nie nadają się do życia, a tym bardziej nie są dobrym materiałem na mężów. (I piszę to w oparciu o WŁASNE doświadczenie, żeby było jasne :-). Dlaczego? Bo za bardzo skupiają się na sobie. Nie wspominając o tym, że to my ich, a nie oni nas będziemy komplementować i adorować. Fakt faktem – wtedy jednak czułam się wyróżniona, że oto mogę przebywać w ich towarzystwie. Wprawdzie nie jak równy z równym (byłam li tylko raczkującym adeptem), ale przynajmniej pozwalali mi siedzieć przy wspólnym grillu i słuchać swoich „męskich" rozmów. A dziewczyny „rajdówki" gdzieś tam plątały się po kątach i patrzyły na mnie z nieskrywaną zazdrością. Pamiętam jednego zawodnika (z przyzwoitości nie wspomnę jego nazwiska), który nagle przywołał taką nieszczęśnicę podpierającą płot:

– Ty, chodź no tutaj!

Dziewczyna podeszła. Speszona, aczkolwiek widać, że brzuch wciągnęła, pierś wypięła i jeszcze wzięła głęboki wdech, żeby coś powiedzieć. Nie zdążyła, bo kierowca rzucił wulgarnie:

– Robisz laskę?

Dziewczę nawet nie spłonęło rumieńcem i odrzekło bez zająknienia:

– Ja to nie... Ale zaraz zawołam koleżankę!

I w tym wszystkim ja, taka nieobyta, mało zorientowana i chyba jednak trochę rozczarowana, że właśnie tak wyglądają kulisy mojego ukochanego motosportu. To był kubeł zimnej wody wylany na moją głowę. Byłam bardzo młoda i jeszcze bardziej naiwna.

Na szczęście też jakoś w miarę szybko zdałam sobie sprawę, że owszem, znam się na mechanice i mam co prawda smykałkę do prowadzenia pojazdów wszelkich, ale nie mam tego „czegoś", co odróżnia dobrego kierowcę od wybitnego. Zostałabym więc co najwyżej dobrym rzemieślnikiem bez szans na mistrzostwo. Dlatego postanowiłam podążyć nieco inną drogą. Zajęłam się organizacją imprez i teamów rajdowych, a jednocześnie od czasu do czasu startowałam w rajdach albo brałam udział w motocyklowych wyprawach. I wiecie co? Nigdy tej decyzji nie żałowałam.

# CO MA RAJD DO WYŚCIGU

W rajdzie startują dwuosobowe załogi (kierowca plus pilot), które (jedna za drugą, w pewnym odstępie czasu) rywalizują na zamkniętych dla ruchu OS-ach (odcinkach specjalnych). Wygrywa ta załoga, która pokona cały dystans (a więc wszystkie odcinki) w jak najkrótszym czasie. Rajd trwa dwa, a czasem więcej dni. Oficjalna nazwa najważniejszego cyklu takich imprez to RSMP (Rajdowe Samochodowe Mistrzostwa Polski). Są oczywiście też rajdy do mistrzostw Europy, świata etc.

W wyścigach płaskich (cykl WSMP – Wyścigowe Samochodowe Mistrzostwa Polski) kierowcy ścigają się na torze pokrytym asfaltem. Jadą w większej grupie, ale każdy w swoim aucie walczy samotnie (w samochodzie jest tylko jeden fotel). Wygrywa ten, kto w finale po przejechaniu konkretnej liczby okrążeń będzie najszybszy. Wcześniej są treningi oraz kwalifikacje, które decydują, kto w tym najważniejszym wyścigu będzie mógł wystartować z pierwszej linii

Są jeszcze wyścigi górskie. Jak to rozumieć? No, odbywają się w górach – podpowiada logika. Tak i nie. Tak, bo zawodnicy muszą uzyskać jak najszybszy czas podjazdu (!) po krętej i oczywiście odpowiednio stromej drodze (co ciekawe, jeden z najsłynniejszych wyścigów, które są zaliczane do cyklu GSMP – Górskich Samochodowych Mistrzostw Polski, odbywa się w Sopocie). Zawodnicy startują (jak w rajdach) pojedynczo. Droga, na której odbywają się zawody, musi być – w odróżnieniu od OS-u – odpowiednio zabezpieczona (ekrany pochłaniające siłę zderzenia itp.) oraz asfaltowa (OS-y mogą być również szutrowe).

Nie ma nic bardziej żenującego, niż usłyszeć (przoduje w tym niestety telewizja, nie tylko publiczna), że ktoś jedzie w „rajdzie wyścigowym". Rajd to rajd (przypominam – zamknięte odcinki specjalne, dwuosobowe załogi startują i pokonują OS-y pojedynczo, na czas), zaś wyścig to wyścig (bierze w nim udział grupa, samochody są jednoosobowe, celem jest jak najszybsze przejechanie określonej liczby okrążeń). Wszystko jasne?

*Po dachowaniu... Wyścig na torze w Kielcach, lata 90.*

# TRZEBA MIEĆ ODWAGĘ MARZYĆ

Schuberth C3.
Po prostu nie
mogłam mu się
oprzeć...

Pasujący do motoru,
którym jeździłam
w sezonie 2010 :-)

Przeznaczony do
wyścigów Arai,
pomalowany według
mojego projektu

A oto kolekcja moich kasków!
Pod tym względem jestem
typowa baba :-)

Polski kask Bella – jedyny
dostępny w latach 80. (tylko
w kolorze czerwonym)

## WYŚCIGOWA REWIA MODY

W wyścigach motocyklowych kombinezony są skórzane i dokładnie dopasowane do ciała zawodnika z ochraniaczami na plecach, „guzami" na kolanach i łokciach, żeby w razie wywrotki uniknąć uszkodzenia stawów, oraz wkładkami z włókna węglowego dla ochrony klatki piersiowej i niektórych partii mięśni (na przykład zewnętrznej części ramion). Wielu motocyklistów jeździ także w tak zwanym żółwiu, czyli rodzaju pancerza zabezpieczającego kręgosłup. Kask, odpowiednie buty i rękawiczki to niezbędne dodatki.
Typowy strój wyścigowy z tyłu ma też doszyty garb, który poprawia aerodynamikę.

Kiedyś zabrałam kolegę, który kompletnie nie znał się na motocyklach, na jakąś branżową imprezę. Nagle na salę wszedł Włodek Kwas (zawodnik legenda) w wyścigowym kombinezonie z „garbem", na co mój kolega szepnął:
– Ojej, to kaleki też jeżdżą motocyklami? Patrz, taki pokręcony i jeszcze daje radę...
Nie zdążyłam sprostować, kiedy dorzucił jeszcze, widząc wyszyty na plecach Włodka napis „KWAS" (dzięki temu łatwo odróżnić zawodników podczas wyścigów):
– O rany, i do tego taki wyluzowany gość. To wy tak oficjalnie możecie się przyznawać, że bierzecie dragi?!

Kask w terem.
Zamiast szyby
zakłada się gogle

Miejski kask BMW
z podnoszoną „szczęką"

A tem trzymam
dla pasażerów

# WIATR WE WŁOSACH

Według kodeksu drogowego (ściślej „Prawa o ruchu drogowym", bo mówić kodeks to podobno błąd) motocyklista jest użytkownikiem drogi, który porusza się po niej pojazdem silnikowym, jednośladowym... Jednak dla znaczącej „większości" motocyklista to wyalienowany ze społeczeństwa osobnik prowadzący niehigieniczny tryb życia, o nie najlepszej prezencji oraz buntowniczym usposobieniu. I dawca organów, który wcześniej czy później i tak skończy na jakimś drzewie lub w rowie ze złamanym kręgosłupem. No cóż, nie wszyscy motocykliści to szaleńcy, którzy urządzają nocne wyścigi po centrach największych miast i nie dają uczciwym obywatelom spać. Wystarczy spojrzeć na mnie czy na grono moich kolegów: lekarzy, prawników, dziennikarzy, aby stwierdzić, że z „buntownikami" mamy niewiele wspólnego. Podobnie jak z gośćmi „popylającymi" po polach na Komarku w kasku typu „orzech". Oni należą do bractwa „pseudomotocyklistów". Komarek jest znacznie tańszy w eksploatacji niż samochód i w założeniu służy do sprawnego (niestety różnie z tym bywa...) przemieszczania się z punktu A do punktu B. Można powiedzieć, że jest takim chyżym rowerem, bez konieczności męczącego pedałowania. Ostatnimi czasy Komarek oddaje pole coraz to popularniejszym skuterom, a nawet elektrycznym hulajnogom. Ale przy prawdziwym motocyklu te powyższe to wciąż jednak zabawki.

Czym jest dla mnie jazda motocyklem? Tym czym dla smakosza kuchnia fusion, dla palacza papieros, dla zakupoholika centrum handlowe podczas wyprzedaży, a dla telemaniaka pilot od telewizora. Nałogiem. Absolutnym uzależnieniem. I chyba nigdy nie będę potrafiła zrezygnować z frajdy, jaką daje mi jazda motocyklem. Zresztą świetny kierowca wyścigowy Włodek Kwas zwykł mawiać, że „jazda motocyklem jest najprzyjemniejszą rzeczą, którą można robić w ubraniu". I wiecie co? Miał absolutną rację!

I nie ma znaczenia, że wieje wiatr, że pada na głowę, a sezon motocyklowy w Polsce trwa zaledwie cztery miesiące, i to też deszczowe, jak wskazują doświadczenia ostatnich lat. Albo to, że strach zostawić „sprzęta" pod sklepem, bo przecież o wiele łatwiej go ukraść niż samochód. Pomijam aspekt praktyczny – dzisiaj motocyklem jeździ się w miastach po prostu szybciej i zamiast marnować półtorej godziny, stojąc w korkach, docieram nim do biura w 20 minut. Nie to bowiem stanowi o wyjątkowości jednośladów w moim życiu. Kluczowa tutaj jest PASJA. Po prostu uważam, że każdy powinien znaleźć sobie to „coś", co go pochłonie. Nawet jeżeli będzie to kolekcjonowanie kołpaków, róbótki ręczne, studiowanie literatury fantasy czy starty w maratonach. Zamiast spędzać wieczory przed telewizorem, a w weekendy zaliczać kolejne galerie handlowe, ja zawsze mogę zejść do garażu po mój motocykl, aby pośmigać po drogach i pseudo- (przyznaję!) autostradach. I nie martwić się niczym, tylko „nawijać asfalt". Czuć we włosach wiatr. Radość. Wolność. Niezależność.

*Typów motocyklistów jest tak samo dużo jak motocykli na świecie. Można bowiem założyć, że każdy z nas jest niepowtarzalną myślącą jednostką i ma swoją własną koncepcję na jazdę jednośladem. Jednak człowiek od zawsze był zwierzątkiem stadnym i wykazywał silną potrzebę łączenia się w grupy. Co więcej – często lubimy identyfikować się z jakąś wydzieloną społecznością i stąd między innymi wziął się pomysł zakładania klubów motocyklowych. Aby jednak nie ogarnął nas całkowity chaos, można spróbować usystematyzować kilka typów motocyklistów (oraz pseudomotocyklistów). (Prawda jest jednak taka, że jeszcze nikomu się to nie udało i tak naprawdę najważniejsze jest to, co nas łączy, a nie to, co nas dzieli!).*

*Są Przecinakowcy (czyli właściciele „szlifierek"), Mistrzowie Prostej (wariant: „Uwaga! Jadę!"), miłośnicy sportów motocyklowych (czyli im głośniej, tym lepiej), Harleyowcy (O! To zupełnie odrębny gatunek), zwolennicy jazdy w terenie, Samotni Jeźdźcy Apokalipsy, właściciele wymyślnych maszyn (czyli tak zwany Adam Słodowy) i wielu innych.*

Jednak wśród licznych odmian, rodzajów i gatunków bikerów jedno z ważniejszych miejsc zajmują niewątpliwie miłośnicy turystyki motocyklowej. Przecież motocykl jest w prostej linii następcą konia oraz namiastką wolności, swobodnego i nieskrępowanego przemierzania przestrzeni. Spotkania w trasie i wspólne posiedzenia przy ognisku także wyglądają jakby trochę znajomo...

„Jeśli wyścigi można porównać do szalonego romansu z piękną, lecz zmienną w uczuciach, egzotyczną tancerką, to turystykę motocyklową nazwać należy dobrym małżeństwem ze wspaniałą partnerką. Jest to długotrwały związek, niepozbawiony wprawdzie momentów trudnych i irytujących, ale przy stale wzrastającym zrozumieniu partnerów okraszony bywa miłymi niespodziankami, a przede wszystkim pełen jest dobrze znanych, swojskich rozkoszy". Tak zaczyna się rozdział poświęcony jednośladowym podróżom w książce Rogera W. Hicksa pt. „Motocykle". Turystyka motocyklowa to chyba jedna z najpiękniejszych form symbiozy z motocyklem! Motor został wprost do tego stworzony – pozwala dotrzeć w najbardziej niedostępne zakątki świata i delektować się otoczeniem (co jest kompletnie niemożliwe do zrealizowania w samochodzie). Wiatr owiewa nam twarz, czujemy wszystkie zapachy, a przede wszystkim – odbieramy otoczenie wszystkimi zmysłami. Kiedyś przeczytałam, że podczas podróżowania motocyklem widoki są „prawdziwsze i łatwiejsze do zapamiętania". I chyba coś w tym jest... W tym przypadku nie ma większego znaczenia, czy podróżujemy wygodnym motocyklem terenowym, przecinakiem, dostojnym chopperem czy „kredensem". Ważne jest, aby mknąć przed siebie i nawijać asfalt na koła. A wśród najwyraźniej zaznaczających się grup turystów motocyklowych na uwagę zasługują:

**1. Dzień bez przejechania 1000 kilometrów jest dniem straconym.**

Najczęściej są to „aerodynamiczne grupy" mknące z prędkością 250 km/h i wielbiciele długich dystansów. Objechanie całej Europy zajmuje im tydzień. Szczerze mówiąc – zazdroszczę kondycji...

**2. 300 kilometrów + widoki.**

W tym przedziale mieszczą się samotni jeźdźcy i małe grupki motocyklistów, którzy dostojnie „łykają" po 300 kilometrów w ciągu dnia, ale za to często zatrzymują się w zachwycających miejscach, aby chwilę odpocząć, wypalić papierosa, zjeść, porozmawiać z towarzyszami podróży... Często do ich motocykli przytroczone są namiot i karimata. Wspaniała przygoda i najlepszy kontakt z naturą!!!

### 3. Motocyklowy styl mieszany.

Osobiście preferuję właśnie ten styl, to znaczy szybko docieram do miejsca przeznaczenia, a potem spokojnie delektuję się „tymi niepowtarzalnymi okolicznościami przyrody".

I tu przypomina mi się, jak na jednym ze zlotów usiedliśmy wieczorem przy ognisku i tradycyjnie zaczęły się „nocne Polaków rozmowy"... Przedstawiciele: stylu numer dwa zaczęli wspominać: „A widzieliście ten przepiękny zameczek tuż przed Chądzyniem. Nad tą rzeczką, na wzgórzu...". – Jaki zameczek? – myślałam. Do cholery, nie widziałam żadnego zameczku ani nawet wzgórza! Jedyne co pamiętam, to szary asfalt i wskazówkę prędkościomierza. Dlatego właśnie uważam, że w moich podróżach ominęło mnie wiele dobrego. No cóż, i do tego się w końcu dojrzewa.

### 4. I chciałbym, i boję się.

To jest niewątpliwie najbardziej fascynująca grupa jako obiekt badań i obserwacji socjologicznych. Panowie (nazwijmy rzecz po imieniu – dupki) pakują swój całkiem nowy motor na przyczepkę, którą dopinają do całkiem nowego autka (w którym siedzi jeszcze nowsza żona) i jadą do pięciogwiazdkowego hotelu. Tam zestawiają swoje Harleye (wiadomo – marka kultowa) i snują się po okolicy, robiąc „dobre wrażenie". O zgrozo!

Niewątpliwie najbardziej wytrwałymi podróżnikami są Amerykanie. Czasami wydaje mi się, że ich zacięcie do przemierzania dużych odległości jest wprost proporcjonalne do wielkości ich kraju. Pomyślcie tylko, że droga z Londynu do Istambułu (bagatela!) jest krótsza niż odległość z Nowego Jorku do San Francisco!!! Pewnie dlatego Bóg stworzył aż tyle wspaniałych widoków właśnie w Stanach Zjednoczonych, aby wynagrodzić motocyklistom ich trud w dotarciu w te odległe zakątki. Ale Polacy nie gęsi... Co prawda mamy fatalne drogi, męczącą policję, kierowców, którym się wydaje, że są sami na drodze, ale... i tak kocham przemierzać nasz kraj na motocyklu. Podczas długich tras mam wystarczająco dużo czasu, aby myśleć sobie o wszystkim i o niczym... Gorąco polecam!

Zawsze jest dobry moment, żeby śmignąć gdzieś w nieznane, i tak naprawdę nie jest istotne, jakim sprzętem aktualnie dysponujecie. Kiedyś gdzieś na drugim końcu Polski spotkałam dwóch szaleńców, którzy wybrali się na wakacje motorynkami marki Romet. Dodam, że obaj mieli po 25 lat i mierzyli ponad 180 cm. Przejechanie około 200 kilometrów zajęło im... 11 godzin (wliczając w to postoje na studzenie silników i „drobne" naprawy) i to są dla mnie prawdziwi twardziele!

„Taaak" – powiada kowboj na końcu filmu. „Chyba po prostu pojadę na zachód – za słońcem...".

(ŚWIAT MOTOCYKLI, czerwiec 1999, „Podróżować to nie zawsze to samo...")

# CZAS ZMIAN

Po romansie z siermiężnymi wynalazkami epoki socjalizmu nadszedł czas na Zmiany. A wszystko dzięki temu, że w 1989 roku odbyły się obrady Okrągłego Stołu, rozebrano mur berliński i rozpoczęła się era młodego kapitalizmu. Z dnia na dzień sklepowe półki zapełniły się wszelkimi towarami. Ludzi ogarnął konsumpcyjny szał. Nagle samochody można było kupić w… salonie, a nie po znajomości na talony. Pomarańcze, czekolada, batony marsy i snickersy, banany, kawa, dezodoranty, mydełka fa. To wszystko leżało w sklepach i czekało na klientów. Niektórzy nie mogli uwierzyć, że ten stan będzie trwał, więc rzucali się na każdy towar, czy był im potrzebny, czy nie. Z tamtego okresu pozostały mi, a raczej mojej mamie stosy lnianych prześcieradeł, kilka kompletów emaliowanych garnków, niedziałająca suszarka z kablem tak krótkim, że żeby ją włączyć, trzeba było mieć przedłużacz. I wiele innych równie udanych wynalazków, bo wtedy wyposzczeni Polacy kupowali absolutnie WSZYSTKO i całe badziewie, którym znudził się Zachód, można było sprzedać u nas na pniu. Dla mnie jednak najważniejsze było to, że można było też kupić PRAWDZIWY motocykl. W Polsce!

Od czasu udanego interesu z Tatą pozostała mi do zrealizowania druga część planu, czyli zakup motocykla. Ale kapitalizm, który niesie ze sobą wielkie możliwości, generuje też równie wielkie frustracje. Bo z jednej strony niby wszystko już było, a z drugiej – na wiele dóbr faktycznie luksusowych nikogo nie było stać. To tak jakby ktoś dał nam złotą kartę kredytową, ale zapomniał podać PIN-u…

Dziewczyna w moim wieku nie mogła sobie pozwolić na zakup cholernie drogiej japońskiej maszyny. Postanowiłam oszczędzać, nie jeść, nie pić, nie chodzić do kina. Jeszcze w liceum zarabiałam, udzielając korepetycji i dorabiając jako modelka, ale to wystarczyć mogło na drobne szaleństwa, nie zaś na wyścigowy jednoślad. Dziś może się to wydać śmieszne (zwłaszcza młodym czytelnikom), ale pierwsze levisy kupiłam, dopiero kiedy miałam bodaj 23 lata, bo każdą złotówkę odkładałam na motocykl. W końcu udało mi się zebrać stosowną kwotę. Pierwszy, całkiem już poważny sprzęt nabyłam w 1994 roku – była to Yamaha Virago 535. Nie pytajcie mnie, jakim cudem zamiast motocykla wyścigowego wybrałam choppera, czyli coś w rodzaju odchudzonej podróbki Harleya (samo słowo *chop* znaczy „siekać" lub „odcinać". Choppery „narodziły się", gdy od Harleyów ich właściciele zaczęli odmontowywać (odcinać), błotniki, reflektory oraz siedzenia. Zastępowano je może mniej wygodnymi, ale lżejszymi. Potem ów trend podchwycili Japończycy i tak właśnie powstała Virago). Nabyłam ten

Z braku profesjonalnego
sprzętu stosowało się
kiedyś "patenty",
np. torby foliowe założone
na buty dobrze chroniły
przed deszczem

sprzęt oczywiście okazyjnie. A już po tygodniu bardzo tej decyzji żałowałam. To był jeno substytut „szlifierki", czyli maszyny z mocnym silnikiem i owiewkami, namiastką motocykla wyczynowego, którego tak bardzo pragnęłam.

Tym razem Rodzice (a Tata w szczególności!) nie zamierzali wspierać mnie w realizacji moich planów. Chyba nie bardzo też pochwalali i rozumieli moje wybory. Na przykład czemu na siłę chcę iść pod górkę, zamiast skorzystać z możliwości, które miałam i które mi stworzyli, czyli mieszkać za darmo w domu rodzinnym, studiować dziennie i do końca edukacji cieszyć się wolnością dziecka. Ja zaś nie chciałam czekać, byłam niecierpliwa. W tym okresie zresztą niewiele myślałam, tylko działałam. Postanowiłam więc, że się wyprowadzę, bo muszę być niezależna. I to pod każdym względem, również finansowym. Dlatego po zdaniu matury (ja, piątkowa uczennica!) poszłam na studia zaoczne. Wcześniej położyłam na stole kluczyki od samochodu, który kupili mi Rodzice, i powiedziałam, że dalej to ja już pójdę swoją własną drogą...

Czy dziś tego żałuję? No cóż, ominął mnie okres studenckich imprez, luzu, klubów dyskusyjnych i prawdziwej beztroskiej młodości... Ale zamiast tego zaczęłam błyskawicznie robić karierę menedżerską. Na początku lat 90. niemal każdy, kto miał głowę na karku, wystarczająco dużo uporu i był pracowity, mógł zostać, kim tylko chciał. Na rodzącym się dopiero wolnym rynku nie było specjalistów w dziedzinach takich jak marketing i public relations, a ja (jak się okazało) nadawałam się do tego znakomicie. Całe dnie zasuwałam więc w biurze, a wieczorami studiowałam zarządzanie (potem zrobiłam dyplom MBA). Ciężka praca i co tu ukrywać, szczęście, które miałam, wkrótce zaowocowały. Szybko awansowałam na coraz to wyższe stanowiska, w końcu zostałam szefem projektu w Universal SA – handlowym gigancie, jak na tamte czasy. I choć mieszkałam w wynajmowanej klitce z aneksem kuchennym bez okna i z łazienką oddzieloną od pokoju tylko zasłonką, wreszcie stać mnie było na zakup Kawasaki ZX-6. Motocykl dostał, z racji zadziornego wyglądu i ostrego charakteru, pseudonim Bandziorek. Był piękny – czerwony, a sto koni z jego czterech cylindrów robiło „dddddy" na wolnych obrotach i głośne „miiiiiiiaaaaał", gdy się tylko lekko przekręciło manetkę.

W 1993 roku magazyn „Cycle World" uznał Kawasaki ZX-6 za najlepszego „ulicznika" z silnikiem 600 cm$^3$. Wybrałam się więc moim Bandziorkiem na zlot motocyklowy w Kazimierzu Dolnym. Wtedy po raz pierwszy i ostatni zgodziłam się (rzecz jasna pod presją) pożyczyć komuś SWÓJ motocykl. Właściwie to nie pożyczyć, lecz zamienić się sprzętami na czas parady z Kazimierza do Nałęczowa. Wsiadłam na Hondę CBR 1000 (nazywaną z powodu rozbudowanych i dość kanciastych osłon z tworzywa – mydelniczką), a kolega wskoczył na moje Kawasaki, które miało ledwie tysiąc kilometrów przebiegu i stanowiło obiekt zazdrosnych westchnień wszystkich uczestników zlotu... Pewnie gdybym była facetem, to nikt by mnie nie namawiał na taką wymianę, a tak – miłej Martynce można było wejść na głowę.

Ruszyliśmy z Kazimierza leniwie, ale już po chwili niemal każdy kolega próbował mnie podpuścić, żeby się trochę pościgać. Wjechaliśmy na niewielkie wzniesienie, potem była jeszcze krótka prosta i ostry zakręt w lewo. Ja zdążyłam odhamować i ładnie się w ten łuk złożyć, kiedy we wstecznym lusterku nagle zobaczyłam... swój motocykl w powietrzu. Leciał niczym jakiś dziwaczny samolot bez skrzydeł! Nie usłyszałam „łuuuup" tylko dlatego, że moje serce z żalu waliło mocniej. Mój piękny Bandziorek został zmasakrowany, ale najgorsze było to, że kolega, który na nim jechał (notabene prezes klubu motocyklowego), złamał kręgosłup.

Może gdybym nie dała mu tego motocykla, nie doszłoby do tego wypadku? – zarzucałam sobie w rozmowach z przyjaciółmi. Wściekłość przechodziła w rozpacz, ta zamieniała się w rozczarowanie, a to z kolei we współczucie i tak w kółko. No bo żal mi było kolegi, który był w ciężkim stanie, ale to on właśnie zniszczył mój motocykl, w którego zainwestowałam WSZYSTKIE oszczędności. Takiego finału zlotu w najgorszych koszmarach nie przewidziałam.

# MOTOWARSZAWKA

Sprzedałam rozbite, ale wciąż „prawie nowe" Kawasaki (jak wiadomo, „prawie" robi wielką różnicę), znów oszczędzałam, co szło mi nieźle przy zarobkach poważnej pani „manager" (w tym okresie wszyscy zachłysnęliśmy się angielskobrzmiącymi nazwami stanowisk na wizytówkach) i kupiłam, tym razem mocno używaną, zmęczoną Hondę CBR 600F3. Wtedy to wydarzyła się kolejna historia, która powinna była zniechęcić mnie do dwóch kółek raz na zawsze...

Przypomnę, że działo się to zaraz po zmianie ustroju – dzikie czasy i niektórym się wydawało, że teraz wolno już wszystko. Rodziły się pierwsze wielkie fortuny, a wraz z nimi pojawiła się namiastka mafii i zapotrzebowanie na wszelkie dobra luksusowe. W każdym razie chętnych na zdobycie czegoś na lewo, taniej, a więc poniekąd – okazyjnie, nie brakowało. Wtedy też notorycznie wysadzano na światłach kierowców z aut, które akurat były komuś innemu potrzebne, a sprzęt pozostawiony na chwilę bez opieki mógł momentalnie zmienić właściciela. Jednoślady były wyjątkowo łatwym i pożądanym łupem dla złodziei. Zresztą mówiło się wtedy, że nie wystarczy, że maszyna stoi przykuta łańcuchem do ogrodzenia, dla pewności warto było na niej jeszcze trzymać... rękę. Trudno to sobie dziś wyobrazić, ale na początku lat 90. nikt nie ubezpieczał motocykli – stawki wynosiły niemal tyle co cena nowego sprzętu. Dziewięć na 10 motocykli ginęło bez śladu.

Parkowałam swoją Hondę u kolegi w garażu. Prawie nikt nie wiedział, że mój sprzęt tam stoi, na ogrodzeniu był łańcuch, a drzwi były dodatkowo opasane metalowymi klamrami i spięte kłódką. Można powiedzieć twierdza, brakowało tylko fosy i kolczastego drutu pod prądem. Teraz myślę sobie, że to może właśnie te zabezpieczenia sprowokowały kogoś potrzebującego. Właściwie nie ma to już znaczenia. Faktem jest jednak, że mój motocykl zniknął, a ja zaczęłam się intensywnie zastanawiać, czy to przypadkiem nie jest znak dany mi z nieba.

– Dziewczyno, widocznie motocykle nie są dla Ciebie, przesiądź ty się kochana na wreszcie na rower albo zacznij korzystać z komunikacji miejskiej – usłyszałam od przyjaciela.

Równie popularnym sposobem na zarabianie pieniędzy były też (zamiast chodzenia do fabryki, dajmy na to) kradzieże w celu wyłudzenia haraczu. Tym właśnie zajmowały się rosnące w siłę zorganizowane grupy przestępcze (policja nie uznaje słowa „mafia"): pruszkowska, wołomińska, żoliborska i... długo by tak jeszcze można wymieniać... Goście z przerośniętymi karkami (bardzo ładnie mówiło się na nich „abeesy" – ten skrót oznaczał „absolutny brak szyi") zabierali z ulicy zaparkowany motocykl, a potem dzwonili do właściciela i oferowali mu ten sam pojazd za pół ceny. Nie można odmówić logiki takiemu działaniu – ponieważ większość ludzi nie miała ubezpieczenia od kradzieży, woleli zapłacić haracz w wysokości nawet 50 procent ceny motocykla i go odzyskać, niż zostać z niczym. Ja również.

Odebrałam chyba pięć telefonów od różnych szemranych gości, ale niemal wszystkie były próbą tak zwanej „wystawki", czyli „przynieś kasę tu i tu, my ją weźmiemy, ale sprzętu nie odzyskasz, bo to nie my go mamy". Czemu nie zadzwoniłam na policję? Bo nasze służby mundurowe wtedy kompletnie nie radziły so-

Nasz klub motocyklowy
Desperados miał w logo znak
ograniczenia prędkości
do 320 km/h. Wszyscy
byliśmy bowiem posiadaczami
sportowych japońskich motorów
i jeździliśmy szybko...

Taki ślad spalonej
na asfalcie opony
nazywa się
MADMAX

bie z tym zjawiskiem. Zresztą dziś jest podobnie, bo ile skradzionych aut wraca do właścicieli? Wreszcie skontaktowali się ze mną ci PRAWDZIWI ZŁODZIEJE (zadałam im kilka podchwytliwych pytań, na które odpowiedzieli prawidłowo). Dla bezpieczeństwa (znałam ten motyw z amerykańskich filmów) umówiłam się z nimi na bardzo ruchliwej ulicy, żeby było wielu świadków jakby co – wsiadłam do samochodu, przekazałam plik odliczonych banknotów i powiedziałam:

– Z ciężkim sercem daję wam tę kasę. W końcu to moja własność.

– Z ciężkim sercem to my ci go oddajemy. Super lata ten sprzęt na jednym kole – rzucili ze śmiechem.

Byłam wściekła i bezsilna. Wiedziałam jednak, że absolutnie nic nie mogę im zrobić i że ci kolesie są bezkarni.

Moja biedna CBR-ka leżała w furgonetce niczym worek ziemniaków. Miała wgnieciony zbiornik i zarysowane owiewki z lewej strony. Ale co tam, odzyskałam swoją własność i od tej pory zamierzałam nie spuszczać jej z oka.

Jednak to nie było ostatnie z moich bliskich spotkań z mafią… Stołeczni (że tak powiem) motocykliści chętnie odwiedzali pub B-52, czyli knajpę pod mostem Poniatowskiego. Ci, którzy mieli więcej pieniędzy i chcieli się bardziej lansować, parkowali pod piwiarnią Harenda, niedaleko Krakowskiego Przedmieścia. Ja bywałam w obu miejscach, ale tego dnia wybrałam akurat Harendę. Przezornie założyłam blokadę na przedniej tarczy hamulcowej (wiadomo – bałam się, że ukradną mi motocykl, jak tylko wyjdę do toalety!).

Wieczór się kończył i pewnym krokiem, takim w stylu „co to nie ja", zmierzałam do wyjścia. Włożyłam swoją skórzaną kurtkę, miotnęłam grzywką, wcisnęłam kask i na oczach gapiącego się tłumu odpaliłam silnik. Wrzuciłam pierwszy bieg i gaaaaz. Niestety zapomniałam o blokadzie. Ta, wraz z tarczą, zrobiła pełen obrót, co można przełożyć mniej więcej na 30 centymetrów jazdy, a potem – bbrbrrbrbrbrbdziang – wypierniczyłam się wprost na zaparkowanego obok pięknego, czarnego, błyszczącego Mercedesa 500 (bywali w świecie warszawiacy mówili wtedy na takie auta „świnia", co trafnie oddaje ich szczególny dizajn). Szybko zorientowałam się, że ten Mercedes jest, o zgrozo, na pruszkowskich blachach – auto pochodziło z miasta mafii! Wiedziałam, że za chwilę jego szofer bądź obdarzony wyjątkowo masywnym karkiem właściciel (właśnie zmierzał ku mnie żwawym krokiem) zamorduje mnie, zgwałci i zakopie w doniczce na kwiaty (kolejność dowolna). Dość niezdarnie usiłowałam się podnieść, gdy kątem oka zauważyłam, że mój kumpel Michał „Perek" Pernach ślini palec, a potem przeciera nim wgnieciony błotnik i duka coś w stylu:

– To nic, proszę pana. To tylko draśnięcie…

Zrobiło mi się gorąco. A potem wstyd! Naprawdę się skompromitowałam i pół Warszawy o tym mówiło przez następne dni. Jak się skończyła ta historia? Wstawił się za mną ktoś, kto bardzo mnie lubił, i to wystarczyło, żeby uniknąć losu nawozu do kwiatków. Ale to już całkiem inna historia…

Honda to był mój ukochany jednoślad i wciąż wspominam ją z łezką w oku – wystartowaliśmy razem w wyścigach motocyklowych Polonia Cup na torze w Poznaniu. Przejechaliśmy wraz moim klubem motocyklowym Desperados tysiące kilometrów. Zaliczyliśmy mnóstwo zlotów. No właśnie, po co właściwie jeździ się na zloty?

# ZLOTOWE ŻYCIE

Gdzie jest kraj wolności słowa, taniego paliwa, dróg, które nie mają końca, i wszechobecnych motocyklistów? Oczywiście w Ameryce. Zloty jednośladów to ewidentnie zamorska idea i na dodatek – bardzo wiekowa. Legendarny meeting motocykli w Sturgis, miasteczku w Dakocie Południowej, w roku 2012 wystartuje po raz… 72. Sturgis Rally ma przyciągać głównie miłośników maszyn Harley Davidson i Indian. Cel? Dać chłopakom maksimum rozrywki! Podkreślę – chłopakom, a nie dziewczynom (choć coraz więcej babek jeździ jednośladami), bo o ile kiedyś organizowano w Sturgis wyścigi i pokazy kaskaderki, potem doszły jeszcze zawody crossowców, to teraz są wyłącznie stragany, balangi, panienki bez staników, muzyka na żywo, zbiorowe sikanie pod murem, generalnie – męski *fun*. Jednak na brak chętnych impreza z Dakoty Południowej narzekać nie może – co roku przyjeżdża tam prawie milion uczestników i gapiów.

Niemniej słynny (i z podobną historią – impreza odbywa się od 1937 roku) jest „tydzień motocykli" w Daytona Beach na Florydzie. Tłum ogląda sprzęty, tłum wyprawia na nich brewerie, tłum się bawi na całego, i tak w kółko przez 7–10 dni. Poziom ubawu jest wysoki, o czym przekonują statystyki ofiar wypadków motocyklowych. Znalazłam policyjny zapis w internecie, że w rekordowym pod tym względem Daytona Beach Bike Week 2006 zginęło aż… 20 jego uczestników. Ot, zabawowicze nie znają granic…

To moje ulubione zdjęcie zrobione na trasie gdańskiej. Drugi od prawej, organizator słynnych zlotów w Różanie śp. Wiesio Przastek

SKORPION RALLY

Jazda motocyklem była bardzo męcząca...

Anka była moim najlepszym pasażerem. Nigdy nie marudziła, że zimno, że niewygodnie i do domu daleko

Parkowanie motocykla na słońce? Czemu nie!

Ale są na świecie też spokojniejsze imprezy, na przykład Americade – gigantyczny zlot motocykli wszelkich marek. Do Lake George w zielonym stanie Vermont wpada się, żeby oglądać maszyny turystyczne, sportowe i cruisery – co roku do tej miejscowości zjeżdża ich nawet 50 tysięcy. „Nie szukajcie u nas prędkości, wyzwań czy zawodów na najgłośniejszy tłumik" – przekonują organizatorzy Americade. A ja im zwyczajnie nie wierzę. Są dwa koła i silnik? Musi być hałas, palona guma i inne brewerie, czyli owoce zakazane.

W naszym własnym polskim wydaniu nie było aż tak „światowo". Kluby Desperados czy Skorpion robiły zloty na poziomie, kulturalne i bez „dzikowania". Nieodżałowany Wiesio Przastek (odszedł niedawno po przegranej walce z rakiem) wraz z żoną Ewą organizowali moim zdaniem najlepsze imprezy w Polsce (słynny Różan). Każdy z nas pamięta jak Wiesio, niczym tata, chodził pomiędzy stolikami i zbierał kluczyki od motocykli, kiedy ktoś z nas wypił nawet jedno piwo. I to właśnie na tych spotkaniach narodziły się nasze marzenia o firmach i dzieciach, a ja w ich trakcie zaczęłam udzielać się jako organizator, kaowiec i w końcu – dziennikarz. Choć jako jedna z niewielu kobiet jeżdżących wtedy na motocyklu samodzielnie, a nie w charakterze pasażera – bywałam też narażona na przedziwne historie.

*Na zloty jeżdżę od wielu lat i muszę przyznać, że to jest właśnie to, co „tygryski lubią najbardziej". Ale zloty bywają różne: celowe i bezcelowe. Te pierwsze to takie, które są doskonale zorganizowane, obfitują w atrakcje, można się na nich czuć bezpiecznie i bezstresowo. Na takich imprezach ryzyko utraty sprzętu bądź zdrowia na skutek przejechania przez jakiegoś pijanego gościa jest raczej minimalne. Natomiast przebywanie na zlotach bezcelowych nieuchronnie grozi śmiercią lub kalectwem, bo zwykle wiąże się z najazdem pseudomotocyklistów, którzy nawiedzają tego typu spotkania tylko po to, aby się upić i zrobić awanturę. Zapewniam Was, że rozszalały i upojony alkoholem tłum potrafi zrównać z ziemią całkiem solidną tancbudę (mam na myśli słynny szturm na knajpę w Giżycku w 1997 roku), więc jak może się czuć samotna kobieta, która przyjechała na zlot w celach czysto towarzyskich?! Oczywiście kobiety też bywają różne...*

*Podczas jednego z ubiegłorocznych zlotów jakiś kompletnie pijany klient zasnął na moim motocyklu. Wszelkie próby spacyfikowania owego gościa kończyły się tym, że bił, kopał i gryzł, zupełnie nie zważając na moją płeć, która (jak naiwnie sądziłam)* uprawnia mnie do delikatniejszego traktowania. Jasne że mogłam zaczekać kilka godzin, aż delikwent wytrzeźwieje i przebudzi się, ale jak to zwykle bywa – w tamtej chwili byłam jedyną trzeźwą osobą. W rezultacie mój klubowy kolega, „Kisiel", nadszedł z odsieczą i udało nam się przetransportować na stojący obok inny motocykl niepożądanego pasażera na gapę.

Okazuje się więc, że czasem faceci mogą się przydać, bo tym razem niewiele bym zdziałała bez męskiego wsparcia. Oczywiście sytuacji, kiedy czekałam na „odsiecz", było bardzo wiele i niestety pod tym względem kobiety mają znacznie gorzej. Zawsze cierpiałam z powodu przewagi walecznego i bojowego ducha nad swoim niezbyt silnym ciałem.

Kiedy jednak szczęśliwie dojedziecie na wybrany zlot i okaże się, że zabawa zapowiada się interesująco – możecie na przykład trafić na faceta, który uprze się, że sprawdzi wasze umiejętności jazdy motocyklem lub (nie daj Boże!) będzie chciał się sam popisać. Zdarzyło mi się to kilka lat temu i, na nieszczęście, popisy te miały miejsce na... moim motocyklu (pamiętajcie, że faceta/kobiety – niepotrzebne skreślić – i motoru nigdy się nie pożycza!).

Czasem jednak największe niebezpieczeństwo niesie ze sobą udział w konkurencjach sprawnościowych (szczególnie jeśli nie macie jeszcze dobrze opanowanej techniki). Sama wiem, jak silna potrafi być presja tłumu (w przeważającej części facetów), aby nakłonić Was do „gościnnych występów". Chociaż, patrząc na to zagadnienie z innej strony, ze względu na chroniczny brak konkurentek – zwykle miałam w kieszeni nagrodę, przynajmniej w kategorii kobiet.

Oczywiście jest kilka bezpieczniejszych konkurencji, jak choćby wolna jazda, w której zawsze odmawiam udziału, bo jestem zbyt niecierpliwa i roztrzepana, aby osiągnąć w tej kategorii jakieś spektakularne sukcesy. Natomiast gorąco polecam wszelkiego rodzaju slalomy. Uważajcie jednak na mecie stop (należy się zatrzymać w taki sposób, aby linia znajdowała się pomiędzy kołami). Często za ostatnim słupkiem motor jest jeszcze nieco przechylony i przy gwałtownym naciśnięciu hamulców łatwo o wywrotkę (jest to stała atrakcja zlotów, bo podczas tej konkurencji niemal zawsze ktoś „wycina figurę"). Natomiast moim ulubionym zajęciem na wszelkiego rodzaju wyjazdach jest palenie gumy. Dzięki temu mam z głowy wszystkie inne konkurencje, bo na koniec zawsze mogę postawić „mad maxa" i wszyscy są zadowoleni. I bardzo dobrze – niech każdy robi to, co mu wychodzi najlepiej!

*Ostatnim (choć często najpoważniejszym) zagrożeniem dla kobiet motocyklistek może być osobisty kolega, który po spożyciu nadmiernej ilości alkoholu łatwo zapomina, że łączą was stosunki wyłącznie kumpelskie, i zbiera mu się na amory... Niejednokrotnie doświadczyłam tego, kiedy coś się popierniczyło moim kolegom i niespodziewanie postanowili „bliżej się ze mną zapoznać".*

*Pamiętajcie jednak, że każdy kij ma dwa końce. Kiedy baba zostaje już pełnoprawną członkinią braci motocyklowej, nie powinna oczekiwać szczególnej troski czy specjalnego traktowania. Sama ponosi odpowiedzialność za swój sprzęt, jego serwisowanie, upinanie bagażu. Może się Wam też zdarzyć taka historia jak mnie: kiedy już żadnemu z moich kolegów nie przyszło do głowy oglądać się na mnie i martwić, czy nadal jadę w grupie – po prostu mnie... zgubili, a raczej ja ich, bo „wycięłam" do przodu jako pierwsza, a oni postanowili sobie zmienić trasę. Nie byłoby w tym nic dziwnego, gdyby nie fakt, że padał ulewny deszcz, było przeraźliwie zimno, a ja w jednym z samochodów zostawiłam swój plecak, łącznie z pieniędzmi i dokumentami. Kiedy zorientowałam się, że nikt za mną nie jedzie, postanowiłam zawrócić i dogonić towarzyszy podróży. Tak ich goniłam, że dojechałam do Warszawy prawie godzinę przed nimi. Dopiero później okazało się, że chłopcy zatrzymali się na obiad i gorącą herbatę w jakimś barze... Ale jak zawsze – wybór należy do Was.*

(ŚWIAT MOTOCYKLI, sierpień 1998 – „...a ja sobie gumę palę")

# POCZĄTEK WSZYSTKIEGO CO WAŻNE

Pisałam, odkąd tylko sięgam pamięcią. Trochę do szuflady, a trochę na olimpiady polonistyczne. Zawsze z przyjemnością. Nigdy jednak nie myślałam, żeby się tym swoim pisaniem zająć na poważnie, a tym bardziej zarabiać w ten sposób na życie. Ponieważ jednak byłam „aktywistką" w motocyklowej braci i na dodatek wszędzie było mnie pełno, wpadłam w oko Janinie Świderek. Ta dama przez ponad 20 lat relacjonowała wyścigi motocyklowe w polskiej prasie i wciąż jest chodzącą encyklopedią wiedzy na ten temat. Ona właśnie jeszcze przed moim poważnym romansem z telewizją zabrała mnie latem 1998 roku na mistrzostwa świata w wyścigach motocyklowych superbike'ów do Brna. Pojechałyśmy tam z kumplem, składając się na benzynę, a dla oszczędności spałyśmy na karimacie u znajomych. Ale warto było, bo dostałam przepustkę do innego świata, który już wkrótce miał mnie pochłonąć na serio.

Okazało się, że poza mną i Janiną na Grand Prix są jeszcze inne kobiety, które mają znaczący wpływ na to motoryzacyjne zamieszanie. Chociażby taka Debbie Irvine z Moto GP, która pracowała jako mechanik w fabrycznym teamie Red Bull Yamaha. Kiedy ją poznałam, miała 31 lat i gdyby nie umazany smarem kombinezon, w życiu bym nie zgadła, jaka jest jej profesja. Taka delikatna i subtelna, a radzi sobie z tymi wszystkimi facetami, których na dodatek jest szefem? – myślałam. Debbie zanim zajęła się naprawianiem jednośladów, pracowała jako radioложka w szpitalach w Cambridge i Londynie. Od rentgena bardziej ją jednak kręciły szalone wypady za miasto rozklekotanym Fiatem 127 i staż w warsztacie. A że była i zdolna, i pracowita, i bardzo zaangażowana, trafiła w końcu dokładnie tam, gdzie chciała, czyli do wyścigowych padoków. I w jednym z nich właśnie wtedy, w Brnie, spotkałam Diane Michels, która zgodnie z teorią „solidarności jajników" umożliwiła mi to, co pozornie było niemożliwe.

*Spacerowałam po boksach zaciekawiona niemal wszystkim i wszystkimi – nawet pomocnikiem mechanika, bo przecież to on (a nie ja) jest w samym środku tej wyścigowej machiny! Myślałam, że to szczyt atrakcji, jakie mogą mnie spotkać w ciągu tego sezonu wyścigowego... Kiedy po raz pierwszy weszłam do centrum prasowego, oniemiałam z wrażenia. W jednym pomieszczeniu było chyba ze stu dziennikarzy mówiących wszystkimi językami świata, każdy coś stukał na laptopie, przesyłał faksy, relacjonował miniony dzień. Na 30 monitorach równocześnie można było śledzić przebieg wyścigu... Widać, że wszyscy świetnie się znają – są niemal jak rodzina i nie ma się czemu dziwić – ta ekipa wspólnie jeździ po całym świecie na wszystkie 15 rund Grand Prix, czyli spędzają ze sobą prawie połowę życia. No tak, co ja, dziennikarka z Polski, mogę tu zdziałać? – pytałam w myślach sama siebie...*

Poznałam chyba wszystkich mechaników,
co ułatwiło mi poruszanie się
po zamkniętych dla gapiów padokach
i boksach serwisowych

Regis Laconi w sezonie '97

500

1998
FIM Road Racing
World Championship
Grand Prix

FIM
WORLD CHAMPIONSHIPS

*Drugiego dnia poznałam już kilka osób, wywalczyłam nawet własny stolik z rewelacyjnym widokiem na monitory, które pokazywały przebieg treningów i wyścigów. Dziarsko maszerowałam po parku maszyn i okazało się, że faceci na całym świecie są tacy sami – nigdy nie przepuszczą okazji do rozmowy z dziewczyną. Tak jest jednak tylko podczas treningów. W trakcie wyścigu, nawet gdyby po padoku maszerowała sama Cindy Crawford – nikt nie zwróciłby na nią uwagi.*

*W sobotę rano udało mi się przeprowadzić wywiad z rzecznik prasową teamu Repsol Honda. Diane Michels odpowiada za kontakty z mediami, reprezentując takich zawodników, jak: Doohan, Criville, Okada i Gibernau. Pominę milczeniem, co jej naopowiadałam, bo przecież liczy się efekt końcowy – tego samego dnia po południu miałam przeprowadzić wywiad z samym Mickiem Doohanem. Sytuacja wydawała mi się tak abstrakcyjna (na wywiad z Doohanem dziennikarze zapisują się wiele miesięcy wcześniej), że nawet nie potraktowałam tej obietnicy poważnie.*

*Kiedy więc po zakończonych treningach podeszła do mnie i powiedziała: „Martyna, przyjdź za 15 minut do naszego trucka, masz wywiad", miałam tylko chwilę na zastanowienie się, o co tak naprawdę chciałabym zapytać mistrza świata. Wcześniej słyszałam tylko, że Mick jest „trudną" osobą, miewa zmienne nastroje, i że nie powinnam pytać o jego wypadek z 1992 roku...*

*Mick przyszedł na spotkanie bardzo punktualnie. Przystojny, prawie mojego wzrostu (większość zawodników jest niższych ode mnie o głowę), trzymał ręce w kieszeniach. Bez zbędnych ceregieli usiadł naprzeciwko, oparł się na krześle tak, że maksymalnie odsunął się od stolika. No cóż, w każdym jego geście czuło się duży indywidualizm, charyzmę i silne poczucie własnego terytorium, ale nie ma się czemu dziwić – Mick Doohan jest najlepszy, i to w sporcie wyłącznie dla indywidualistów.*

*Na pierwsze pytania odpowiadał raczej zdawkowo i już zaczynałam wpadać w panikę, że moje skromne notatki nie wystarczą nawet na pięć minut. Jednak powoli rozluźnił się. Mimo że ostatecznie przeciągnęłam rozmowę zdecydowanie dłużej niż wyznaczony czas, Mick nie wykazywał zniecierpliwienia. A przecież to sam Mick Doohan, legenda Grand Prix, jeden z najbardziej utalentowanych zawodników w historii mistrzostw świata. Takim ludziom wiele się wybacza.*

**MW:** *Co sądzisz o nowym pokoleniu kierowców w GP. Mam na myśli zawodników takich jak twój kolega z teamu Repsol Honda – Alex Criville, Carlos Checa czy Max Biaggi.*
**MD:** *Są szybcy... (śmiech) Muszę przyznać, że jeżdżą całkiem nieźle i z każdym dniem są*

*coraz lepsi pod względem technicznym. No cóż, teraz zaczyna jeździć nowa generacja zawodników, po niej kolejna... tak właśnie jest w tym sporcie. Na moje nieszczęście mam tylko jedno wyjście – wygrać. Jestem na samym szczycie przez długi czas i nagle, pewnego dnia zauważyłem, że mogę to stracić: jakiś gość jedzie tuż za mną i to coraz szybciej! Szczerze mówiąc, każdego roku jest mi coraz trudniej utrzymać tytuł mistrza świata. Ale lubię taką rywalizację, bo zmusza mnie do pracy nad sobą.*

*MW: Mick, masz za sobą aż 50 zwycięstw w GP, to najlepszy wynik od czasów Agostiniego (najbardziej utytułowany zawodnik motocyklowy w historii – zdobył 15 tytułów mistrza świata). Jak sądzisz, czy to początek kolejnej „pięćdziesiątki" wygranych, czy myślisz może o wycofaniu się ze sportu u szczytu chwały?*

*MD: No cóż... oczywiście, że myślę o przejściu na emeryturę. Jednak w Grand Prix startuję już 10 lat i naturalną koleją rzeczy wyścigi są całym moim życiem. Ale nigdy, nawet po 50 wygranych GP, nie można powiedzieć „Stop. Wystarczy". Myślę raczej, ile GP jest jeszcze przede mną, ile z nich mogę wygrać lub po prostu – jak być znowu pierwszym na jutrzejszym wyścigu.*

(ŚWIAT MOTOCYKLI, październik 1998, „SUPERSTAR Michael Doohan" (skrót))

Michael Doohan został w sezonie '98 mistrzem świata po raz piąty. Miałam więc hit! Mimo że pojechałam na Grand Prix wyłącznie jako obserwator, to niejako „przy okazji" przeprowadziłam jedyny wywiad, którego Doohan udzielił wtedy polskiemu dziennikarzowi (nieźle, jak na nieopierzonego kandydata do tej profesji). „Świat Motocykli" opublikował mój obszerny artykuł na swoich łamach i tak oto, mimo że pisałam z pasji, nagle stała się ona dla mnie pracą, za którą ktoś chciał mi płacić. Zresztą to ostatnie nigdy nie było dla mnie najważniejsze.

Rok później, w 1999 roku, podczas treningu do GP Hiszpanii na torze Jerez Doohan uległ poważnemu wypadkowi i doznał skomplikowanych złamań we wcześniej uszkodzonej nodze. Tym samym zakończył karierę kierowcy wyścigowego. Dla mnie jednak będzie zawsze tym najważniejszym, bo pierwszym zawodnikiem, z którym zrobiłam wywiad i który, zupełnie niechcący, zmienił całe moje życie.

# ZAWSZE WARTO MARZYĆ...

Kawasaki, Hondy, Yamahy, Suzuki... Jeździłam naprawdę szybko. Moim ulubionym miejscem do bicia rekordów prędkości była trasa z Warszawy do Gdańska, zaraz za Łomiankami. Ot, prosta, 50 km przed siebie... Wyciągałam tam Hondą CBR 900 RR Fire Blade maks 285 km/h i cieszę się, że nie dostałam w ręce czegoś jeszcze szybszego... Przy tej prędkości dwupasmowa jezdnia zwęża się do szerokości chodnika dla pieszych, a wrażenie jest takie, jakby człowiek jechał w tunelu. Na szczęście percepcja jest wtedy totalnie wyostrzona i dostrzega się nawet najmniejszy ruch na poboczu, taki, którego normalnie człowiek by nie zauważył. Niestety skacze też adrenalina i podnosi się tętno, przez co tracimy zdolność logicznego myślenia, bo do mózgu trafia coraz większa porcja endorfin – grupy hormonów, które sprawiają, że stajemy się bardziej zadowoleni z siebie, wprost wpadamy w euforię. Szybka jazda uszczęśliwia, dlatego ekstremalne sporty są takie uzależniające. Tak jak z narkotykami – chcemy więcej i więcej, tylko że takie przygody często mają tragiczny finał. Człowiek nie jest nieśmiertelny, choć większość młodych ludzi tak właśnie uważa. Myśli sobie, że jeśli już ktoś ma mieć wypadek, to na pewno nie oni...

Sama, ilekroć dostawałam w ręce jakiś nowy motocykl, zaraz wyjeżdżałam nim na most Grota-Roweckiego, żeby go tam „sprawdzić". I sunęło się z prędkością ponad 200 km/h pomiędzy samochodami, niczym narciarz w slalomie gigancie, a potem, a i owszem, ze śmiechem opowiadało się o swoich wyczynach kolegom... Przyszedł jednak taki dzień, kiedy oprzytomnieliśmy. Dotarło do nas, że jak tak dalej pójdzie, wcześniej czy później wszyscy skończymy w najlepszym przypadku z połamanymi rękami i nogami, w gorszym – z pękniętym kręgosłupem, lub po prostu się pozabijamy. Dlatego była spora grupa szaleńców, którzy przypinali się do ramy motocykla łańcuchem albo stalową linką oplecioną wokół szyi.

– Jak już mam mieć dzwona – mówili – to wolę, żeby urwało mi łeb, niż miałbym jeździć na wózku.

I bardzo byli z siebie dumni. A w zasadzie – nadal są, bo czasem ich widuję, oczywiście na moście Grota. Choć zapewne to już kolejne pokolenie, bo moje przestało czuć tę presję. Nie muszę już spod świateł startować najszybciej i być mistrzem prostej. Jeśli chcę się wyszaleć, to zawsze mogę pojechać na tor wyścigowy Ławica w Poznaniu i tam, w bezpiecznych warunkach, pokazać, na co mnie stać. Jednak wiele z tych dzieciaków, które wtedy się ze mną ścigały, nie dożyło publikacji tej książki. Szkoda.

# A JEDNAK

Pamiętacie ten motocykl, którego plakat wisiał nad moim łóżkiem jeszcze w domu Rodziców, kiedy oklejałam wycinkami z niemieckich magazynów wszystkie ściany? Kawasaki ZX10. Wpatrywałam się w ten poster i gadałam pod nosem, że przecież to niemożliwe... że ja dziewczyna... że nigdy... że się nie da...Tymczasem życie pisze najdziwniejsze scenariusze.

Nowiutkie Kawasaki ZX10R, tyle że znacznie doskonalsze w konstrukcji, stoi dziś w moim garażu. Na żywo jest jeszcze piękniejsze. Waży blisko 100 kg mniej od poprzednika (tylko 170 kg) i ma moc, bagatela, 185 KM. Przy zastosowaniu dobrego wydechu przekracza prędkość 300 km/h. Tyle że ja już nie muszę jeździć tak szybko. Ale wiem przynajmniej, że warto mieć odwagę marzyć i mieć odwagę te marzenia realizować. Ten motocykl jest dla mnie po prostu symbolem potwierdzającym te słowa.

Do moich jednośladów naprawdę się przywiązuję...

Kawasaki Z1000 mieszczuch idealny

# YŚCIGI MOTOCYKLOWE POLONIA CUP

Organizowane od 1996 roku składały się z Otwartych Mistrzostw Polski, Młodzieżowych Mistrzostw Polski oraz Pucharu Polskiego Związku Motorowego przeznaczonego dla mniej doświadczonych zawodników.

Odrodzenie wyścigów w Polsce było wielką zasługą firmy Polonia Cup Pawła Tyszkiewicza i Adama Potockiego oraz firmy Motopol, ówczesnego importera motocykli Honda, która sponsorowała ich organizację. Zarówno Paweł Tyszkiewicz, jak i Adam Potocki to prawdziwi ARYSTOKRACI. Ergo – wyścigi organizowali panowie hrabiowie herbowi. Stąd pewne maniery, „ę" i „ą" na torze. Ale właśnie tę otoczkę wspominam najlepiej!

Tam swoje pierwsze kroki stawiali dzisiejsi mistrzowie, ale próżno szukać informacji o Polonia Cup w sieci. Z niewiadomego powodu śladów po tej serii zostało tak niewiele... Tymczasem historia tego polskiego ścigania jest fascynująca. „Oprócz startów na torze Poznań, WMMP zaczęły wyjeżdżać do Brna, Mostu, a w 1999 roku odbyła się najlepsza (pod względem organizacyjnym i marketingowym) w historii runda w podwarszawskim Modlinie" (Scigacz.pl).

W 2009 roku po raz pierwszy w historii wszystkie tytuły mistrzowskie zdobyli zawodnicy bez polskiego paszportu: Andy Meklau w Superbike (Austria), Gwen Giabbani w Superstock 1000 i Kenny Foray w Superstock 600 (obaj Francja). Faktem jest, że przed Polonia Cup też były wyścigi i byli ich gwiazdorzy (Janusz Oskaldowicz, Tomek Kędzior oraz Artur Wajda; wśród tych młodszych warto wymienić Artura Cymermana, Pawła Szkopka i Adama Badziaka), ale to działalność Tyszkiewicza, Potockiego oraz Motopolu sprawiła, że zabawa weszła na właściwe obroty.

To naprawdę ja :-)

Transport mojej
Hondy na zawody

W każdym z nas jest coś
z dziecka. Tor rallycrossowy
w Słomczynie, rok 2007

# TELEWIZYJNY
# AUTOMANIAK

*W tym sportowym fotelu
(tak zwanym kubełku)
dojechałam do swojej mety
w programie „Automaniak"*

# KTÓRĘDY DO PRACY?

Nie marzyłam o pracy w telewizji. To nie było tak, że jako mała dziewczynka stawałam na środku salonu ze szczotką do włosów, która miała udawać mikrofon, nie próbowałam wyobrażać sobie, że jestem gwiazdą mediów. Nie spędzałam też wielu godzin przed lustrem na strojeniu min i sprawdzaniu, w jakich kreacjach wyglądam najkorzystniej. Jako dorastająca panienka byłam typem łobuziaka stawiającego „irokeza" na mydło. Nosiłam podarte spodnie wojskowe, ciężkie buty i skórzaną kurtkę. I wciąż mam sentyment do tego stroju. Za każdym razem, kiedy z powodów zawodowych jestem ubrana inaczej, czuję się tak, jakbym była przebrana za kogoś, kim nie jestem. Ale pewnego dnia (miałam wtedy 17 lat) świat mediów jakoś sam się o mnie upomniał. Zostałam odkryta, jak to w kiczowatych opowieściach bywa, na ulicy.

Podszedł do mnie Pan Fotograf i zaproponował zdjęcia próbne, roztaczając przede mną wizję pracy w charakterze modelki... Skłamałabym, gdybym powiedziała, że nie poczułam się wtedy wyróżniona. Owszem, dałam się uwieść tej wizji i w sumie moja przygoda z modelingiem trwała jakieś 4 lata. I czego to ja się o sobie wtedy nie dowiedziałam. A to, że mam za duży nos, który powinnam zoperować (do dzisiaj mam kompleks!), że jestem za gruba, że koniecznie muszę obciąć i przefarbować włosy... Ganiałam z castingu na casting w butach na kilkunastocentymetrowych obcasach, bo sądziłam, że tak trzeba – modnie, czyli niewygodnie. I piekielnie się męcząc, dotarłam do finałów konkursu Look Of The Year, który miał na celu wyłonienie przyszłych modelek.

Mniej więcej w tym samym czasie zaczęło mnie nurtować pytanie. Czy ja rzeczywiście chcę kilka razy dziennie się malować, zmieniać uczesanie, wydymać usta przed aparatem fotograficznym i głodować, skoro tak bardzo lubię jeść? W tej skórze nie czułam się komfortowo. Postanowiłam ją zrzucić i pewnego dnia powiedziałam po prostu:

– Kiedyś znajdę się na okładkach tych wszystkich magazynów, o których marzą modelki. Ale nie dlatego, że wyglądam tak czy inaczej, ale dlatego kim jestem.

Dzisiaj mam na koncie dziesiątki okładek w magazynach, które 20 lat temu nie chciały mnie widzieć na swoich łamach. Teraz jednak wszyscy zajmujący się produkcją sesji fotograficznych stają, drapią się po głowie i dywagują:

– O cholera, Wojciechowska przytyła pięć kilo. Co zrobić, żeby to ukryć?

Albo:

– Aha, no tak… Ma za duży nos… Zróbmy tak, żeby mimo wszystko wyglądała jak milion dolarów…

Teraz to ONI mają problem, nie ja.


Wkrótce media znów się o mnie upomniały, tym razem elektroniczne. Od czasu do czasu pojawiałam się na swoim motocyklu na różnych imprezach, jak chociażby otwarcie sezonu motocyklowego 1997. To wówczas podszedł do mnie Pan Operator z TVP, żeby nagrać parę ujęć w klimacie: „Ojej! Co to, proszę Państwa? Baba dziwo, czyli dziewczyna na motorze”. No cóż, wtedy nie było tak jak dzisiaj, kiedy to więcej dziewczyn niż facetów robi prawo jazdy kategorii A (naprawdę, sprawdziłam statystyki!). Pan Operator nakręcił ze mną krótką rozmowę. A potem? Potem wszystko potoczyło się bardzo szybko. Dziennikarka, która realizowała ten materiał, postanowiła przeprowadzić ze mną wywiad do miesięcznika „Świat Motocykli” i poinformować najpierw jego czytelników, a przez nich całą Polskę, że oto miłe dziewczę przemieszcza się Hondą. Udzieliłam jej wyjątkowo buńczucznego, żeby nie powiedzieć bezczelnego wywiadu. No cóż, młodość ma swoje prawa. Na szczęście z braku dystansu do siebie, wyszczekania, zachwytu nad tym, co się ma do powiedzenia, oraz innych przypadłości wieku młodzieńczego się po prostu wyrasta.

*Pierwsze nasze spotkanie – Warszawskie Otwarcie Sezonu. Szum, zgiełk, tłum ludzi, mnóstwo maszyn i nagłe poruszenie. Mężczyźni jeden drugiego trącają łokciem i wszyscy z otwartymi ustami obserwują zjawisko pomykające spod bramy na pięknej Hondzie CBR 600 F. Rozwiany włos, dopasowany skórzany kombinezon, motocyklowe buty, rękawice, kask na przedramieniu, na ramieniu znaczek ograniczenia prędkości z liczbą 320...*

*Druga odsłona. Po schodach kawiarenki wbiega długonoga dziewczyna. Nie-wymuszona naturalna elegancja. Ogólny zachwyt. Ta piękna dziewczyna przy bliż-szym poznaniu wprowadza w jeszcze większe oszołomienie. To nie tylko uroda i polot. Jej elokwencja i erudycja (ktoś złośliwy powiedziałby, że gadatliwość i chaos, ale po chwili rozmowy musiałby cofnąć wszelkie uszczypliwości) spowodowały, że nawet mnie, babę, zatkało i zamiast zadawać pytania, tylko słuchałam, słuchałam i byłam coraz bardziej zdumiona.*

**M.W.** *Cóż odkrywczego ja, kobieta, mogę powiedzieć motocyklistom o jeżdżeniu mo-tocyklem.*

**B.S.** *To może zacznij od początku, skąd to się wzięło, dlaczego jeździsz, będąc tak atrakcyjną dziewczyną, kruchą i delikatną, do tego modelką, która powinna dbać o swoje ciało?*

(ŚWIAT MOTOCYKLI, czerwiec 1997, „Maszyny jak ludzie".
Z Martyną Wojciechowską – motocyklistką, kobietą wielu cnót, rozmawia Beata Sieniawska.)

Pamiętacie to pytanie?! Tak, właśnie to, którego tak bardzo nie lubię... Ale wtedy odpowiedziałam na nie chętnie, bo zadano mi je po raz pierwszy. I w zasa-dzie... potem nastąpiła lawina niesamowitych zdarzeń.

Rozmowę ze mną przeczytał Jacek Bonecki, operator kamery, który marzył, żeby zostać producentem.

– Słuchaj, może chciałabyś robić program motocyklowy? – zapytał przez te-lefon.

– A w zasadzie to co miałabym tam robić? – odpowiedziałam pytaniem na pytanie.

– No wiesz, pogadać coś tam do kamery, zrobić jakiś materiał...

Słowem żadnych konkretów, jak to w telewizji.

Niezależna, prywatna telewizja wtedy dopiero powstawała w naszym kraju. Były dwa kanały państwowe TVP 1 i 2 oraz świeżynka – Polsat, który oferował rozrywkę, łagodnie mówiąc, mało wysublimowaną. Prawda jest taka, że nigdzie nas nie chcieli. Jedynie łódzka telewizja kablowa ATV wyraziła wstępne zainteresowanie. Zrobiliśmy zdjęcia próbne w jednym z warsztatów motocyklowych. Ponoć wypadłam nieźle. W każdym razie na tyle dobrze, że już wspólnie z Jackiem postanowiliśmy nakręcić pierwszy odcinek na własne ryzyko i koszt, metodami właściwie chałupniczymi.

Dysponowaliśmy kamerami, które świetnie nadawały się do filmowania wesel i chrzcin, ale niekoniecznie dla potrzeb telewizji. Braki techniczne nadrabialiśmy jednak zaangażowaniem. Jeździliśmy po całej Polsce i z zapałem kręciliśmy, co tylko się dało, a dotyczyło dwóch kółek. Później montowaliśmy to „na lewo" i po godzinach w zaprzyjaźnionych studiach telewizyjnych. Tak skleciliśmy pierwszy odcinek „Jednym śladem".

Program zaczynał się od zbliżenia na tylne koło w trakcie „palenia gumy". Potem był rozjazd kamery do planu szerokiego, zdejmowałam kask i mówiłam coś w stylu:

– Cześć, nazywam się Martyna Wojciechowska, oglądacie pierwszy program motocyklowy w Polsce.

W tym paleniu gumy na jednym ujęciu chcieliśmy pokazać, że baba na motocyklu to nie sprytny montaż i ja faktycznie jako tako potrafię na nim jeździć. No i tak mniej więcej wyglądał mój debiut.

Bardzo szybko nasze wizje rozwoju przestały się mieścić w ramach telewizji kablowej ATV. Zamarzył nam się Wielki Świat!

Właśnie zaczynały się rozkręcać wyścigi motocyklowe Polonia Cup i regularnie pojawiałam się na każdej z rund zawodów. Robiłam i za realizatora materiałów, i za lektora (o zgrozo miałam wysoki, fatalny, w ogóle nieustawiony głos!) oraz montowałam całe odcinki. Byłam taką panią od wszystkiego, również od noszenia kabli i parzenia kawy. Ale nie narzekałam, bo świetnie się przy tym bawiłam. No i zajmowałam się tym, co lubiłam najbardziej, czyli motocyklami. A że nie zarabiałam przy tym ani grosza, a wręcz dokładałam? No cóż, za naukę trzeba płacić, jak powszechnie wiadomo. Bezpłatna edukacja to mit.

# MAGIA SREBRNEGO EKRANU

Pewnego dnia, jakoś na początku 1998 roku, ja i Jacek Bonecki usiedliśmy w moim mieszkaniu i napisaliśmy scenariusz nowego programu pod tytułem „Motomaniak". Wysłaliśmy go do wszystkich istniejących wówczas telewizji i z niecierpliwością czekaliśmy na odpowiedź. Dzień, dwa, tydzień… Jakoś nikt nas nie witał z otwartymi ramionami. Hm… Może dlatego podejrzewaliśmy, że motocykli było w Polsce wtedy ze 12 sztuk (z czego 10 należało do naszych najbliższych znajomych) i nie było zapotrzebowania na tego typu program? Wyposzczeni komunizmem Polacy hurtowo kupowali samochody, a jednoślady traktowano jak towar drugiej, jeżeli nie trzeciej potrzeby.

Wreszcie ktoś się zlitował. Na spotkanie zaprosiła nas telewizja Atomic TV. Okazało się, że Pan Szef jest żywo zainteresowany „jakimś" programem – miało być tak młodzieżowo, dynamicznie i w ogóle… Nie zamierzaliśmy wybrzydzać. W zasadzie byliśmy „po słowie", domówiliśmy szczegóły finansowe i ustaliliśmy nawet termin, kiedy możemy zacząć… I wtedy właśnie zadzwonił telefon:

– Dzień dobry. Dzwonię w imieniu Prezesa Mariusza Waltera…

Telewizja TVN właśnie powstawała i choć nikt nie miał pojęcia, jaka to będzie stacja i co się będzie tam działo, to jednak przeczuwaliśmy, że to może być COŚ.

Początkujący dziennikarz i prezenter telewizyjny jest szalenie podatny na wpływy, komentarze i podszepty życzliwych kolegów oraz takich, co to „wiedzą lepiej". Ja nie miałam pojęcia, co trzeba robić na wizji, żeby wyglądało to dobrze, więc słuchałam, słuchałam i słuchałam tych wszystkich rad. Chyba po raz pierwszy (ale nie ostatni) czułam się jak wilk, który odważnie wkroczył na zamarzniętą rzekę, żeby przedostać się na drugi brzeg, a teraz łapy mu się rozjeżdżały na wszystkie strony…

Pojawiłam się więc w niepozornym budynku przy ulicy Augustówka 3 z tym całym „ostrym" stylem bycia i drapieżnym wyglądem osoby, która pół życia spędziła wśród moto- i automaniaków. Skóra, buciory oraz mocny makijaż… Sądziłam, że prezentuję się świetnie! Jednak Pan Dyrektor był innego zdania. Kiedy telewizyjna stylistka pozbawiła mnie skórzanej kurtki i przyczesała mi włosy, stałam się nagle bezpłciowa i straciłam cały rezon. Zupełnie jakby ktoś mnie wykastrował!

Zdaniem Pana Dyrektora jeżeli już jakaś dziewczyna ma się pojawić przy samochodzie, to powinna wyglądać jak hostessa. Wkrótce więc miałam na sobie krótką spódniczkę, sweterek, a czarne włosy zostały spięte w kok. Powiedzmy sobie szczerze – BŁĄDZIŁAM. Szukałam własnego stylu, nie wiedziałam, ani kim naprawdę jestem, ani czego się ode mnie oczekuje. Miałam 22 lata i chciałam robić Wielką Telewizję, tymczasem usłyszałam:

– Ależ baba nie może opowiadać o samochodach i radzić polskim kierowcom, jak jeździć – stwierdził Pan Dyrektor.

– A właśnie że w mojej telewizji tak będzie – powiedział wtedy prezes Mariusz Walter, za co będę mu wdzięczna do końca życia.

Dostałam swoją szansę. To było niczym wygrana w Totolotka. Postawiono nam tylko kilka warunków – zmienić nazwę programu z „Motomaniak" na „Automaniak" oraz rozszerzyć tematykę z dwóch na cztery koła... No i w końcu mieliśmy dostawać za to jakieś pieniądze! W zamian za możliwość zrealizowania programu ogólnopolskiego warto było pójść na taki kompromis...

2 maja 1998 roku ukazał się pierwszy „Automaniak". Najpierw była siermiężna czołówka, a potem w źle oświetlonym studiu pojawił się doświadczony dziennikarz, czyli Tomasz Sianecki. Sam wprawdzie deklarował, że na motoryzacji nie zna się w ogóle, ale skoro kazali mu nagrywać zapowiedzi do tego nowego programu, to coś tam mówił... Został głównym prowadzącym, a ja wystąpiłam w roli przemykającej w tle asystentki. Byłam oburzona. Dziś jednak jestem wdzięczna, że nikt nie wpuścił mnie wtedy na wizję na poważnie, bo to skończyłoby się niechybną katastrofą!

Pokazaliśmy na antenie Volkswagena Golfa IV, który został autem roku w kilku rankingach, była prezentacja nowych aut dostawczych, ruszył cykl „Szkoła jazdy Roberta Gryczyńskiego", który tłumaczył, co oznacza hamowanie z ABS-em i bez niego. Z tematów motocyklowych udało się nam przemycić rozmowę z jakimś podinspektorem o policji na jednośladach oraz krótką relację z otwarcia sezonu motocyklowego. Choć nie do końca wyglądało to tak jak sobie wymarzyłam, i tak byłam przejęta.

Raczkujący „Automaniak" dostał najgorsze godziny montaży, czyli jakoś od północy do czwartej nad ranem. Razem z Jackiem Boneckim siedzieliśmy na zmianę w dusznych pomieszczeniach w piwnicach TVN, żeby nadzorować prace nad półgodzinnym, cotygodniowym magazynem. Zarabiałam mniej niż pani na kasie w sklepie spożywczym, ale uznałam, że czasem trzeba po prostu zaryzykować. Rzu-

W ogniu pracy na trasach rajdowych zawsze czułam się najlepiej

Lotnisko w Modlinie i jeden z pierwszych testów aut, jakie przeprowadziłam dla "Automaniaka"

Choć różniło nas wszystko
(płeć, wiek, motoryzacyjne upodobania),
„Wiślak" i ja stanowiliśmy
prawdziwy „dream team"

ciłam więc coraz lepiej rozwijającą się karierę młodej menedżerki i rozstałam się z chłopakiem, który suszył mi głowę, że chyba zwariowałam, wiążąc swoją przyszłość z tak nieprzewidywalną branżą. Wsiąkłam w telewizję na dobre. Całe dnie spędzałam na zdjęciach, wieczorami biegłam na studia, w nocy przysypiałam na montażach kolejnych odcinków. Co chwila ktoś mnie przestawiał z kąta w kąt i opieprzał za coś, czego nie zrobiłam, a ja zaciskałam zęby i starałam się jeszcze bardziej. W duchu wierzyłam, że kiedyś zdobędę lepszą pozycję.

— Wystarczy, że zajmę się na poważnie swoją pasją, a wtedy nigdy nie będę musiała pracować — powtarzałam sobie.

## CZŁOWIEK LEGENDA

Przez 10 lat mojej pracy w „Automaniaku" zmieniało się wszystko – producenci, dziennikarze, logo programu, studio, ale też całkiem zmieniła się sama telewizja. Od montaży liniowych przeszliśmy do cyfrowych, wyrosło pokolenie specjalistów, mój program wyglądał coraz nowocześniej, mieliśmy profesjonalne studio zamiast nagrywania na zapleczu salonów samochodowych, pomiędzy błądzącymi w kadrze klientami. Marzyła mi się jednak produkcja w stylu „Top Gear", najbardziej kultowego programu motoryzacyjnego na świecie. No cóż, nie te możliwości finansowe, poza tym trudno byłoby komukolwiek dorównać poziomem dowcipu prowadzącemu oryginał Jeremiemu Clarksonowi. Ponadto Brytyjczycy mogli robić, co chcieli – na przykład palić auta, strzelać nimi z wielkiej procy, zrzucać z wysokości albo mówić po prostu, że „są brzydkie jak kupa". My mieliśmy ambicje, ale nikt nie zamierzał wyasygnować środków finansowych na takie fanaberie, i już widzę ten sznur reklamodawców bijących się o nasz czas antenowy, po tym jak obśmialiśmy ich najnowsze modele samochodów. (BBC szczęśliwie nie potrzebuje sponsorów).

Kiedy Tomek Sianecki odchodził z programu i ja miałam zostać główną prowadzącą (tak, tak, baba miała opowiadać Polakom o motoryzacji!), postanowiliśmy znaleźć dla mnie współprowadzącego, który: a) będzie facetem oraz b) będzie dużo ode mnie starszy. Miało to zaowocować burzliwą międzypokoleniową dyskusją o motoryzacji na ekranie, co ożywiłoby program. Chciałam mieć kontrapunkt i partnera do kłótni. I wtedy pojawił się Maciek Wisławski, rocznik '44.

„Wiślak", jak wszyscy o Nim mówią, zawsze dobrze wyglądał, no i ze 192 centymetrami wzrostu był ideałem – nareszcie przestałam górować nad partnerem w kadrze. Ale do kłótni to on się zupełnie nie nadawał, bo Maciej jest najbardziej łagodnym facetem na świecie! Przez 9 lat wspólnej pracy ANI RAZU nie udało mi się z nim posprzeczać! Ani na wizji (dla potrzeb programu), ani poza nią.

„Wiślak" jest skromny do bólu, chociaż wiele razy znalazł się na czołówkach gazet. Jak zaczynał? Mieszkał w Skierniewicach, czyli skrajnie daleko od miejsc, które tradycyjnie wiążą się z polskim sportem motorowym. Jego profesja też była mało wyczynowa. Jak to w sadowniczym zagłębiu między Warszawą i Łodzią, został inżynierem ogrodnikiem. Kiedyś był potentatem na krajowym rynku róż, miał nawet szklarnie, ale wszystko to zaprzepaścił – chwasty wyrosły na dwa metry, bo z początkiem lat 70. Maciek postanowił pobawić się w rajdy. Najpierw wsiadł za kółko Syreny, potem był rajdowym mistrzem okręgu warszawskiego – tytuł wyjeździł... Wartburgiem (dwusuwowym, co nie dziwi – takie silniki mają kopa i duży moment obrotowy). W roku 1975 nastąpił przełom: „Wiślak" zasiadł jako pilot w wyczynowym Fiacie 125p Henryka Mandery. Widać nieźle się w tym środowisku odnalazł (z wolna zapominając o własnym biznesie), bo w dwa lata później jeździł już z Andrzejem Lubiakiem w fabrycznym teamie FSM. Ścigali się wprawdzie maluchami, ale tymi z najwyższej z komunistycznych półek!

Na liście kierowców, do których Wisławski może się „przyznać", są również Andrzej Koper (ścigali się w końcu lat 80.), Paweł Przybylski, Sebastian Frycz, Kajetan Kajetanowicz oraz Krzysiek Hołowczyc, który z „Wiślakiem" tworzył mocny team od roku 1988. To właśnie ci dwaj faceci, każdy po prawie 2 metry wzrostu, zajmują jedno z pierwszych miejsc naszego rajdowego panteonu. Kilkukrotnie wyjeździli mistrzostwo Polski, w roku 1997 zdobyli tytuł mistrzów Europy. Wisławski ma na koncie także starty w WRC (mistrzostwa świata), ale choć od prawie 10 lat z Hołkiem już nie startuje, wciąż jest megaaktywny.

– Rajdy są skuteczniejsze od botoksu – „Wiślak" umie żartować sam z siebie.

I tu dochodzimy do cechy podstawowej Macieja Wisławskiego ze Skierniewic (jak sam się zawsze przedstawia) – poczucia humoru. Czasem żartuje grubo, ale ja to uwielbiam. Wyobraźcie sobie naszą podróż z Oslo do Karlstad, gdzie w 1999 roku była kwatera główna Rajdu Szwecji. Jedziemy raczej powoli, bo „Wiślak" dał się wkręcić, że wszędzie stoją patrole z radarami i – jakby co – na mandaty się nie wypłaci. Wleczemy się więc pięć dych na godzinę, pada śnieg i jest ciemno. Mija godzina, potem druga, trzecia (do Karlstad jest 220 km). „Wiślak" twardo dzierży kierownicę, a ja czuję, że muszę do toalety. Pilnie, od razu, już, NATYCHMIAST!

– Maciuś, zatrzymaj się – proszę.

Cisza. „Wiślak" dalej prowadzi w spokoju, wciąż nie przerywając monologu, który nazwałabym „kawało-życiowo-rajdowo-pouczającym", czyli jak zwykle. Po następnych 30 minutach pęcherz znowu o sobie przypomina.

– Maciek, bądź człowiekiem. Zjedź na stację na minutę – błagam.

Na to Wisławski odwraca się i cedzi z uśmiechem na twarzy:

– Córcia, nie gadaj mi tu bzdur! Wystaw parnik przez okno, załatw, co musisz. Trzeba jechać przecież! No!

Ot, cały „Wiślak", który w dodatku chyba nigdy nie zwrócił się do mnie inaczej niż „córcia".

Maciek jest typem gościa, który żartuje zawsze i zawsze ma na wszystko czas. Im bardziej „Wiślak" był wyluzowany (a był zawsze) – tym bardziej ja się spinałam, bo czułam, że ktoś musi całe to towarzystwo utrzymać w ryzach.

– Gdzie Ty do cholery jesteś? – krzyczę więc przez słuchawkę telefonu, bo nie mogę Maćka znaleźć w strefie serwisowej rajdu, a za minutę trzeba nagrać zapowiedź odcinka, zrobić wywiad ze zwycięzcą i w ogóle jest jeszcze tyle roboty…

– Córcia, wpadaj tu do nas! – odzywa się radośnie jak gdyby nigdy nic. – Jest kawka, kolażka, fajeczka! Wszyscy tu czekamy na Ciebie!

I znajduję „Wiślaka" na krzesełku turystycznym u jakichś zawodników z ogona rywalizacji. Siedzi pod parasolką, tradycyjnie – z nogą na nogę, z tą swoją zapaloną fajeczką w ręku. Peroruje przy tym bez przerwy, a wszyscy słuchają go oczywiście z otwartymi buziami.

Dla mnie, najbardziej punktualnej, słownej i pracowitej osoby świata, to z jednej strony była męczarnia, ale z drugiej – rewelacyjna przeciwwaga! Dopiero teraz, kiedy sama trochę sobie odpuściłam, zrozumiałam, że to dzięki Niemu nie wykończyłam się na zawał.

Na tym samym rajdzie, tyle że rok później, Maciek zasłynął jako propagator specjałów kuchni polskiej. Dla „Wiślaka" jedzenie jest częścią celebracji życia, więc jeszcze przed wyjazdem na Rajd Szwecji stwierdził, że trzeba zabrać własny prowiant, bo przecież „Skandynawowie to nawet chleba nie potrafią upiec, więc co mogą wiedzieć o wędlinach". W związku z tym większość jego bagażu stanowiła kiełbasa myśliwska oraz kilka pęt wiejskiej, która pochodziła z najlepszej masarni

W ciągu kilku lat pracy przy programie my też zdemolowaliśmy kilka samochodów :-)

w Skierniewicach. Kiedy dojechaliśmy na odcinek specjalny i ja pognałam wraz z operatorem, żeby sfilmować rajdową czołówkę w akcji, Maciuś podszedł do okutanego po sam nos sprzedawcy frankfurterek.

– Ekskjuzmi ser, kud aj rent jor grill? – wydukał „Wiślak" po angielsku, bo dopiero po pięćdziesiątce zaczął się tego języka uczyć (i w końcu się nauczył – za co szacun!!!). Po uzyskaniu zgody na dzierżawę grilla Maciek sięgnął do swojej torby, z której wyjął dwukilogramowe pęto wiejskiej i całe rzucił na ruszt.

Już po chwili międzynarodowe towarzystwo miast oglądać rywalizację zawodników na odcinku specjalnym, piknikowało wraz z Maćkiem, zachwalając pod niebo polskie specjały. Kiedy ja, zmarznięta, doczłapałam się z powrotem do samochodu, „Wiślak" wręczył mi akurat świeżo podpieczoną kiełbaskę oraz kubek herbaty z prądem. Doprawdy nie mam pojęcia, jak On to robi, ale ZAWSZE znajduje przyjaciół…

Kiedyś wraz ze „swoim kierowcą" wygrali rajd. Obydwaj na rampie wyszli z rajdówki i zaczęło się (oczywiste w tej sytuacji) polewanie szampanem, były kwiaty, puchary i rozcałowane na maksa hostessy. W końcu „Wiślak", jak zwykle, dorwał się do mikrofonu. Dookoła tłum – tysiąc, a może i więcej kibiców. Nagle z głośników słychać Maćka:

– A teraz pokażę państwu… – zawiesił głos na sekundę i powtórzył: – …pokażę wam ptaka!

Cisza i konsternacja. W tej chwili, jestem święcie przekonana, ciśnienie u działaczy Polskiego Związku Motorowego, u sponsorów i dziennikarzy relacjonujących tę zacną imprezę skoczyło do poziomu co najmniej zawałowego. Kawały Maćka są wprawdzie powszechnie znane, ale kto wie, co jeszcze drzemie w głowie faceta, który nie boi się ekstremalnej jazdy jako pasażer po polnych dróżkach z prędkością 180 km na godzinę?! Zaraz po tej zapowiedzi Wisławski zaczął powolnym i jednoznacznym ruchem rozpinać swój kombinezon. I nagle gruchnął śmiechem:

– Oto właśnie jest mój ptak…

I Maciek stanął na jednej nodze i szeroko rozstawił ręce, faktycznie niczym wielki ptak…

No i jak go nie kochać?! „Wiślak" jest prawdziwy i nie do podrobienia. Jak i ta jego Syrena Bosto, którą dla zabawy pojechał kiedyś w Rajdzie Barbórki.

– Własna, pełnoletnia – tak mówił do kamer i mikrofonów, których dookoła niego jest zawsze pełno.

A ja, nie całkiem chyba skromnie, zaliczam się do grona jego przyjaciół i traktuję to jako największe wyróżnienie. Dzięki, Maciek, za „Automaniaka"! Dzięki, że wciąż jesteś taki sam i się nie zmieniasz. Jeśli chcecie pojechać na koniec świata i brakuje wam dobrego partnera, Wisławski musi znaleźć się na waszej liście na pozycji numer jeden. I nie chrzańcie, że ma 67 lat i że jest za stary. On ma kondycję lepszą ode mnie, a poczuciem humoru zarazi każdego.

## PRAWIE JAK TOP GEAR

Kiedy byłam w szóstym miesiącu ciąży (początek 2008 roku), uznałam, że czas odejść z programu, bo nie mieszczę się do kubełkowego fotela, który stanowił część scenografii (jeszcze po drodze, nieświadoma, że jestem przy nadziei, ścigałam się jak opętana z „Wiślakiem" po torze rallycrosowym w Słomczynie). W sumie przez te 10 lat pracy zrealizowałam jakieś 500 odcinków programu (nikt tego nie zdołał policzać), przeprowadziłam setki testów samochodów, motocykli i ciężarówek, byłam na większości imprez motoryzacyjnych w Polsce i na świecie – na rajdach, wyścigach, targach, prezentacjach. Przez te lata przepytałam z jedno- i dwuśladowych fascynacji najbardziej znane osoby w tym kraju. Marek Kondrat wyznał mi, że „w pewnym wieku mężczyźnie wystarczy świadomość, że ma możliwość, i nie potrzebuje już spełnienia", TeDe rapował na tematy moto, Ryszard Kalisz przyznał się, że wraz z kumplami ścięli kiedyś, bodaj maluchem, przystanek autobusowy na warszawskich Piaskach, Szymon Majewski oświadczył, że samochodem jeździ jak pierdoła, a poseł Jerzy Dziewulski opowiedział, że czasem jeździ za szybko... Jedyna osoba, która odmówiła wystąpienia w moim programie, to ponoć naczelny automaniak RP, czyli Kuba Wojewódzki. No cóż, zawsze podejrzewałam, że te jego sportowe fury to tylko pic na wodę (i to w leasingu), a nie prawdziwa pasja.

Dzięki „Automaniakowi" wypłynęłam na szersze wody, a nawet złapałam wiatr w żagle. A wszystko dzięki Mariuszowi Walterowi, który nie raz służył radą, a i do pionu skutecznie potrafił postawić:

– Pamiętaj, że w telewizji trzeba być, a nie wyglądać – usłyszałam kiedyś w gabinecie Prezesa.

Zabolało, ale też nauczyło, że powinnam skupić się na tym, żeby mieć coś ciekawego do powiedzenia, a nie udawać miłą panienkę z okienka.

Ostatni program z moim udziałem został wyemitowany, a ja poczułam, że czas przerzucić się na inny temat...

# KIEROWCY I ICH MASZYNY

Na prawym fotelu u Carlosa Sainza było szybko!

# SZCZĘŚCIE DO LUDZI

Kiedy wypływałam z wód terytorialnych na ocean motosportu i po raz pierwszy zetknęłam się z najlepszymi kierowcami rajdowymi świata, los się do mnie uśmiechnął. W 1998 roku specjalnie dla „Automaniaka" udało mi się przeprowadzić wywiad z samym Carlosem Sainzem! Co tu dużo pisać – kierowcą z najwyższej półki. Sainza otaczała aureola dwukrotnego mistrza świata w rajdach samochodowych (1990 i 1992) i czterokrotnego wicemistrza. Mówią na niego El Matador (co chyba nie wymaga tłumaczenia), bo pod względem liczby punktów i obecności na pudle lepszy od niego jest tylko Sébastien Loeb. Wielki Carlos odbierał laury 97 razy (26 zwycięstw w mistrzostwach świata!).

Spotkanie z nim było wtedy dla mnie wielkim wydarzeniem, tym bardziej że gdy jeździłam żółtą Toyotą Celicą (a Sainz startował w barwach tego japońskiego producenta), poprosiłam go o autograf na błotniku swojego samochodu. Sądziłam, że dzięki temu auto zyska na wartości, a wszyscy będą mi tych esów-floresów namazanych niezmywalnym flamastrem zazdrościć. Niestety nowy właściciel mojego samochodu kazał „te bohomazy" zamalować. Widać nie poznał się na mistrzu.

Carlos jest charyzmatyczny, spokojny i może właśnie dlatego mimo 49 lat na karku wciąż piekielnie szybki. Miałam się o tym przekonać na własnej skórze. Pod koniec sezonu w 1998 roku poleciałam do Hiszpanii. Mimo pewnego zwycięstwa w całym cyklu i świetnej jazdy Sainz stracił tytuł i to zaledwie 500 metrów przed

Carlos Sainz, dwukrotny mistrz świata, złożył autograf na mojej Toyocie podczas naszego pierwszego spotkania w 1998 roku

Od lewej: Maciek Ziemtarski
i operator Darek Prosiński podczas
przerwy w Rajdzie Argentyny 2000

Czasem śledzenie
na żywo i relacjonowam
imprez sportowych
przebiega w dość
spartańskich warunkac

metą ostatniego rajdu WRC '98 (w Wielkiej Brytanii). W myślach już niemal otwierał szampana… Tymczasem jego Toyota Corolla WRC zapaliła się po awarii silnika, co przekreśliło szansę na trzeci tytuł mistrza świata. Hiszpan był zdruzgotany… Ale nie aż tak, żeby nie przewieźć mnie nową rajdówką.

Zawsze fascynowali mnie zawodowi rajdowcy – tylko oni potrafią pokonać zakręt tak perfekcyjnie, nie zdejmując nogi z pedału gazu, i na różnej, często mieszanej nawierzchni. Ja, wstyd się przyznać, nie nadążałam nawet rejestrować tego, co on robi z tą kierownicą i jakim cudem – choć bokami – to jednak wciąż jedziemy do przodu. I jakby tego było mało, Carlos zrelaksowany zadawał mi pytania – a przecież w autobusach, a nawet taksówkach, jest plakietka: „Rozmowa z kierowcą w czasie jazdy surowo zabroniona”.

– A co u ciebie? Ładna pogoda w Polsce?
– Yhy – odpowiadałam na każde pytanie.
Dopiero kiedy się zatrzymaliśmy, pozbierałam się jakoś i wydukałam:
– Dzięki.
– Podobało ci się? – zapytał El Matador.
No jasne, że mi się podobało!

# Z HOŁKIEM W ŚWIAT

Po takim początku mogło być już tylko szybciej. Przez kolejne lata jeździłam z kamerą na Rajdowe Mistrzostwa Świata (w sezonach 1999 i 2000 relacjonowałam dla TVN starty Krzysztofa Hołowczyca na arenie WRC) i wiele razy siadałam na fotelu pasażera u Didiera Auriola, Tommiego Mäkinena, Juhy Kankkunena (czterokrotny mistrz naszego globu). Wozili mnie panowie po szutrach i asfaltach, a ja coraz częściej zastanawiałam się, czy naprawdę, mimo że mam do czynienia z najlepszymi z najlepszych, mam ochotę ryzykować i udawać, że mi się to podoba?! Do dziś pamiętam krótki OS w wykonaniu jednego z mistrzów kierownicy (nie podaję nazwiska, żeby nie robić mu obciachu), który tak bardzo chciał pokazać mi, co potrafi i jakim jest specjalistą, że z polnej dróżki wypadliśmy do rowu. Po wyciągnięciu nas przez serwis i powrocie na trasę, ów mistrz rozpędził się i NA TYM SAMYM prawym zakręcie… znów wylądowaliśmy w rowie. Trzeciego razu nie było – stwierdziłam, że ja już dziękuję i dalej pójdę piechotą…

Oto dowód na to, jak my kobiety potrafimy rozpraszać kierowców. Niektórzy zawodnicy podobno przed rajdem nie uprawiają seksu przez ponad tydzień, żeby wzrósł im poziom testosteronu. Co prawda skuteczność tego dobrowolnego postu nie ma żadnego naukowego uzasadnienia, ale najważniejsze, że na część branży działa. Ciekawe, jakie patenty stosują panie, które zdobywają laury w motosporcie? I przed kim one się popisują, skoro wszystkie hostessy od zawsze były długonogimi blondynkami?

*Baba za kierownicą samochodu rajdowego czy wyścigowego to rzadkość. Jednak Michèle Mouton, która została wicemistrzynią świata w 1982 roku, czy Jutta Kleinschmidt, zwyciężczyni Rajdu Dakar 2001, przeczą teorii o słabej płci.*

*Z badań naukowych wynika, że mózgi kobiety i mężczyzny są inaczej zbudowane. Upraszczając, można powiedzieć, że my bardziej wykorzystujemy prawą półkulę mózgową, a mężczyźni – lewą. Stąd mamy nieco gorszą orientację w przestrzeni, kłopoty z myśleniem strategicznym, słabszą koordynację ręka-oko, gorszy refleks, nie wykazujemy też podzielności uwagi. Do tego dochodzi jeszcze niższy poziom testosteronu, nazywanego hormonem agresji, co sprawia, że kobiety są z natury mniej wojownicze, unikają rywalizacji, niechętnie ryzykują. Tyle teorii. Tymczasem na starcie edycji Rajdu Dakar 2001 stanęło czterystu facetów, ale jako pierwsza linię mety minęła baba. Drobna, szczupła, zawsze uśmiechnięta Jutta Kleinschmidt, która jeździ lekko, płynnie, delikatnie i tak… kobieco. Nie zawsze wygrywają siła i agresja, bo – jak stwierdziła sama Jutta – „to nie jest rajd dla fizycznych, ale dla umysłowych".*

*Michèle Mouton jeszcze bez prawa jazdy zasiadała za kierownicą renówki ojca, a już w 1974 roku zdobyła mistrzostwo Francji w kategorii pań. W 1977 roku, wraz ze swoją pilotką Françoise Conconi, na Lancii Stratos HF zajęła siódme miejsce w arcytrudnym Rajdzie Monte Carlo. Po dwóch sezonach jako jedyna kobieta w historii uzyskała propozycję startów w zespole fabrycznym i udziału w mistrzostwach świata za kierownicą najlepszego wówczas samochodu rajdowego Audi Quattro. Już w 1981 roku stanęła na najwyższym podium w WRC, wygrywając w Rajdzie San Remo. Wtedy uznano ją za fenomen i dostrzeżono niezwykły talent.*

*Michèle zrezygnowała ze sportu w 1986 roku, kiedy po serii groźnych wypadków zlikwidowano rajdową grupę B, w której jeździły prawdziwe potwory. Dla przykładu: jej ukochane Audi Quattro S1 miało pod maską silnik o mocy 600 KM, ważyło zaledwie 1090 kilogramów i przyspieszało od 0 do 100 km/h w 3,1 sekundy. „Piękna i bestia" wspólnie zmienili oblicze sportu rajdowego. Hamując lewą nogą i jadąc w poślizgu na wszystkich kołach, Michèle złamała wszelkie schematy i wyznaczyła swój własny styl jazdy.*

*Ale auta grupy B były bardzo niebezpieczne – blaszane puszki pędzące z zawrotną prędkością maksymalnie wyżyłowane przez mechaników zespołów fabrycznych. Jednak zdaniem Michèle wraz z końcem tych samochodów skończyły się rajdy. Wtedy powiedziała: „Ten samochód był dla mnie potworem w pozytywnym znaczeniu tego słowa, był solidny, mocny i masywny. Silnik był dla mnie zawsze kawałkiem żelaza. Ważne było jego brzmienie, a w S1 było ono najlepsze. Ograniczenie mocy samochodów do 300 KM Michèle nazwała pomyłką i nie chciała jeździć, jeśli nie miała pod nogą dużej rezerwy mocy.*

*Jednak najtrudniejszą dla kobiety dyscypliną motosportu jest Formuła 1. Ściganie się najszybszymi bolidami wymaga stalowych mięśni i żelaznej kondycji. Morderczy trening i przeciążenia, jakie panują w samochodzie F1, oraz konieczność poświęcenia całego życia dla sportu sprawiają, że jest to ciężki kawałek chleba dla płci pięknej. Największe sukcesy w F1 miała Maria Grazia Lombardi nazywana przez fanów Lellą. W połowie lat 70. pojawiła się na siedemnastu Grand Prix. Ukończyła siedem. Jej najwyższe lokaty to szóste miejsce w Montjuïc Park i siódme na Nürburgringu.*

*Prywatnie „stalowe damy" nie różnią się od innych kobiet. Pat Moss na przykład miała przed sobą jeszcze długą karierę jako kierowca rajdowy, ale postanowiła urodzić dziecko i poświęcić się rodzinie. Podobnie zrobiła Pernilla Walfridsson, która w 1998 roku na Rajdzie Finlandii (runda mistrzostw świata) pięknie „objechała" naszego kochanego Leszka Kuzaja! Tak, tak, wiem... Kuzaj wtedy wypadł z trasy, stracił w rowie kilka minut, a poza tym przegrał z nią jedynie 2,7 sekundy...*

*Isolde Holderied (niegdysiejsza rywalka „Hołka") pod kaskiem kryła długie blond włosy. Kobiecości nie można też odmówić naśladowczyni Jutty Kleinschmidt – sześć lat od niej młodszej Andrei Mayer. Blondynka z niebieskimi oczami fascynowała facetów, bo niby taka delikatna – ale piąta w Dakarze 2004, na Rajdzie Tunezji i w Dubaju, druga na Baja Deutschland 2003. Skromnie? Niekoniecznie, bo także czterokrotnie wygrywała wśród kobiet jadących na Dakarze... motocyklami!*

*Jednak absolutnym objawieniem w świecie motosportu była (nie tylko dla mnie) Katja Poensgen, która startowała w motocyklowych mistrzostwach świata w klasie 250 cm³. Młodziutka, śliczna, zgrabna i uśmiechnięta dziewczyna mogłaby z powodzeniem zostać modelką. Już od dziewiątego roku życia jeździła na wyścigi z ojcem, który pracował w teamie Suzuki Deutschland. W 1999 roku wystartowała w jednej z rund motocyklowych mistrzostw Polski i w pierwszym wyścigu „objechała" zdobywcę wielu tytułów mistrzowskich Janusza Oskaldowicza, co „Profesor" przeżył bardzo boleśnie.*

*Katja zawsze deklarowała, że nie zna się nawet na budowie motocykla: „Wiem tylko, że muszę odkręcić manetkę gazu w  odpowiednią stronę i czasami nacisnąć hamulec". Odkręcała ją jednak całkiem nieźle. W roku 2001 na jednocylindrowym Ducati wygrała GP USA, a dwa lata później startowała już „dwieściepięćdziesiątkami" Aprilii i Hondy w mistrzostwach świata. Z sukcesami!*

(na podstawie: PLAYBOY, „Najszybsze kobiety świata", grudzień 2001)

Czapki z głów, panowie!

Michèle Mouton w swoim ukochanym Audi

## GRUPA N CZY A? O CO CHODZI?

**„Enki"** to samochody, które – upraszczając – mają mniej przeróbek i w sensie technicznym przypominają auta seryjne. Ściganie się nimi w czasach rajdówek WRC w mistrzostwach Polski dostarczało mniej emocji zarówno kierowcom (bo moc mniejsza i w silniku nie wolno grzebać), jak i kibicom (w starciu z grupą A „enki" zwykle przegrywały w klasyfikacji generalnej).

**Grupa A** to samochody, które z modelami seryjnymi dzieliły (i wciąż jeszcze dzielą) tylko nazwę – są mocne, szybkie, widowiskowe, solidne, przeciwpancerne (chociaż N-grupowe rajdówki, lżejsze, też potrafiły jeździć dynamicznie).

**WRC, czyli World Rally Cars,** zdominowały rajdowe OS-y na przełomie lat 90. i nowego wieku. Auta tego typu były bardziej wyrafinowane technologicznie niż te z grupy A (choć razem z nimi je klasyfikowano). Miały 300 KM, turbodoładowanie, napęd na wszystkie koła, materiały konstrukcyjne z najwyższej półki (m.in. włókno węglowe). Interesy Peugeota, Forda, Subaru, Skody, Seata czy Citroëna wciąż opierają się też na fanatykach, którzy kupują auta, bo kojarzą im się ze zwycięzcami z rajdowych tras. No i dostają wozidełka, które w zasadzie tylko sylwetką przypominają auta wyczynowe. WRC nie można niestety oglądać w polskich rajdach. Auta z tej półki biorą udział tylko w mistrzostwach świata.

# FORMUŁA 1

Właściwie to nie przepadam za wyścigami Formuły 1. Co za dziwaczne wyznanie z ust, a raczej spod pióra osoby, która uważa się za uzależnioną od motosportu... Ale prawda jest taka, że w F1 wszystko dzieje się po prostu za szybko, tak błyskawicznie, że czasem trudno nadążyć za akcją. Nie powiem – emocje, które towarzyszą imprezie, są ogromne. A oglądanie umiejętności mistrzów na żywo jest warte każdych pieniędzy. Jednak wkurza mnie, że najmniejszy błąd potrafi wyeliminować zawodnika z wyścigu. Wiem, wiem – takie są zasady tej gry, ale ja jestem długodystansowcem, a ten sport dla sprinterów nie wybacza żadnych, nawet najmniejszych potknięć.

W Formule 1 ktoś może prowadzić w klasyfikacji, ale wystarczy, że inny zawodnik zajedzie mu drogę, bolid wypadnie poza szykanę, urwie spoiler. Koniec. Albo zagapi się pan od wymiany kół (około trzech w ciągu wyścigu) w strefie serwisowej i to by było na tyle. Rajdy to co innego. Trwają dwa–trzy dni i niejednokrotnie byłam świadkiem, jak kierowcy dojeżdżali na metę odcinka z urwanym kołem, w płonącym samochodzie czy nawet po dachowaniu! Niczym ranne zwierzę doczołgiwali się do strefy serwisowej, gdzie w 15 minut samochód był składany do kupy, i wciąż mieli szansę tym sprzętem wygrać parę odcinków specjalnych, a może nawet całą imprezę?! I właśnie dlatego wolę rajdy samochodowe. Im dłuższe, tym lepiej, bo oznacza to, że przez cały ten czas trzeba utrzymać formę i koncentrację, a także – mieć strategię, a to duża sztuka.

Wróćmy jednak do królowej motosportu, czyli osławionej Formuły 1, o której rozmach i wizerunek dbają największe budżety sponsorskie świata. Jej plusem z dziennikarskiego punktu widzenia jest to, że wyścigi odbywają się na torze w jednym miejscu – kupujesz bilet i oglądasz motoryzacyjny spektakl w koszulce lub czapeczce z logo ulubionego zespołu i coca-colą w dłoni. A że widzisz tylko jeden lub dwa zakręty (za tysiące euro – gdy robisz to z prestiżowego paddock club, wydzielonej strefy VIP na głównej trybunie)? To czego nie widać, rekompensuje ci z nawiązką huk przejeżdżających bolidów – dla fanów wyścigów to jak dla melomana słuchanie na żywo Plácida Dominga. Z F1 łatwo zorganizować transmisję telewizyjną, wystarczy postawić kamery w odpowiednich miejscach i nie zapomnieć ich włączyć. Relacja z rajdu to już prawdziwa gimnastyka artystyczna – w tym samym momencie każdy z kierowców walczących o miejsce w czołówce jest w zupełnie

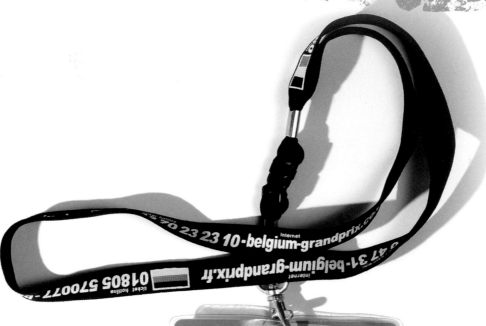

www.belgian-grandprix.be

FREE SEATING
ON FRIDAY
ALL GRANDSTANDS OPEN
KOSTENLOSE SITZPLÄTZE AM FREITAG
Alle Tribünen sind geöffnet

**05**

BELGIAN
GRAND PRIX

SPA-FRANCORCHAMPS
09-10-11 SEPTEMBER 2005

Gold 2

| | |
|---|---|
| Bloc | G2-BA |
| Row | P |
| No. | 6 |

Name Karasinski Mateusz

Dos 13898    Qty 2/6

Week End

Serial No. 10226749

409,50 Euros

1022674917 0008

| FRI. 09/09 | SAT. 10/09 | SUN. 11/09 |
|---|---|---|

innym punkcie. Jeden stoi na starcie, drugi właśnie kończy OS, trzeci wjeżdża na strefę serwisową... I wszystko się nieustannie zmienia i tasuje.

Jako dziennikarka „Automaniaka" wielokrotnie jeździłam na wyścigi Formuły 1. Mogłam do woli oglądać nowe bolidy, testy samochodów wyścigowych, kiedyś nawet uczestniczyłam w megaimprezie, podczas której kibice mieli szansę załapać się na przejażdżkę dwuosobowym bolidem „prawie F1".

Wyobraźcie sobie pana Kowalskiego czy Nowaka mknących z prędkością ponad 300 km/h! Wrażenia są nie do opisania. Przy 80 metrach pokonywanych w sekundę żołądek nie podchodzi do gardła, on po prostu wbija się w kręgosłup, a mózg nie nadąża z przetwarzaniem myśli! (zresztą lepiej wtedy nie myśleć, tylko się modlić). Najmniejszy błąd kierowcy oznacza wyjątkowo twarde lądowanie!

Dlaczego zwykłym ludziom nie można dać bolidu na przejażdżkę? Pewnie z tych samych powodów, dla których stewardesy nie siadają za sterami samolotów. Bycie świetnym kierowcą to jeszcze za mało, żeby sprawdzić się za kierownicą maszyny, która dysponuje mocą 700 KM. Z doświadczenia wiem, że ma twarde jak beton sprzęgło, więc ruszyć nim z miejsca, nie zdławiając silnika (a nawet – w ogóle ruszyć), potrafi tylko ktoś, kto tę sztukę wcześniej wytrenował. Poza tym kierownica tego wehikułu jest tak czuła, że najmniejszy ruch dłonią może spowodować gwałtowny skręt samochodu w bok i już szorujesz po murawie. No i te biegi, które zmienia się przyciskami umieszczonymi na kierownicy... Generalnie niby i jeden, i drugi to samochód, ale wszystko w wyścigówce wygląda zupełnie inaczej niż w normalnym aucie.

Kiedyś trafiłam na Majorkę, żeby przeprowadzić ekskluzywny wywiad z kierowcami West McLaren Mercedes. Wśród nich był lider klasyfikacji Mika Häkkinen (dwukrotny mistrz świata F1). To Fin z krwi i kości, co oznacza – oczywiście upraszczając – że facet nie mówi, a tylko grzecznie się uśmiecha. Na większość pytań odpowiadał więc „tak" lub „nie". Po tej lekcji już nigdy więcej nie zadawałam pytań zamkniętych...

Zresztą inteligencja nie jest najmocniejszą stroną facetów od szybkiego kręcenia kierownicą, podobnie jak piłkarzy, bokserów, pływaków... Jak ktoś od dziecka uprawia wyczynowo sport od rana do wieczora, to nic dziwnego, że nie jest prymusem w szkole i nie ma na swoim koncie lektury opasłych tomów klasyki literatury. Choć oczywiście, jak wszędzie, i tu zdarzają się wyjątki.

Czy poznałam sportowców erudytów? Oczywiście. Z zasady są nimi wspinacze wysokościowi. Może dlatego, że gros czasu spędzają, czekając w górach na dobrą pogodę, i mogą wówczas do woli wieść filozoficzne dysputy. Natomiast chłopaki od samochodów w większości są dość nieokrzesani, ale czy ktoś oczekuje od nich błyskotliwości i wiedzy profesora Harvardu? Przecież żaden profesor nie umie jeździć tak jak ONI, czyż nie?

Mój kolejny wywiad z Davidem Coulthardem, wicemistrzem F1, zaczął się dość niefortunnie. Tego dnia miałam na sobie jakąś zwiewną spódniczkę z cienkiego materiału. Zanim zdążyłam zadać temu, nie powiem, całkiem przystojnemu błękitnookiemu Szkotowi pierwsze bardzo merytoryczne pytanie (dzięki któremu zrozumie, z kim ma do czynienia i że nie jestem jakąś tam przypadkową paniusią, tylko rasową dziennikarką motoryzacyjną), ten spojrzał na mnie i totalnie poważnym głosem powiedział:
– Masz ładną bieliznę – okazało się bowiem, że prześwitują mi stringi. Czułam się gorzej niż prymus przyłapany na ściąganiu. Dziś pewnie zaśmiałabym się i zapytałabym, jaki rodzaj bielizny on nosi podczas wyścigu. Ale wtedy zrobiłam się purpurowa ze wstydu.
Zrozumiałam jednak, że bycie kobietą w tej branży może być atutem! Jeśli nawet wepchnę się gdzieś tylko dlatego, że rzucam się w oczy, bo mam cycki, a później jednak wszyscy się przekonają, że jestem dobrze przygotowana merytorycznie i mam wiedzę o tematach, o których chcę rozmawiać, to… czemu nie? Od tego czasu na wyścigach Formuły 1 czy na rajdach WRC pojawiałam się w głębokich dekoltach i seksownie opinających biodra spodniach.
Z perspektywy czasu powiedziałabym, że wyglądałam jak klasyczna „blachara", ale wtedy – działało i to było najważniejsze. A z Davidem Coulthardem, którego kariera rozbłysła, a potem lekko przybladła i zgasła, poszliśmy nawet na jakąś dyskotekę. Szkoda, że byłam wtedy w szpilkach i facet – jak na standardy kierowców F1 – wysoki i tak był o głowę niższy ode mnie i kiepsko się nam tańczyło…

Na jednym z wyścigów w całkiem międzynarodowym składzie (przed testami nowych bolidów Mercedesa) wywiązała się dyskusja. Poważne tuzy dziennikarskiego świata motoryzacji dywagowały, skąd ja, skądinąd młoda dziewczyna (miałam 23 lata), wzięłam się w tym elitarnym gronie? Dziennikarze zabijają się przecież o tę robotę, bo wiadomo, że relacjonowanie Formuły 1 oznacza największe pieniądze i gromadzi najwięcej fanów przed telewizorami. W Polsce nie było szału na F1 (aż do debiutu Kubicy w Grand Prix Węgier 2006), a to tym bardziej podważało moją obecność na tych ważnych zawodach.

Konfrontacja z panami co-to-wszystko-wiedzą-najlepiej stresowała mnie potwornie. Powiedziałam więc, że zajmuję się motoryzacją, że mam licencję wyścigową i że motocyklami interesuję się od dziecka.

– A od tego już niedaleko do Formuły 1, prawda? – dodałam z rozbrajającym, jak mi się wówczas wydawało, uśmiechem.

Panowie „obcięli" mnie od góry do dołu i też się zaśmiali z tego niczym z dobrego żartu. Na etapie przystawki jeszcze się krygowali, ale kiedy doszliśmy do deseru, podlani winem rechotali już całkiem głośno i przepytywali mnie jak uczennicę przed tablicą:

– A czy pani redaktor pamięta, w którym roku team X zdobył pierwsze mistrzostwo świata?

– A jakie parametry miał silnik w bolidzie Y w ubiegłym sezonie?

– Czy pani redaktor zna wyniki zawodnika Z w Grand Prix Niemiec? Oczywiście proszę zacząć od czasów na treningach...

Kiedy rano pojawiliśmy się na torze testowym, czekała na mnie niespodzianka – wyścigowy motocykl Ducati prosto z Grand Prix oraz kompletny strój: buty, rękawiczki i kask – wszystko w barwach teamu wyścigowego. Nie zapomnę tego momentu i absolutnego triumfu, który malował się na twarzach moich kolegów dziennikarzy.

– Skoro twierdzisz, że potrafisz jeździć wyścigowym motocyklem po torze, to proszę! – jeden z nich szerokim gestem wskazał sprzęt.

Sądzili zapewne, że nie będę umiała wrzucić nawet pierwszego biegu, ale ja jak gdyby nigdy nic założyłam nieco za duży kombinezon i wyjechałam na tor. Czułam presję – ekipa obserwowała mnie bacznie, a asfalt był zapiaszczony i przez to cholernie śliski.

Przełykałam ślinę z nerwów i modliłam się, żeby nie zrobić sobie krzywdy – nieco zbyt zdecydowanie i na granicy swoich możliwości składałam się w kolejne zakręty. Pierwszy i ostatni raz w życiu dałam się tak podpuścić, ale przyznaję – chciałam wtedy udowodnić, że nie wypadłam sroce spod ogona. Nie zniosłabym porażki i nie mogłam dać im satysfakcji. Byłam mokra, kiedy wreszcie zjeżdżałam do boksu serwisowego, ale od tej chwili panowie żurnaliści dali sobie spokój. Złośliwe docinki skończyły się jak ręką odjął. Dziś powiedziałabym, żeby pocałowali mnie gdzieś, i odwróciłabym się na pięcie. Wtedy jednak nie umiałam tego zrobić.

Osobiście wolę
podróbkę Schumachera
niż oryginał

W pierwszych latach pracy w branży dziennikarstwa motoryzacyjnego często bowiem byłam tematem drwin na wszelkich imprezach branżowych A im więcej było alkoholu – tam ja miałam bardziej przerąbane, bo kolegom „po fachu" rozwiązywały się języki i stawali się bardziej uszczypliwi. Także (a może nawet przede wszystkim) w Polsce, kiedy to chłopaki nie mogli się pogodzić z faktem, że „ta lalunia" prowadzi najpopularniejszy program motoryzacyjny w telewizji. Ba! Nawet redaktor Rafał Jemielita, który pracował ze mną nad tą książką, dał mi popalić i nie stronił od odpytywania oraz niewybrednych komentarzy!

– Ciekawe, z kim sypia? – panowie zadawali sobie po cichu pytania, licząc na to, że i tak usłyszę.

A ja muszę z dumą przyznać, że choć nie było mi łatwo zaistnieć w tym zdominowanym przez facetów świecie, to nigdy nie musiałam godzić się na tego typu kompromisy.

Z Jemielitą się zresztą przespałam, co skutecznie i raz na zawsze wytrąciło mu broń z ręki. To było na prezentacji jednego z rajdowych teamów. Ja, operator kamery i redaktor Jemielita wybraliśmy się w podróż po nocy, żeby bez korków i jak najszybciej dojechać do górskiej Wisły. Wyruszyliśmy złotą Lancią Y, która nie miała zimowych opon. Dało się jechać, ale akurat wtedy była odwilż i jednocześnie padał coraz większy śnieg. Im bliżej południa Polski, tym było gorzej. Koniec końców wlekliśmy się tak z 50 na godzinę, bo w tej ślizgawicy samochód ledwo trzymał się drogi. Do hotelu dotarliśmy bladym świtem.

I wtedy okazało się, że nie ma już wolnych pokoi. Zaspana recepcjonistka zakwaterowała nas w jedynym wówczas wolnym apartamencie… małżeńskim. Z Rafała uszło zdecydowanie powietrze. Wziął prysznic, założył grzecznie piżamę i powiedział:

– Dobranoc.

Zawinął się w kołderkę ciasno niczym baleron w sznurki. Taki był wcześniej redaktor głośny i męski, a potem – kiedy w gruncie rzeczy była okazja i półgoła baba na wyciągnięcie ręki – padły tylko „dobranoc" i „pa, pa". Przespaliśmy się, a i owszem: Jemielita solo – na jakimś tapczanie, ja z operatorem upchnęłam się na tym większym, „małżeńskim". Tak to w tym dziennikarskim świecie bywa z gardłowaniem.

# KUBICOMANIA

Formuła 1 była dla Polaków niemal równie egzotyczną dyscypliną sportu jak rugby, wrestling albo krykiet do czasu... kubicomanii. Roberta Kubicę poznałam w Łodzi w roku 1999, kiedy miał może z 15 lat. Zobaczyłam chłopaka w trochę za dużym kombinezonie, który jakoś dziwacznie wisiał na jego chudym ciele. Wsiedliśmy do gokartów, bo miałam w takim klimacie nakręcić zapowiedzi do „Automaniaka". Ale ten nastolatek objechał mnie po torze cztery razy, a potem założył mi jeszcze dubla! Byłam zszokowana.

No cóż, Robert już wtedy był mistrzem Polski juniorów i seniorów w kartingu (mistrzem Polski został w sumie sześć razy) oraz mistrzem Włoch i wicemistrzem Europy w gokartach, wygrał też Monako Kart Cup. Właśnie karting uważa się za przedszkole F1. Od niego zaczynali wszyscy wielcy: Ayrton Senna dwukrotnie (w latach 1979 i 1980) był wicemistrzem świata na kartach, zanim przeszedł do F1, Mika Häkkinen i Michael Schumacher rywalizowali ze sobą na kartingowych torach, kiedy mogli dopiero śnić o prowadzeniu McLarenów czy Ferrari. Nic więc dziwnego, że po sukcesach w kartingu Kubica wypłynął na szerokie wody. W kolejnym sezonie został zwycięzcą Andrea Margutti Trophy, Elf Masters, ponownie zwyciężył też w Monako. Zdobył tytuły międzynarodowego mistrza Niemiec i Włoch, był piąty na mistrzostwach Europy. Wow! Właściwie to nie przegrałam z byle kim.

Robert ma wspaniałego ojca – pan Artur Kubica jako pierwszy dostrzegł talent syna. Młodego ciągnęło do samochodów od kołyski, a kiedy miał cztery lata, już jeździł małym samochodzikiem z 3,5-konnym silnikiem spalinowym po parkingu pomiędzy słupkami. I ćwiczył, ćwiczył, ćwiczył... Potem senior Kubica wysłał juniora do Włoch, gdzie ten mieszkał, trenował i startował w wyścigach. Dziś Robert Kubica ma najlepsze cechy Schumachera, to znaczy jest skupiony, powściągliwy, perfekcyjny, ale przy tym nie stracił nic ze swojego uroku i bezpretensjonalności.

I tylko trochę cieszę się, że w roku 2000 napisałam w artykule do „Playboya":

*„Rok 2001 to starty w europejskim serialu Formuły Renault 2000 we włoskim teamie. Potem jego menedżerowie planują umieszczenie go w angielskiej F3. Jak na razie młodziutki Robert Kubica wywalczył na świecie więcej niż Hołowczyc, Kulig i Kuzaj razem wzięci. I wszystko wskazuje na to, że to on ma największe szanse na starty w Formule 1. Ale jak mawia sam Schumacher, „trzeba mieć jeszcze szczęście".*

I wcale nie czuję się jak prorok, bo prawdę mówiąc, wszyscy byliśmy tego pewni. A teraz mocno trzymamy kciuki, wierząc, że mimo obrażeń odniesionych w wypadku Robert wróci do motosportu. Oczywiście w wielkim stylu.

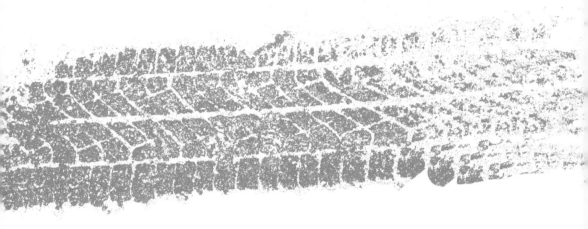

# KIEROWCA IDEALNY

W motosporcie, podobnie jak w innych dyscyplinach sportu, najważniejsza jest stalowa konstrukcja psychiczna. To ona najczęściej stoi za sukcesem lub porażką. Ona decyduje, kto zostanie mistrzem, a kto nim nigdy nie będzie.

Idealny zawodnik musi mieć idealne nerwy, koncentrację, zdrowie (trzeba znosić w kokpicie temperaturę rzędu 60 stopni Celsjusza, nie wspominając o wciskaniu hamulca z siłą 80 kg) i kondycję, bowiem wysiłek związany z udziałem w wyścigach jest porównywalny z przebiegnięciem maratonu. Rajdowcy to nie są panowie z piwnymi brzuszkami, a super-wysportowani faceci. Każdy odcinek specjalny (nie mówiąc o dakarowym etapie) jest jak solidny trening na siłowni. Bez odpowiedniej muskulatury (wzmocnionych ramion, nóg, rozwiniętych mięśni brzucha i przede wszystkim kręgosłupa) nie da się przetrwać ogromnego wysiłku podczas wyścigu. Na organizm na każdym zakręcie działają przeciążenia rzędu 4 g (wskutek oddziaływania sił dośrodkowych i odśrodkowych mięśnie szyi muszą wtedy utrzymać aż 24 kg, gdy normalnie, tj. bez obciążeń dynamicznych, głowa statystycznego faceta waży tylko 6,5 kg).

Przyda się również mocne serce i odporność na stres oraz strach – na niektórych odcinkach, tam gdzie poziom zagrożenia życia jest szczególnie wysoki, adrenalina niemal zalewa żyły, a tętno rośnie nawet do 180–200 uderzeń na minutę (u dorosłego człowieka wynosi ono średnio 70).

Parę słów o rozmiarach. Kierowcy bolidów to najczęściej konusy, mężczyźni szczupli (ideał ma 60 kg), umięśnieni, ale za to wzrostu kilkunastoletniego chłopaka. Dlaczego? Bo takim wygodniej w ciasnych kokpitach. Zdarzają się oczywiście wyjątki (np. Mark Webber, który ma 184 cm wzrostu), ale przeważają właśnie ci mniejsi.

Bez względu jednak na wzrost wszystkich kierowców łączy doskonałe wytrenowanie. Zmęczenie oprócz wspomnianej temperatury panującej w kabinie (doskonała aerodynamika auta sprawia, że wiatr nie dociera do kierowcy) powodują też wibracje dochodzące od kół oraz silnika. Tylko twardziele mogą wytrzymać wyścig, podczas którego w półtorej godziny da się – wskutek wysiłku – wypocić nawet 5 litrów płynów.

### Niezapomniany

## JANUSZ KULIG
Mistrz mistrzów. Kierowca fantastyczny – tak pisali o nim dziennikarze i tak nazywali go kibice. Trzykrotnie stawał na najwyższym stopniu podium RSMP (1997, 2000 i 2001), był wicemistrzem Europy, mistrzem Słowacji. Znany z profesjonalizmu, bardzo szybkiej jazdy, precyzji (wypadki zdarzały mu się bardzo rzadko). Był gwiazdą zespołów Renault (jeździł jednonapędowcami: Clio Maxi oraz Mégane) oraz Forda (Focus i Escort WRC). Zginął w 2004 roku na przejeździe kolejowym z powodu błędu dróżniczki i niewłączonych świateł ostrzegawczych. Miał wtedy 34 lata i jeszcze wiele rajdów do wygrania…

### Klasa sama dla siebie

## MARIAN BUBLEWICZ
Jeden z najsłynniejszych i najbardziej utytułowanych polskich kierowców rajdowych. Wielokrotny mistrz Polski, wicemistrz Europy z roku 1992. Zawodnik z priorytetem FIA, a więc człowiek, którego tempo jazdy na OS-ach dostrzegła federacja nawet z odległej Francji. „Bubel" był rajdowcem rzemieślnikiem. Mówi się, że sukcesy zawdzięczał nie samorodnemu talentowi danemu od Pana Boga, lecz ciężkiej pracy i codziennym treningom. Zginął w tragicznym wypadku na Rajdzie Zimowym 1993. Choć minęło prawie 20 lat, kibice nadal go pamiętają.

### Czerwony hrabia

## ANDRZEJ JAROSZEWICZ
Postać kontrowersyjna. Rajdowiec, ale dla wszystkich głównie syn premiera Piotra Jaroszewicza za rządów Edwarda Gierka. Mówiło się, że to dla Andrzeja stworzono przy FSO ośrodek badawczo-rozwojowy (był jego szefem i przy okazji najważniejszym kierowcą fabrycznym). Premierowicz lubił i kobiety, i wino, i śpiew, i wystawne życie, ale też na koncie ma podwójny tytuł drugiego rajdowego wicemistrza Europy (z lat 1975 i 1976). Po 1989 roku wiedzie życie więcej niż skromne. Występował w Pucharze Cinquecento, ale bez sukcesów. Próbował z tureckim biznesmenem Vahapem Toyem budować tor F1 w Białej Podlaskiej. Z planów nic nie wyszło. Projekt przeszedł do historii jako „Białamorgana".

### Wciąż najbardziej znany

## SOBIESŁAW ZASADA
Wzór do naśladowania dla wielu pokoleń kierowców. Zapalony rajdowiec od zawsze, który mimo osiemdziesiątki na karku (rocznik 1930) wciąż nie stroni od rajdowania. Był wielokrotnym mistrzem i wicemistrzem Europy, 11 razy wygrał w „generalce" cyklu RSMP, zwyciężył w 148 rajdach samochodowych. Wiele razy pilotowała go… własna żona Ewa. „Sobek" od dawna nie startuje czynnie, ale warto przypomnieć, że w Rajdzie Safari 1997, w którym jechał „tylko dla rozruszania kości", zajął doskonałe 12. miejsce w klasyfikacji generalnej (i drugie w grupie N)!

*Najprzystojniejszy*

## KRZYSZTOF HOŁOWCZYC
Złośliwi rywale mawiają na niego Claudia Szofer. Na koncie ma wiele tytułów mistrza Polski i mistrza Europy 1997. Występował kilkakrotnie w mistrzostwach świata, m.in. zajął 7. miejsce w Argentynie (1997), 8. miejsce w Wielkiej Brytanii (1998). Obecnie dla Hołowczyca celem numer jeden są rajdy cross country oraz Dakar. W pierwszym występie w tej imprezie zajął miejsce 60., a trzy razy nie ukończył rajdu w ogóle. Teraz jednak „Holo" robi świetne wyniki – w 2009 i 2011 zajął piąte miejsca.

*Najbardziej dynamiczny*

## LESZEK KUZAJ
Wulkan energii! Debiutował w 1988 roku w Rajdzie Elmot we Fiacie 126p, ale na wiele lat porzucił karierę rajdową. Mistrz Polski 2002, 2004, 2005 i w 2006 w klasyfikacji generalnej. Pracowaliśmy razem w zespole Mocne Rally. On był kierowcą, ja jego rzecznikiem prasowym.

*Król życia*

## PAWEŁ PRZYBYLSKI
Starzeje się tak przystojnie jak Hołowczyc (albo jeszcze lepiej). Przybylski, którego wielu nazywa wciąż „Chudym", ma prawie 51 lat. Nie zmienia to faktu, że dba o aparycję i otacza się tłumem pięknych fanek. Człowiek siły spokoju i ostrego języka, wyważony w ocenach, niegdyś jeden z najważniejszych polskich kierowców rajdowych. Jeździł różnymi samochodami, ale najlepiej wszyscy zapamiętali jego Poloneza (miał nawet odmianę turbo ze sprężarką zaadaptowaną z... ciężarówki), Audi Quattro, Toyotę Celikę. Mistrz Polski 1993 i 1994.

*Perfekcyjny pilot*

## JAROSŁAW BARAN
W jego oficjalnym zawodniczym CV jest napisane: „Na koncie ma blisko 200 startów, w tym 122 w mistrzostwach Polski, z których 47 ukończył na podium. Zdobył ponad 20 tytułów w różnych klasach i grupach, w tym cztery tytuły mistrza Polski w klasyfikacji generalnej". Jarek Baran był pilotem Janusza Kuliga, z którym wywalczył też tytuł wicemistrza Europy. Baran urodził się w Wigilię, więc musi mieć szczęście do ludzi... Perfekcyjny, opanowany i szalenie dowcipny.

*Pilot pilotów*

## MACIEJ WISŁAWSKI
Ogrodnik z zawodu, rajdowiec z wyboru. Najbardziej znany dzięki startom u boku Krzyśka Hołowczyca. Mistrz Europy z roku 1997, a także wielokrotny mistrz Polski z doświadczeniem, którego w rajdach nie ma w tej chwili nikt. „Wiślak" (z tytułem inżyniera ogrodnictwa!) ma rękę do nauki kierowców. Wystarczy zapytać Maćka Lubiaka, Kajetana Kajetanowicza, Sebastiana Frycza czy Andy'ego Mancina (razem startowali w rajdach amerykańskich).

# RANKING ZAWODNIKÓW ZE ŚWIATA

## Rekordzista wszech czasów
### SÉBASTIEN LOEB
Na zdjęciach zwykle uśmiechnięty i wyluzowany, ale to pozory. Sébastien Loeb jest skryty i małomówny – wywiad z 30 pytań da się z nim zrobić w kwadrans. Ten Alzatczyk z pogranicza z Niemcami nie jest od gadania, lecz jeżdżenia! Jest numerem jeden większości statystyk, a przede wszystkim siedmiokrotnym mistrzem świata WRC i triumfatorem aż 66 rajdów „z najwyższej półki". Facet rakieta? Oczywiście. Zabawne, że kiedyś chciał zostać... gimnastykiem (i odnosił nawet sukcesy).

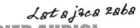

## Latająca żaba
### DIDIER AURIOL
Francuz urodzony w roku 1958 swoją karierę rajdowca zaczął w... karetce pogotowia. Musiała to być dobra szkoła fachu, bo „Latająca Żaba" (tak go nazywali kibice) w roku 1994 został rajdowym mistrzem świata (pierwszy Francuz, któremu się to udało), był też czterokrotnym wicemistrzem WRC i stawał 53 razy na podium. Na koncie Auriola jest 20 zwycięstw w cyklu WRC.

## Człowiek w aurze
### CARLOS SAINZ
Dwukrotny mistrz (1990 i 1992) i czterokrotny wicemistrz świata. Człowiek, któremu wiele zawdzięczają Toyota, Volkswagen i Citroën. Jest na drugim miejscu w rankingu największej liczby podium i punktów w WRC. W roku 2010 Sainz wygrał Dakar w klasyfikacji generalnej, co należało mu się jak mało komu. Hiszpan od pierwszego startu w roku 2006 pokazał, że umie jeździć nawet po wydmach. W roku 2007 wygrał Puchar Świata Cross Country, a w 2009 prowadził w „generalce" aż do 12. etapu, gdzie rozbił swojego VW Touarega. Do listy zwycięstw należy dołączyć trzecie miejsce w Dakarze 2011. Czy zawsze chciał być rajdowcem? W roku 1978, w wieku 16 lat, „El Matador" wywalczył mistrzostwo Hiszpanii w... squashu. Zanim oddał się zabawie w motosport, studiował prawo...

## Nieśmiertelny

# COLIN MCRAE
Syn Jimmy'ego McRae, pięciokrotnego rajdowego mistrza Wielkiej Brytanii, i brat Alistera McRae, również rajdowca. Colin zyskał nieśmiertelność dzięki grze komputerowej, którą katował każdy – bez względu na płeć – miłośnik motoryzacji. Urodził się w Wielkiej Brytanii, ale – co ważne – przyznawał się wyłącznie do szkockiego pochodzenia. Miał w nosie królową i order Imperium Brytyjskiego, do którego był nominowany za wkład w wyspiarski motosport. Colin mówił wyjątkowo gulgotliwym angielskim (bardzo trudno było go zrozumieć), nie dbał o pozory i przepisy. Dlatego jeździł szybko i zginął młodo. Zanim zabił się w katastrofie śmigłowca (dosłownie przed kilkoma dniami poinformowano, że była to jego wina – McRae przesadził z brawurą, za co zapłacił życiem własnym i dziecka), zdobył mistrzostwo świata (1995, team Subaru), trzykrotnie był również wicemistrzem WRC. Szkot miał też swoje pięć minut w Dakarze, w którym brał udział dwukrotnie, w latach 2004 i 2005. Podczas debiutanckiego startu wygrał dwa saharyjskie etapy!

## Szybki traktorzysta

# TOMMI MÄKINEN
Fin, którego charakter oddaje nieco wyświechtana anegdota. Przed górką większość kierowców hamuje. Dlaczego? Bo za nią może być zakręt. Dlaczego Mäkinen nie hamuje? Bo za górą może być... prosta. Tommi jest wielokrotnym mistrzem świata (na najwyższym stopniu podium stawał cztery razy), specjalistą od rajdowego szaleństwa w autach grupy A. W nich był nie do pokonania. Kiedy przesiadł się do WRC, sukcesów było jakby mniej. Nieistotne! I tak wygrał w 24 rajdach WRC. Aha. Wiecie, jak zaczynał fiński mistrz? Wystartował w mistrzostwach Finlandii w orce na czas i precyzję. Oczywiście wygrał.

## Po prostu mistrz

# JUHA KANKKUNEN
Zaczął jeździć w siódmym roku życia, bo jego... ojciec lubił rajdy i ściganie po lodzie. W 12. wiosence życia mister Kankkunen miał już własny samochód. Co dalej? Jak to co? Juha mieszkał na farmie niedaleko OS-ów Rajdu Finlandii, co w zupełności wystarczyło, żeby zarazić się motosportem. W latach 1983–2002 jeździł w zespołach fabrycznych. Fin wygrał 23 rajdy, cztery razy był mistrzem świata WRC. Na tym nie koniec. W 1988 roku wygrał Dakar! Juha nie startuje czynnie, co nie oznacza, że utknął w kapciach przed telewizorem. Zimą ustanowił rekord prędkości na zamarzniętym Bałtyku – Fin rozpędził swojego Bentleya Continentala do 331 km/h.

# FORMUŁA 1

*Złote dziecko*

## JACQUES VILLENEUVE
Mój ulubiony kierowca F1! Nazywany złotym dzieckiem F1 – w pierwszym swoim wyścigu zdobył pole position, a po drugim sezonie za kółkiem był już mistrzem świata! Jacques nie miał na swoim koncie tak gigantycznych osiągnięć jak jego ojciec – też kierowca F1 (zginął w wypadku na GP Belgii, gdy Jacques miał 11 lat), którego kumple zawodnicy nazywali „diabłem wcielonym" i uważali za najszybszego kierowcę na świecie. „Junior" był objawieniem sezonu 1997, ale potem już fantastycznych wyników nie robił. Nadrabiał za to urokiem osobistym!

*Najmłodszy wśród mistrzów*

## SEBASTIAN VETTEL
Jeszcze cztery lata temu był żółtodziobem. Utalentowanym (zdobył punkty w debiutanckim wyścigu podczas GP USA w roku 2007) i z przyszłością (mówili na niego „Baby Schumacher"), ale bez doświadczenia. Dzisiaj zajmuje pozycję wygi oraz mistrza – wygrał cykl wyścigów F1 2010 i 2011. Dieter Mateschit szef Red Bulla, który go sponsoruje, na pewno jest zadowolony. Zdaniem wielu Vettel to obecnie najszybszy kierowca F1.

*Cyborg*

## MICHAEL SCHUMACHER
Przepraszam, ale muszę tak napisać: ten kurdupel w kolorowym kombinezonie ma nieszczery uśmiech. Jest jednak najbardziej utytułowanym kierowcą w historii Formuły 1. Siedem tytułów mistrza świata, 154 razy na podium, 91 zwycięstw w wyścigach, 68 pole position i 76 najszybszych okrążeń toru.

*Szybki, piękny i bogaty*

## FERNANDO ALONSO
Dwukrotny mistrz świata F1 (2005 i 2006), co automatycznie daje mu awans do panteonu hiszpańskich supergwiazd i bohaterów. Nie lubi dziennikarzy, ale trzeba mu to wybaczyć – 27 wygranych wyścigów sprawia, że człowiek może się do niego trochę powdzięczyć. Chociaż to wcale nie jest miłe...

## Szara eminencja

## FLAVIO BRIATORE
Duży brzuszek, plereza siwych włosów typowa dla włoskiego playboya, kolorowe koszule i najpiękniejsze kobiety świata u boku (m.in. Naomi Campbell oraz Heidi Klum, która ma z nim dziecko). Był szefem teamu Benetton i to on podobno z tłumu wyścigowców wyłowił Michaela Schumachera. Włoski macho na ściganiu zna się – faktycznie – jak mało kto. Dość powiedzieć, że prowadzone przez niego zespoły (Benetton, Renault) wywalczyły w F1 wszystko, co było do wygrania. W roku 2009 znalazł się w oku afery. Flavio podobno ustawił kierowców w Singapurze, za co federacja FIA ukarała go dożywotnim odsunięciem i zakazem jakiejkolwiek działalności w wyścigach. Przed rokiem karę jednak oddalono, Briatore dostał nawet symboliczne odszkodowanie.

## Najlepszy, bo NASZ

## ROBERT KUBICA
O Kubicy pisać musimy, bo bez niego w Polsce Formuła 1 NIE ISTNIEJE. On jest Małyszem wyścigów. Gdyby nie on i jego doskonała postawa, ludziska znad Odry, Wisły i Buga nawet nie chcieliby słuchać o F1! Kubica wychował się na kartingu (sześć tytułów mistrza Polski, międzynarodowy mistrz Włoch, Niemiec i wicemistrz Europy 1997), a za dom służyły mu różne wyścigowe padoki. Zanim Robert trafił do wielkiego świata, zwyciężył w trudnym wyścigu F3 Sardinia Master, dojechał drugi w Makau (dla nas impreza odległa, ale na świecie niezwykle poważana), żeby w końcu zostać mistrzem World Series by Renault 2005. We francuskiej wyścigówce był niepokonany (cztery wygrane), za co w nagrodę pojechał testować F1. 6 sierpnia 2006 roku Kubica wykręcił siódmy czas podczas GP Węgier. Został wtedy zdyskwalifikowany (zbyt lekkie auto), ale to nie ma znaczenia. Pierwszy wyścig i od razu na punktowanej pozycji. Robert, jesteś gość... Z zapartym tchem obserwowałam wszystkie wyścigi Kubicy i jestem pod wrażeniem. Pamiętam te emocje, kiedy w GP Włoch 2006 dojechał trzeci, a w Kanadzie, w roku 2008, wygrał GP w mistrzowskim stylu. Pamiętam również czwarte miejsce w cyklu F1 2008. Do podium był wtedy tylko krok! Moim zdaniem Kubicę czeka jeszcze niejedno zwycięstwo, bo ten facet to synonim prędkości, precyzji oraz – mimo wypadków – wielkiego szczęścia. Na swoim koncie Robert ma dwa potężne „dzwony" (pierwszy w GP Kanady w roku 2007), no i ten fatalny na małym włoskim rajdzie, na którym został ciężko ranny i wciąż leczy się po wielu operacjach. Wyliże się! Jestem tego pewna. Robert musi wrócić na tor i pokazać, że jest nasz, że jest najlepszy.

Toyota Celica w wersji „monster". 2001 r.

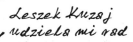

Leszek Kuzaj
udziela mi rad

# ZŁOTE LATA TYTONIU (NIESTETY)

Prawda jest taka, że to nie firmy samochodowe, olejowe czy paliwowe, ale producenci papierosów najbardziej przyczynili się do rozwoju motosportu. Dysponując gigantycznymi budżetami na reklamę i jeszcze większym apetytem na zwielokrotnienie swoich przychodów, tytoń wkradał się wszędzie. Pełno go było w hollywoodzkich produkcjach (iluż to filmowych gwiazdorów przypalało jednego papierosa od drugiego?), pojawiał się też podczas debat o sztuce i sensie życia. Palenie było modne, miało się stać jeszcze modniejsze. A zdrowie? Wtedy nikt się tym za bardzo nie przejmował. Palili studenci między wykładami, palili profesorowie, pokoje nauczycielskie przypominały wędzarnie, palili artyści malarze, pisarze – można powiedzieć, że papieros stał się nieodłącznym atrybutem niepokornego intelektualisty. I wtedy wzrok koncernów tytoniowych spoczął na sportowcach. Spece od reklamy pomyśleli, że papierosy i sport, szczególnie motosport, wyjątkowo do siebie pasują. Jednoznacznie kojarzą się z życiem pełnym przygód oraz manifestem męskości. Pozostało jedynie wszystkim nam to wmówić.

Jako pierwsza do ofensywy ruszyła mało u nas znana marka Gold Leaf – zaczęła sponsorować team Lotusa w Formule 1 już w 1968 roku. Zaraz potem dołączyło Marlboro – słynne logo pojawiło się na bolidach na początku lat 70. Chyba nikt nie ma wątpliwości, że gdyby nie gigantyczny posag firmy tytoniowej Philip Morris, który wniosła do małżeństwa z Ferrari, nawet Michael Schumacher nie miałby tylu tytułów mistrza świata na swoim koncie. Co ciekawe, dziś, kiedy pokazywanie tytoniowych logotypów jest praktycznie niemożliwe (ze względów prawnych), papierosy wciąż wydają gigantyczne pieniądze na utrzymywanie Scuderia Ferrari (od ponad roku nie znajdziemy na nich także charakterystycznego paska z kodem kreskowym). Pozostało jedynie skojarzenie bezpośrednie – Marlboro ma przecież pudełko w kolorze czerwieni i bieli – to wystarczy, żeby każdy był zadowolony. I Ferrari, i Marlboro, i klienci kupujący śmierdziuchy w najbliższym kiosku.

W latach 80. także Camel zdecydował się na zbudowanie całego swojego PR-u w oparciu o archetyp „mocni faceci oraz ich wspaniałe maszyny". Żółte Land Rovery, które przemierzały najbardziej niedostępne (i koniecznie błotniste) zakątki naszego globu wryły się w pamięć (nie tylko moją) tak mocno, że w zasadzie można by się zastanawiać, czy logo z wielbłądzikiem bardziej kojarzy się nam z producentem papierosów, czy raczej… producentem adrenaliny? (Sam Camel to też marka stara jak świat. Ich papierosy pojawiły się w roku 1913, jeszcze przed I wojną światową).

W ślad za nimi poszedł Lucky Strike. Przez długi czas koncern sponsorował wyścigi motocyklowe w klasie 500 i kiedy na początku lat 90. XX wieku przeprowadzono badania dotyczące rozpoznawalności marki, w zasadzie większość respondentów twardo obstawała przy wersji, że to dostawca… olejów silnikowych! Czerwono-czarne logo przemykające z prędkością światła na owiewkach motocykli nie pasowało przecież do fajek. Lucky Strike to musiała być przecież firma z „branży". Niby logiczne... Faktem jest, że cała następna dekada upłynęła pod znakiem Lucky Strike'a oraz Suzuki – w ich barwach startowali najwięksi – w tym mój idol Kevin Schwantz. I może dlatego pierwsze zagraniczne papierosy, które kupiłam w sklepie Pewex za dewizy, to były właśnie Lucky Strike.

Naśladowanie idoli, ubieranie się tak jak oni, noszenie takich samych fryzur, słuchanie tych samych płyt, a nawet palenie takich samych papierosów wyrażało nasze uwielbienie dla nich. Chcieliśmy być tacy sami jak oni, a przynajmniej podobnie wyglądać. Żeby było śmieszniej – wyczynowi kierowcy raczej nie palą papierosów, bo przecież muszą być sprawni i mieć świetną wydolność, a czym jak czym, ale akurat wydolnością palacze nie za bardzo mogą się pochwalić…

W Polsce po rajdowych trasach przemykały już wtedy Texas, Camel i oczywiście Marlboro z kierowcą Marianem Bublewiczem. Po tragicznym wypadku Bublewicza (zginął w 1993 na Zimowym Rajdzie Dolnośląskim) za sterami Forda Escorta WRC wymalowanego w charakterystyczne biało-czerwone kolory zasiadł Janusz Kulig. Po tym jak biało-czerwony wóz spłonął na Rajdzie Polski 1999 roku, Kulig przesiadł się do Focusa WRC i rozpoczął najlepszy etap w swojej karierze. O Marlboro znowu było głośno. Na to tylko czekali inni producenci tytoniu, którzy w szybkim tempie zaczęli przyłączać się do sponsorowania polskich rajdów.

# W ŚRODKU RAJDOWEGO ZAMIESZANIA

W owym czasie stała współpraca z koncernem papierosowym była marzeniem wszystkich zawodników oraz menedżerów teamów, bo tylko tam można było znaleźć pieniądze, które pozwalały spokojnie myśleć o najlepszych samochodach i całym cyklu startów w mistrzostwach kraju, a nawet Europy. Postanowiłam zawalczyć o budżet z koncernu tytoniowego Reemtsma, który powołał zespół Mocne Rally. W takich barwach miał wystartować mój ówczesny chłopak Marcin Turski, a ja byłam jego rzecznikiem prasowym. Potem do „tytoniowej rywalizacji" włączyli się też inni zawodnicy z czołówki, w tym Krzysztof Hołowczyc i jego Peugeot WRC, którego sponsorował producent papierosów Jan III Sobieski.

Pod koniec lat 90. wiele się w moim życiu działo, może nawet za dużo. Telewizja, rajdy, ściganie się – nie wiedziałam, w co ręce włożyć. Zdecydowałam, że muszę się w czymś wyspecjalizować, bo nie da się wszystkiego robić dobrze. Można próbować ciągnąć 10 srok za ogon, ale przy sporcie wyczynowym tak się po prostu nie da. A ja nie miałam zamiaru poświęcić się tylko jednej rzeczy. Do dziś ta moja strategia się sprawdza, bo nie zamyka, a otwiera przede mną kolejne możliwości. Zawsze kiedy staję na rozdrożu, wciąż mam jeszcze kilka dróg do wyboru i to daje mi ogromny komfort psychiczny.

Ponieważ fascynowało mnie wszystko, więc równie dobrze mogłam rzucić monetą, ale w końcu uznałam, że nie zostanę jednak zawodowym kierowcą wyścigowym czy rajdowym. Ta ciągła presja braku pieniędzy, zadowalania albo szukania sponsorów i zadawania sobie pytania, czy jednak nie dam rady jechać szybciej, była męcząca. Gdzieś zniknęła frajda, a pojawił się stres. Czułam, że nawet jeżeli będę trenować bez wytchnienia, bardziej już nie wyszlifuję swojego talentu, bo miałam raczej zadatki na porządnego rzemieślnika za kierownicą, ale nie mistrza. Tak po prostu czułam. Okazało się też, że lepiej umiem pokierować karierą innych zawodników niż swoją własną i mam talent organizatorski.

Doszłam do wniosku, że najlepszym sposobem zdobycia budżetu oraz zapewnienia mi i mojemu zawodnikowi pieniędzy na regularne występy w Rajdowych Mistrzostwach Polski będzie debiut w Rajdzie Barbórka, a był to rok 1999. Sponsor chciał sam ocenić, na ile nasze ściganie przełoży się na ważne dla niego publikacje w prasie oraz informacje w mediach elektronicznych. Od wyniku tego „testu" zależało, czy zgromadzę środki na starty Marcina w kolejnych sezonach i czy zachowam posadę rzecznika prasowego teamu.

Przy okazji kolejny odcinek „Automaniaka" miał powstać z kabiny samochodu rajdowego, żeby widzowie mogli zobaczyć, jak takie ściganie wygląda, w pewnym sensie, od środka... No i z perspektywy co-drivera, czyli pilota rajdowego, który to siedzi po prawej stronie kierowcy, niepozorny, ciut jakby zapomniany. Tymczasem wystarczy wykonać prostą analizę lingwistyczno-logiczną, żeby wyłapać właściwy sens tego słowa; *co* – znaczy „współpracujący", a *driver* – wiadomo, „kierowca". Co-driver to w takim razie współpracujący kierowca, czyli po polsku – drugi kierowca. No tak, ale zawsze można powiedzieć, że kierowca się ściga, a pilot tylko siedzi z prawej strony i coś tam burczy pod nosem. Owszem, sporo ryzykuje, tak jak każdy, kto znalazł się w samochodzie pędzącym z prędkością grubo ponad 100 km/h. Ale może w dobie gadających GPS-ów wcale nie jest taki potrzebny? Nawet nie próbujcie tak myśleć! To właśnie pilot jest filarem zespołu rajdowego i wraz z kierowcą stanowi superduet. I ja miałam zamiar taki dream team stworzyć z Marcinem na ten jeden rajd.

Barbórka odbywa się zawsze w pierwszy weekend grudnia (w okolicach imienin Basi, oczywiście), na zakończenie sezonu rajdowego. Mimo że rajd nie jest zaliczany do żadnej klasyfikacji (tytuły mistrzowskie są już dawno rozdane), nikt nie powie, że kierowcy ścigają się w nim o „złote kalesony". Start w Barbórce (nie mówiąc o potencjalnej wygranej) nobilituje, impreza bez wątpienia jest prestiżowa.

Na początek jest kilka OS-ów, na których człowiek może przemarznąć tradycyjnie i do kości. Potem jest chwila przerwy na herbatę z prądem (myślę o kibicach, a nie kierowcach!), a całą imprezę kończy tak zwane Kryterium Asów – odcinek rozgrywany po zmroku na wiadukcie Markiewicza, na ulicy Karowej w Warszawie. Na to przez cały rok czeka każdy rajdowiec, wyścigowiec, rallycrossowiec oraz miłośnik górskich podjazdów, bo na „Pani Karowej" (tak mówią kierowcy) mogą się pokazać wyłącznie najlepsi z najlepszych. Wiadukt oblepia niezmiennie tłum gapiów i trudno się dopchać do jezdni, żeby cokolwiek zobaczyć. Kryterium Asów w obydwie strony ma ciut ponad kilometr. Są tu i ciasne zakręty, i wyjątkowo zdradliwa, piekielnie śliska kostka bazaltowa – jeden błąd i samochód ląduje na bandzie.

Na dzień przed Barbórką, kiedy wszystko było już zapięte na ostatni guzik – dostaliśmy pozwolenie na nasz start i zgodę na nagrywanie programu – zdaliśmy sobie sprawę, że... przecież ja nigdy wcześniej nie byłam pilotem! Po błyskawicznej wymianie słów niecenzuralnych, pojechaliśmy potrenować na bocznej drodze w podwarszawskich Palmirach. Nienawidzę jeździć jako pasażer (wiem, powtarzam to do znudzenia ;-). I nie tylko dlatego, że jak każdy kierowca uważam, że ja to bym pojechała lepiej. Po prostu ilekroć schylam głowę nad notatkami, z których piloci dyktują trasę, mój błędnik zaczyna szaleć. Mam wtedy klasyczne objawy choroby lokomocyjnej... W Palmirach potwierdziło się, że nie mogę czytać podczas jazdy, więc jak, do cholery, miałam dyktować to, co zanotowałam?!

# PAW NA OESIE

4 grudnia, o godzinie 8.30 wraz z „Moim Kierowcą" Marcinem Turskim stawiamy się na warszawskim Bemowie w przepięknie oklejonym logotypami Mocnych Mitsubishi Lancer Evo V. Przerażenie w oczach (moich) nadrabiałam miną. „Mój Kierowca" wyrzuca za to z siebie komendy z prędkością karabinu maszynowego:

– Ile mamy czasu? Kiedy trzeba grzać opony? Jak pojechali inni? Pić! Papierosa! Którędy będziemy jechać? Uśmiechnij się. Sprawdź notatki. Zadzwoń do sponsorów... I nie traktuj tego tak serio, to tylko zabawa – dodał na końcu.

No cóż, nie będzie łatwo, ale skoro już powiedziało się A, trzeba przebrnąć przez resztę liter rajdowego alfabetu. Zamierzałam dać z siebie wszystko. Niestety akurat wtedy organizator postanowił z Rajdu Barbórki zrobić jakiś cholerny KJS (Konkursowa Jazda Samochodem, czyli coś w rodzaju ścigania się dla początkujących dookoła trzepaka). Pierwszy odcinek specjalny w żoliborskiej Cytadeli jeszcze jakoś nam poszedł, skończyliśmy go na czwartej pozycji. Kolejny OS w podwarszawskich Broniszach miał być „odcinkiem pilotów". Innymi słowy miałam się na nim wykazać dokładnością dyktowania.

– Pięć, cztery, trzy, dwa, jeden, START – sędzia odlicza nas i ruszamy.

Pierwsze dwa zakręty dyktuję dobrze. Ale nagle wypadamy zza jakiejś wiaty, podnoszę wzrok znad kwitów i... przysięgłabym, że jeszcze wczoraj widziałam tu opony, taśmy, krótko mówiąc – trasę. Tymczasem teraz wiatr szaleje, a rzekoma trasa – wyznaczona rozciągniętymi plastikowymi taśmami – wygląda jak pas startowy dla boeinga! Kawałki biało-czerwonego plastiku furkoczą niczym papierowe serpentyny przyczepione do wentylatora, kibice machają rękoma, szkoda tylko, że każdy w innym kierunku. Z tego wszystkiego dostaję oczopląsu i kolejnego ataku choroby lokomocyjnej. Walcząc z torsjami, zapominam o pilotowaniu. Efekt jest taki, że na metę wjeżdżamy pod prąd! Na szczęście nie my jedni, więc można się jakoś podzielić tym wstydem. A znaleźliśmy się – dodam dla usprawiedliwienia – w doborowym towarzystwie, wśród załóg z czołówki.

Wieczór. Karowa – jak zwykle mroźna, ale za to wyjątkowo i zaskakująco sucha. Wciąż nie wiadomo, kto będzie mógł wystartować. Dlaczego? No jak to dlaczego?! Najlepsi, ci wspaniali, dla których marzną ci wszyscy kibice, nie mogą wystartować, bo pomylili trasę i się nie zakwalifikowali. W wielkim finale, poprzedzonym potworną awanturą, wszyscy obrażają się na wszystkich. Ale my, nie wiem zresztą jakim cudem, dostajemy zgodę na przejazd Karowej. Decyzja w naszej sprawie zapada na pół minuty przed startem. Szybki skok do kabiny, dopinamy pasy i jaaaaazda.

Przejeżdżamy cały OS z fasonem i świadomością, że być może to nasz pierwszy i ostatni raz. Nie przesadzam! Konserwator zabytków co roku ponawia apele, żeby chronić cenną kostkę i krawężniki przed rajdowcami (ulica jest wpisana na listę zabytków). Co roku toczy się więc ta sama dyskusja, ale zakusy, żeby imprezę wykreślić z kalendarza, kończą się ostrymi sprzeciwami kibiców. Co roku też zawodnicy zastanawiają się, czy będą mogli się jeszcze kiedyś na Karowej pokazać.

Nasz debiut, co tu dużo gadać, wyjątkowo żenujący, o dziwo zadowolił sponsora. Oficjalnie powstaje więc zespół Mocne Rally. W kolejnym sezonie w jego barwach startuje Leszek Kuzaj z Andrzejem Górskim (Toyota Corolla WRC) oraz Marcin Turski z Darkiem Burkatem (Mitsubishi Lancer). Ja zaś zostaję rzecznikiem prasowym teamu.

# DOLA PILOTA

Pilot jest nie tylko przewodnikiem kierowcy – kontroluje jego czas, uprzedza o trudnościach na trasie i zakrętach, które można ciąć, a których ciąć nie powinien (ciąć oznacza tu świadomie i w sposób kontrolowany zjechać częściowo z drogi; każdy kierowca posiada własną skalę określającą głębokość ewentualnego cięcia). Co-driver to także psycholog, który dba o formę swojego kolegi. I potrafi go dobrym bądź złym słowem zmotywować lub rozśmieszyć. Pomoże wypchnąć auto z rowu, jak zajdzie taka potrzeba, wymieni koło. Są oczywiście piloci gwiazdorzy, czyli klasa sama dla siebie, jak wspomniany Maciek Wisławski czy Jarek Baran. Generalnie jednak to kierowca jest zwykle numerem 1 i to on, w razie powodzenia, rzecz jasna, spija śmietankę. Kiedyś Luis Moya (pilot Carlosa Sainza, dwukrotnego mistrza świata) na moje pytanie, jak znosi to, że jest wiecznie w cieniu Carlosa, odpowiedział:

– Bez niego nie byłbym tu, gdzie jestem. Sam jestem dość słabym kierowcą, więc jak inaczej miałbym zostać mistrzem świata?!

## JĘZYK PILOCKI autor: Jarek Baran

Co ukrywa ten szyfr na stronie obok? Zacznijmy od samego sposobu czytania. Te hieroglify Jarek Baran wypowie dokładnie tak: „sześć prawy ciasny do szczytu, sto osiemdziesiąt, od szczytu pięć lewy do szczytu skok, osiemdziesiąt zhamuj, sześć prawy czterdzieści cztery prawy szybki, do, od szczytu cztery prawy szybki otwarty, pięćdziesiąt, cztery lewy szybki przyciąć, sześćdziesiąt, pięć lewy średni do szczytu dwadzieścia i pięć lewy, sześćdziesiąt zhamuj, szczyt dwadzieścia pięć prawy krótki na bruk, przechodzi pięć lewy szybki, po sto czterdzieści mocno zhamuj, opór dwa prawy ciąć na asfalt, po siedemdziesiąt".

Jest wiele odmian rajdowego opisu różniących się sposobem stopniowania, doborem słów i priorytetem informacji – wybór wynika z preferencji i doświadczenia kierowcy. Każdy opis zawiera podstawowe informacje o trudności odcinka: kolejne zakręty, ich kierunek i stopień, długość prostych łączących zakręty, szczyty, zmiany nawierzchni itp. System (stosowany obecnie przez Barana i Kajetanowicza), z którego pochodzi opis na zdjęciu, stopniuje zakręty od 1 (najwolniejsze) do 7 (naj-

szybsze). Niektóre posiadają dodatkowe określenia „ciasny" lub „szybki", występują komendy informujące, czy zakręt można ciąć, czy nie. Kolejne zakręty oddzielone są odcinkami prostych określonych w metrach, np. 180 w opisie oznacza 180 metrów, a nie prędkość!

Dyktowanie polega na poprawnym (zrozumiałym dla kierowcy) odczytywaniu poszczególnych komend lub ich sekwencji w odpowiednim (właściwym) momencie. W tym celu pilot wzbogaca swoją „partyturę" o dodatkowe znaki tempa, podkreślenia i klamry – instruujące go, które i formacje muszą być przeczytane łącznie, które należy zaakcentować oraz jaka ma być szybkość przekazywania danych na określonym fragmencie trasy. Proste i najtrudniejsze zarazem, żeby robić to dokładnie w tempo.

Kopia notatek Jarka dotyczy zaledwie 1,5-kilometrowego fragmentu odcinka specjalnego Jagodne z 68. Rajdu Polski 2011. Odcinek miał 22 km, więc jego opis zajął aż 19 stron. Cały „Polski" w zeszycie Barana z trudem zmieścił się na 100 stronach...

$6L \overset{CSN}{\underset{\to A^{TU}}{}}$     180     OD $5L \overset{PO}{\underset{NW}{\to A_{SKOK}}}$

80 SH 6 P 40 4 $\overline{P}_{SZY}$ → OD A 4 $P^{SZY}_{OTW}$

50 4 $L^{SZY}_{/}$    60    $5L \overset{ŚRE}{\underset{\to A^{TU}}{}}$ 20 5L

60 SH A 20 5 $\overset{P}{\underset{BRUK}{KR}}$ ~ 5 $L^{SZY}$

PO 140 $\overset{P}{}$ MOCNO SH   OP 2 $P // ASF$     PO 70

⑯

Każdy z członków
naszego rajdowego
teamu dostał
pod koniec sezonu
taki medal :-)

# MOCNY RZECZNIK

Moja praca rzecznika w zespole polegała na pisaniu informacji prasowych, koordynowaniu dosłownie wszystkiego, co wiązało się z naszym sportowym istnieniem, oraz podejmowaniu mniej lub bardziej nieskutecznych prób okiełznania najpierw „Turasa", a potem głównego kierowcy w teamie, czyli Leszka Kuzaja. „Kuzi" jest pewny siebie, a przy tym do bólu szczery i czasem wręcz – bezczelny. To taki gość, co to patrzy na ciebie z miną kota, który właśnie połknął kanarka, i mówi:

– Przecież absolutnie nic się nie stało.

I co tu kryć – płeć piękna ma wyjątkową słabość do takich facetów... Ja także, choć wyłącznie na polu zawodowym. Dla mnie Leszek Kuzaj bez wątpienia był i jest jedną z najbardziej barwnych osób, które pojawiły się na mojej drodze, taki totalny oryginał (bardzo szybki oryginał – dodam od razu). Z racji wyjątkowo ekspresyjnego stylu bycia dostarczał nam (a mi w szczególności, jako swojemu rzecznikowi) naprawdę dużo atrakcji. Kiedy coś mu nie wychodziło, potrafił się nieźle wkurzyć. Tak było chociażby po Rajdzie Kormoran 2001, który skończył jako trzeci. Leszek zjechał wtedy wściekły do hotelu (mówiło się, że inni skrócili trasę i dlatego „Kuzi", który jechał fair – przegrał), cisnął kaskiem o ziemię, zakręcił się na pięcie i zniknął na pół dnia. Wszyscy go szukali, miałam na głowie dziennikarzy i telewizje, a Leszka nie było, nie odbierał też telefonów.

Na Rajdzie Karkonoskim w roku 2001 „Kuzi" walczył z Januszem Kuligiem o mistrzostwo Polski. To był pierwszy odcinek specjalny, pierwszy zakręt i... Leszek Kuzaj „poszedł w plener", aż się kurzyło. Spektakularny wypadek w pięć minut od rozpoczęcia imprezy – to nie jest wymarzony scenariusz dla rzecznika prasowego. I znów tłumaczyłam się sponsorom, dziennikarzom i fanom, którzy szturmem atakowali namiot prasowy naszego teamu. Tak, tak, przyjmowanie żali i pretensji świata zewnętrznego to niestety rola rzecznika. Rolą zawodnika jest natomiast koncentracja i szybka jazda. W końcu to on, a nie rozczarowany sponsor, ryzykuje własnym życiem, żeby stanąć na podium. Każdy kierowca, tak jak każdy sportowiec, chce wygrywać dla siebie, ale też dla swoich fanów. Jednak kibic rajdowy to dość szczególny gatunek fana...

*Stoi taki przez kilka godzin na deszczu, w upale czy na mrozie, po to by zobaczyć samochód rajdowy, który przejeżdża z prędkością myśliwca i ginie w tumanach kurzu albo fontannach błota. Do tego każą mu najpierw leźć kilka kilometrów i jeszcze czasem uiścić opłatę za to, że sobie popatrzy na takie autka. A potem musi szybciutko wrócić, odpalić silnik i gnać na kolejny odcinek specjalny. Kibice piłki nożnej może i słono płacą za bilety na najlepsze mecze, ale za to siadają mniej lub bardziej kulturalnie na wyznaczonym miejscu i przez 90 minut są w samym środku wydarzeń. A taki Fan Rajdów? O ile nie ma dostępu do internetu przez komórkę czy do biura zawodów (ale trudno być w dwóch miejscach równocześnie), nie wie, kto tak naprawdę wygrywa, a czasem nawet nie ma pojęcia, kto startuje.*

*Co innego kibice z tras Rajdowych Mistrzostw Świata! To jest elita! Podczas Rajdu Szwecji czy Finlandii z przyjemnością obserwowałam całe rodziny piknikujące na mrozie lub deszczu. Profesjonalne ubrania, przenośne grille, stołeczki – aż miło było popatrzeć! Do tego oni są superzdyscyplinowani i w żaden sposób nie zaburzają przebiegu zawodów.*

*W Portugalii z kolei banda masochistów staje przy samej drodze, po to by przejeżdżający samochód zasypał ich piachem i kamieniami. I kiedy tylko przestaną się dusić i dławić, a kurz opadnie – znów stają przy samej trasie i czekają na nową porcję emocji. Trzeba jednak przyznać, że są do tego zajęcia dość dobrze przygotowani. Maski przeciwpyłowe, gogle narciarskie, parawany ze starego materaca to standard ich wyposażenia. Uzupełniają go specjalne foteliki i koniecznie (!) przenośne lodóweczki z zimnymi napojami (także tymi wyskokowymi).*

*To nic, że kamery telewizyjne przestają pracować po pięciu minutach, aparaty fotograficzne zacinają się po siedmiu, a piach chrzęści w zębach przez tydzień. Kibic i tak będzie maszerował 10 (słownie: DZIESIĘĆ!!!) kilometrów, po to by popatrzeć na swoich idoli. Albo dla rozrywki spróbuje przebiec przed pędzącą rajdówką. Nie wiadomo, kiedy narodził się ten dziwaczny zwyczaj. Ale w końcu w sąsiedniej Hiszpanii wymyślono bitwę na pomidory, skakanie przez noworodki albo ucieczkę przed bykami. Jedno trzeba w całym tym szaleństwie przyznać – niemal zawsze udaje im się zdążyć... Kiedyś Colin McRae zapytany o wrażenia z Rajdu Portugalii powiedział: „Kiedy nie wiesz, gdzie dalej przebiega trasa OS-u, to wal tam, gdzie jest najwięcej ludzi. Na pewno dobrze trafisz...".*

(AUTO-MOTO, maj 2000,„Ach, kibicem być ...")

W 2001 roku Leszek Kuzaj nieszczęśliwie wpadł w tłum ludzi na jednym z odcinków specjalnych Rajdu Wisły. Poza poturbowaniem kilku osób (w tym rzecznika prasowego swojego największego konkurenta Janusza Kuliga – Jurka Ciszewskiego) nic poważnego się nie stało. Niemniej dla mnie, jako szefa PR, był to trudny sprawdzian, media rzuciły się na to jak wilki na świeże mięso. Rozgorzała wielka narodowa dyskusja na temat bezpieczeństwa w motosporcie.

Prawda jest taka, że rajdowcy MUSZĄ jeździć szybko, bo na tym polega ten sport. I jak każdy MOGĄ popełniać błędy, choć akurat w tym przypadku najmniejszy błąd może ich kosztować życie. Nikt nie jest tego bardziej świadomy niż oni.

Tymczasem kibice przychodzą na rajdy jak na piknik. I lubią się ustawiać nie tam, gdzie jest najbezpieczniej, tylko tam, gdzie im najwygodniej, bo „stąd to widać lepiej", albo uciekać w ostatniej chwili spod kół nadjeżdżającego auta, bo „przecież zdążę!". Niefrasobliwość, żeby nie powiedzieć bezmyślność niektórych widzów jest nieprawdopodobna. Im się wydaje, że kierowca na odcinku specjalnym, pędząc ponad 100 km/h, zawsze jakoś zahamuje w odpowiednim momencie. I co z tego, że zgodnie z zasadami OS to przestrzeń WYDZIELONA I ZAMKNIĘTA DLA RUCHU. I każdy, kto tam przebywa, robi to na własne ryzyko. Zawsze jest żal poszkodowanych, a dla każdego kierowcy taki wypadek to trauma do końca życia.

Sezon 2000 i 2001 —
spędziłam w zasadzie
na trasach rajdowych

# OD RAJDU DO RAJDU

Przez dobre kilka lat żyję na walizkach. Od rajdu do rajdu. Albo pracuję jako rzecznik (Mocne Rally, potem także EFL Corsa Rally), albo relacjonuję je dla „Automaniaka" (mistrzostwa Polski, świata, F1) albo, na szczęście już okazjonalnie, sama startuję za kierownicą (choć akurat wtedy bardziej skupiłam się na motocyklach). Poza tym występuję w dużych TVN-owskich produkcjach, m.in. „Big Brotherze", podpisuję swoje pierwsze kontrakty reklamowe – dużo się wtedy działo, a ja przesiadałam się tylko z samochodu do pociągu, z pociągu do samolotu i odwrotnie. Ciągle gdzieś się śpieszyłam, nigdzie na dłużej nie zagrzałam miejsca. Nikt też na dłużej nie skupił mojej uwagi, poza jedną wyjątkową osobą.

Zawsze fascynował mnie ten Jego spokój oraz powściągliwość. Pod Jego wpływem nawet ja, taka wiecznie nadekspresyjna, mówiłam ciszej i łagodniej. Bo przy Nim nie można było zachowywać się inaczej. Janusz Kulig miał po prostu niespotykaną klasę.

Mówił tylko wtedy, kiedy miał coś do powiedzenia, nie czarował rozmówców uśmieszkami, nie flirtował z kamerą, a jednak nie dało się od Niego oderwać wzroku… Ponoć o każdym można powiedzieć coś złego, szczególnie w świecie sportu wyczynowego, ale tu muszę zaprotestować. Ja spotkałam w swoim życiu „kierowcę idealnego", zawodnika bez skazy i fascynującego człowieka. Przeprowadziłam setki wywiadów z najlepszymi z najlepszych w motosporcie, ale tylko Janusz Kulig potrafił wziąć przegraną „na klatę" i głośno powiedzieć:

– No cóż, nie zawsze jest dzień dziecka i nie zawsze wygrywam. Dzisiaj moi konkurenci po prostu byli lepsi.

Nie wymyślał historii o awariach, braku zgrania z pilotem, o złej pogodzie czy ataku alergii… Podnosił dumnie głowę i mówił:

– Schrzaniłem to. Bywa!

Postawa godna sportowca przez duże S. Rzadkość. Za to wszyscy go pokochaliśmy.

Był przy tym uczynny i skromny. Kiedy odbierał szarfę mistrza Polski, to za każdym razem miałam wrażenie, że jest tym zawstydzony, jakby chciał powiedzieć:

– Po co to wszystko? Zrobiłem swoje najlepiej, jak potrafiłem, i tyle…

Zwykle tak to już jest z wielkimi tego świata, że kiedy odchodzą, to okazuje się, że każdy był ich najlepszym przyjacielem. Nie zamierzam uderzać teraz w ton pompatyczny, ale myślę, że jednak miałam z Januszem dość szczególną relację. Mężczyźni rzadko się przed sobą otwierają, nawet jeśli są bardzo zakumplowani. Ze mną, kobietą, Jasio nie chodził na wódkę, więc rozmawialiśmy o planach, marzeniach, wątpliwościach. O tym, że uważał się za zwyczajnego faceta, który uwielbia siedzieć podczas wakacji na leżaku, i o tym czego nie zrobił w swoim życiu, a może powinien...

Często wracaliśmy w rozmowach do mojej fascynacji jednośladami. On sam, jeszcze jako dzieciak, rozbijał się w okolicach rodzinnej wsi Łapanów na czymś w rodzaju WSK-i czy Komara i powtarzał:

– Wiesz, prawdziwy motocykl to zawsze było moje chłopięce marzenie.

Pewnego dnia, a był już wtedy utytułowanym zawodnikiem w mistrzostwach Polski i Europy, ruszyliśmy na przejażdżkę moją Hondą CBR 900 RR Fireblade. Ujęło mnie to, że najlepszy wówczas kierowca rajdowy wsiada na mój motor „na kolarza". Cóż za zaufanie! Obserwowałam w lusterku Jego twarz. Oczy robiły mu się coraz większe, a źrenice coraz bardziej błyszczące. No i... ten uśmiech – jazda motocyklem sprawiała Januszowi autentyczną frajdę. Tak wielką, że po tej właśnie przejażdżce Kulig poprosił mnie o pomoc i wybranie dla Niego motocykla. W końcu kupił sobie Yamahę R1 w kolorze srebrno-niebieskim. Cieszył się nią jak mały chłopiec.

– Przez ciebie i te twoje motocykle on się w końcu zabije! Jednoślady są przecież takie niebezpieczne! – usłyszałam kilkakrotnie od ludzi z Jego otoczenia.

Pomyślałam wtedy, że nie darowałabym sobie, gdyby miał wypadek na motocyklu i coś by Mu się stało. To byłaby wtedy moja wina... Ale los przewidział dla Niego zupełnie inny scenariusz.

Pamiętam, jak kiedyś podczas Rajdu Kormoran w 2001 roku wybraliśmy się na przejażdżkę już na dwa motocykle. Ja zabrałam na siodełko Alicję Kowalską, szefową teamu Marlboro. Janusz postanowił zaś przewieźć swojego rzecznika Jurka „Ciszka" Ciszewskiego. To była nawet miła wycieczka, bo podolsztyńskie drogi ktoś wytyczał chyba z myślą o romantycznych motocyklowych eskapadach. Oczywiście pod warunkiem, że się ma benzynę w baku. Ja źle przekręciłam kranik paliwa, nie zauważyłam rezerwy i... motocykl zgasł mi w szczerym warmińsko-mazurskim polu. Jasiek pojechał po paliwo, ale już do końca naszej znajomości wypominał mi, żebym się tak przy tej jeździe motocyklem nie wymądrzała. To pewnie była kara za to, co usłyszał od swojego własnego rzecznika. Kiedy w drodze powrotnej wymieniliśmy się pasażerami i Jurek Ciszewski kawałek przejechał się ze mną, to już pod hotelem w Olsztynie powiedział Januszowi:

– Wiesz co, Mister? Może i jesteś mistrzem Polski w rajdach, ale motocyklem to baba cię objeżdża…

Janusz Kulig był facetem, który na co dzień jeździł przesadnie ostrożnie, żeby nie powiedzieć „pierdołowato". O ile inni notorycznie przechwalali się, kto i jak szybko pokonał drogę ze swojego miejsca zamieszkania na kolejny rajd, o tyle Jasio śmiał się z takiego licytowania się. W normalnym ruchu ulicznym brakowało mu tylko przysłowiowego kapelusza i żeby siedział tak przysunięty prawie do szyby, z nosem przy wycieraczkach. Kiedy zapalało się pomarańczowe światło, to ja z pewnością bym przyspieszyła, ale On – zwalniał. Dlatego kiedy gdzieś mnie wiózł, to za każdym razem mruczałam pod nosem:

– Jezu, osiem razy bym już przejechała przez to skrzyżowanie…

Nie znosił też, gdy ktoś próbował się przed Nim, mistrzem Polski i Europy, popisywać. Raz wiozłam go swoim Subaru STI (oczywiście było niebieskie na złotych felgach – zawsze miałam słabość do obciachowych sportowych samochodów). Przyznaję, że wtedy jeździłam w stylu „warszawskim", a więc z wymuszaniem pierwszeństwa, czasem po pasach zieleni, ze skręcaniem z lewego pasa w prawo przed kolumną samochodów… Nie ma się czym chwalić – wiem! Tego dnia jednak miałam iście „rajdowy" nastrój i zaczęłam wyprzedzać jakąś zawalidrogę zatoczką dla autobusów. Zatrzymałam się po chwili na światłach, a Janusz bez słowa otworzył drzwi i wysiadł.

– Jak się uspokoisz, to zadzwoń do mnie – rzucił na odchodne.

Od tamtej pory jeździłam przy Nim zgodnie z przepisami.

Jasio przepuszczał wszystkich, nie przekraczał prędkości, aż usnąć można było z nudów… Na odcinku specjalnym zamieniał się jednak w demona prędkości i jechał na granicy praw fizyki. A czasem też swoich własnych, jak na przykład na Rajdzie Polski 2001, kiedy razem z Jarkiem Baranem wypadli przy dużej prędkości z trasy. Cudem przeżył i wtedy pomyślałam, że jest urodzonym farciarzem i teraz to już na pewno nic mu się stać nie może…

Ale wtedy los z Niego zakpił. 13 lutego 2004 roku Janusz wjechał na strzeżony przejazd kolejowy w okolicach Bochni, szlaban nie był opuszczony, bo dróżniczka się zagapiła… Nadjeżdżający pociąg zabił Go na miejscu.

Ścigał się jak szalony na trasach rajdowych całego świata, a stracił życie w tak prozaicznej sytuacji?

– Nie, tylko nie On – powtarzałam sobie.

To było uczucie, jakby ktoś wyrwał mi kawałek serca. Po prostu czysty fizyczny ból… Nigdy się z tym nie pogodzę. Od tamtej pory nie jeżdżę już oglądać polskich rajdów.

W ten mokro-mglisty wieczór, tuż po godzinie 18, polski motosport stracił kierowcę najwybitniejszego z wybitnych, a ja pożegnałam bardzo bliską mi osobę i nijak tej pustki nie da się wypełnić. Zawsze będzie mi Go brakowało.

W STRONĘ SŁOŃCA

# POMYSŁ NA POMYSŁ

Kończę właśnie prowadzenie pierwszej edycji programu „Big Brother"… To wszystko jest jakimś kompletnym szaleństwem – największy format telewizyjny w dotychczasowej historii mediów w Polsce. Są więc miliony widzów przed odbiornikami i tysiące ludzi koczujących przed sękocińskim domem Wielkiego Brata na żywo. Mieszają się we mnie różne stany – od zmęczenia po euforię. Wiem, że po tym programie moje życie już nigdy nie będzie takie samo – choć wcale o to nie prosiłam i nie zabiegałam, dostałam kolejny prezent od losu i nagle mogę podjechać windą kilka pięter w telewizyjnej karierze, zamiast z mozołem wspinać się po schodach.

Teraz patrzę na swoje odbicie w lustrze i zastanawiam się, kim właściwie jest ta dziewczyna po drugiej stronie. Podobno faceci wolą blondynki, więc na krótkich włosach mam platynę, moja twarz jest mocno umalowana, bo takie są aktualne światowe trendy w wizażu – zero naturalności, maksimum sztuczności. Błyszczące obcisłe ciuszki robią ze mnie ponoć atrakcyjną kobietę, bo powiedziano mi, że tak właśnie trzeba wyglądać, kiedy pracuje się przy WIELKIM TELEWIZYJNYM PROJEKCIE. Dziś, kiedy oglądam swoje zdjęcia z tamtego okresu albo widzę się na ekranie, to nie mogę uwierzyć, że pozwoliłam się tak przerobić i wcisnąć w te niemal lateksowe ciuszki… Wtedy jednak jakoś nie przyszło mi do głowy, żeby zaprotestować.

Kiedy więc tak siedzę i myślę o tym, co było i co teraz będzie, do pokoju puka kierownik planu.

– Hej, jest tu dla ciebie list. Ktoś zostawił go w recepcji na twoje nazwisko kilka dni temu, ale w tym całym zamieszaniu wszyscy o nim zapomnieli. Sorry.

Czytam kartkę, którą przed chwilą wyjęłam z koperty, nie bardzo rozumiejąc, o co chodzi:

„Witam, Pani Martyno.

Słyszałem, że startuje Pani w rajdach i interesuje się motoryzacją. Chciałbym zainteresować Panią wzięciem udziału w Rajdzie Dakar w ramach Toyota Trophy. Może mogę pomóc Pani w organizacji startu. Jeśli jest Pani wstępnie zainteresowana...".

Dalej były dane adresowe, numer telefonu oraz francusko brzmiące nazwisko w podpisie.

– Czy jestem wstępnie zainteresowana?! – spytałam sama siebie.

Ja zawsze jestem gotowa ruszyć w drogę!

Uparcie próbuję sobie przypomnieć, kiedy po raz pierwszy pomyślałam o starcie w Dakarze. List był przecież tylko haczykiem, który chętnie połknęłam – byłam głodna tego rajdu, bo z natury szukam rzeczy wspaniałych i wielkich. W sensie emocjonalnym powiedziałabym nawet... monumentalnych. Tylko takie wyzwania są w stanie zmusić mnie do prawdziwego wysiłku na granicy własnych możliwości. Co wtedy wiedziałam o Dakarze? W głowie miałam trochę danych historycznych, które zna każdy dziennikarz motoryzacyjny, ale w tematach organizacyjnych, kluczowych dla uczestnika, nie orientowałam się zbyt dobrze. Ot tyle, że rajd jest szybki i długi i że „idzie" przez Saharę.

Relacjonowałam oczywiście w „Automaniaku" starty naszych chłopców orlenowców, czyli Jacka Czachora i Marka Dąbrowskiego, więc wiedziałam z ich opowieści, że to „rzeźnia" i jedno z większych wyzwań, jakie w dzisiejszych wygodnych czasach człowiek może przed sobą postawić. Oglądałam też coroczne relacje z tej imprezy na kanale Eurosport, gdzie było widać dużo kolorowych kombinezonów, uśmiechnięte twarze na rampie w stolicy Senegalu, logo z Beduinem w przewiązanej sznurem *kufiyah* (czyli chuście, która służy ochronie głowy przed słońcem). W tle zaś słychać było sugestywną melodię senegalsko-francuskiej grupy Wock, którą organizator tego rajdu firmował każdą relację. „Sama Amie", bo tak brzmi tytuł muzycznego tematu, gra mi w głowie do dziś, gdy Dakar dawno już wyniósł się z Sahary i przestał być prawdziwym Dakarem, bo jest rozgrywany w Ameryce Południowej.

– Żeby tak wystartować w tej imprezie... Ale przecież to niemożliwe... – westchnęłam.

Niemożliwe? Hm... W takich chwilach zawsze budzi się we mnie buntownicza natura. A więc będę próbować do skutku. Jeśli nie uda się za pierwszym razem, to będę uczyć się, trenować i wystartuję ponownie. „Podróż nawet na tysiąc mil zaczyna się od jednego kroku" – powiedział chiński myśliciel i ja zamierzałam ten krok wykonać. Zresztą największym problemem nie jest to, że sięgamy zbyt wysoko i tego nie dostajemy. Znacznie gorzej jest, że często sięgamy zbyt nisko i te łatwe sukcesy sprawiają, że spoczywamy na laurach. Nie miałam więc zamiaru się rozleniwiać i szukać wytłumaczenia, dlaczego NIE powinnam tego zrobić. Zadzwoniłam do pana Laruelle'a z Belgii, żeby umówić się na spotkanie.

Facet zrobił na mnie średnie wrażenie. Laruelle nie wzbudzał zaufania. Ot, taki rozmemłany, mało konkretny typ. Jednak był moim jedynym „kontaktem na Afrykę" i zaoferował pośrednictwo w nawiązaniu współpracy z firmą Tepac, która zajmowała się przygotowywaniem samochodów do startu w ramach Pucharu Toyoty w Dakarze – Lease Plan Toyota Trophy. W niemal każdym dużym rajdzie, oprócz klasyfikacji generalnej, są tak zwane „puchary", czyli rywalizacja w jednym z kilku samochodów przygotowanych według tego samego schematu. Z reguły nie są to supermaszyny, ale za to stanowią dobry wstęp do zapoznania się z rajdem, tak na początek. Belg obiecał pełen komfort, przede wszystkim mechaniczno-logistyczny, oraz rozsądne ceny usług (co akurat było nie bez znaczenia). No cóż, na folderach reklamowych wszystko wygląda pięknie, a rzeczywistość? Sahara zweryfikowała moje plany boleśnie.

Załóżmy, że chcielibyście przejechać pustynię. Macie dużo pieniędzy i wielkie chęci, żeby się sprawdzić w ściganiu po piasku i skałach. Od czego powinniście zacząć? Oczywiście od kontaktu z organizatorem, bo to właśnie wszechpotężne biuro ASO (z francuskiego: Amaury Sport Organisation) wyśle wam aktualny cennik. Na kilku kartkach papieru wyszczególnią, co ile kosztuje. Rajdy cross country (czyli „przez kraj" – ładnie się to tłumaczy) to bardzo drogi sport, szczególnie na Saharze. Z oczywistych powodów – nie ma tam zbyt wielu hoteli, restauracji, warsztatów samochodowych czy stacji benzynowych i organizator musi je na czas imprezy zbudować. Właściwie to na każdym etapie stawia się dwa takie „miasta", bo przecież rajd nie stacjonuje w jednym miejscu, a nieustannie się przemieszcza. Kiedy więc zawodnicy opuszczają po noclegu biwak i właśnie zaczyna się jego demontaż, to równolegle druga ekipa kończy stawianie identycznego obozu z takich samych brudnych namiotów mniej więcej tysiąc kilometrów dalej. Jak się wozi całą tę karawanę kontenerów? Za pomocą samolotów – dakarową flotę tworzą maszyny pasażerskie i transportowe.

Logistyka kosztuje. Te samoloty, ciężarówki, namioty, kompletnie wyposażona kuchnia przygotowująca posiłki dla mniej więcej 1,5 tysiąca ludzi (tak było kiedyś, dziś to 2,5 tysiąca) satelity do łączności, karetki, lekarze, pozwolenia, ubezpieczenia pochłaniają miliony euro. A ASO nie organizuje Dakaru dla zabawy, lecz robi to dla wielkich pieniędzy. Dlatego też start w tym rajdzie był, jest i będzie ultradrogi – w końcu to towar z najwyższej półki.

Już samo wpisowe to wydatek rzędu 10 tysięcy euro od osoby, czyli każdego zawodnika i członka serwisu, a nawet masażysty, jeśli ktoś sobie takowego zażyczy. (Ci najlepsi jeżdżą akurat z własnym specjalistą od regeneracji organizmu, a nawet namiotem tlenowym). Za co jeszcze płaci się tyle pieniędzy? Za możliwość spania na terenie chronionym przed ewentualnymi agresorami, za dostęp do mrożonej szynki, tostowego pieczywa i soku na śniadanie, za wodę w przenośnych prysznicach oraz francuską odmianę naszych sławojek (w Afryce stawiali budki z dykty albo kabiny z wiązek słomy). Ale to nie koniec, tylko początek wydatków.

Przede wszystkim nie wystartujemy w żadnym rajdzie bez samochodu. Wtedy, czyli 10 lat temu, praktycznie nie było możliwości, żeby kupić sobie auto i w Polsce przerobić je na potrzeby Dakaru. Nikt w naszym kraju nie wiedział, jak to zrobić, a nawet jak się już do tego zabrał, to efekty były raczej żałosne. Zresztą ASO zawsze miało własnych sędziów technicznych, a ci niechętnie patrzą na auta, które zawodnicy przygotowują na własną rękę. Pomijając kwestie finansowe związane z tuningiem mechanicznym (czyli takim dopasowaniem terenówki, żeby dała radę piachom, skałom i prędkości), wciąż pozostawało ryzyko, że samochód nie przejdzie kontroli technicznej. A więc, że jednak nie spodoba się panom z ASO. Pewniej, taniej i mniej ryzykownie było więc samochód po prostu wynająć.

W rajdach na poziomie światowym liczą się głównie teamy fabryczne, które pracują przy fabrykach aut – tam każdego dnia setki specjalistów głowią się nad nowymi rozwiązaniami technicznymi, a potem wynajęci kierowcy (tak zwani kierowcy fabryczni) testują te pomysły w boju, czyli na odcinkach specjalnych. Gdy zawodnik dysponuje takim zapleczem, prawdopodobieństwo wygrania przez niego całej imprezy jest największe. Jednak żaden z polskich kierowców nie miał i nadal nie ma szans na angaż jako kierowca fabryczny, niestety.

Drugie w kolejce do podium są teamy, które same budują auta w celach komercyjnych, czyli podnajmują je chętnym, ale tylko tym bardzo doświadczonym i… bogatym kierowcom. Może to kosztować miliony euro za start i w dodatku pracują w horyzoncie kilkuletnim, bo dojechanie do mety za pierwszym razem to dość rzadki przypadek.

Jest wreszcie jeszcze wiele firm z Francji, Belgii, Holandii czy Wielkiej Brytanii, które właśnie na takich szaleńcach jak ja wtedy opierają swój biznes. Proponują zatem przygotowane aut, które sprawdziły się już jako tako w trudnych warunkach i udają prawdziwe rajdówki. I co najważniejsze – oczekują ułamka kwoty, którą płacą za sprzęt najlepsze teamy. W moim przypadku było jeszcze lepiej. Układ z Laruellem zakładał, że auto za jego pośrednictwem najpierw kupię, a po rajdzie Belgowie wezmą Toyotę z powrotem, oczywiście trochę taniej.

– W ten sposób odzyskam część zainwestowanych pieniędzy – myślałam. Jakże ja byłam wtedy naiwna.

## DREAM TEAM

Najważniejszy na rajdzie (podobnie jak w każdym ekstremalnym projekcie) jest jednak zespół, czyli dwoje ludzi, którzy są ze sobą na dobre i na złe. Tyle że to „złe" może oznaczać nawet utratę życia, więc robi się poważniej niż w kontrakcie małżeńskim. Pilot – a w realiach dakarowych to drugi pełnoprawny członek załogi – przede wszystkim musi posiadać licencję rajdową, inaczej w ogóle nie ma mowy o starcie w imprezie. Mój dodatkowo musiał się zgodzić jechać za darmo, bo nie stać mnie było na to, żeby mu zapłacić, a takie panują w tym świecie zwyczaje. Za wykonaną robotę należy się czek opiewający na tysiące dolarów. Potrzebowałam więc doświadczonego nawigatora i partnera – osoby, której mogłabym zaufać, na którą mogłabym liczyć, kto uratuje mi tyłek z opresji i z kim przeżyję jedną z największych przygód w życiu. Nie miałam cienia wątpliwości. W moim przypadku musiał to być Jarek. Nikt inny.

W 1998 roku zostałam wysłana służbowo, żeby przygotować kolejny materiał do „Automaniaka". Pojechałam na przygodową imprezę Marlboro Adventure Team.

Ja i Jarek
w rajdówce

Jakaś taka japońsko-góralska tam atmosfera była… Finały odbywały się w Harklowej niedaleko Nowego Targu, w pensjonacie prowadzonym przez Japonkę Akiko. Było więc mnóstwo przystojnych i silnych facetów, zaledwie kilka dziewczyn (niewielka zatem konkurencja) plus dużo zabawek do generowania adrenaliny: samochody terenowe, motocykle enduro, quady, konie, rafting, wspinaczka. Czegóż chcieć więcej? Byłam urzeczona tą atmosferą. Nie zwróciłam specjalnej uwagi, że podczas odprawy dziennikarzy któryś z instruktorów przyglądał mi się dłużej niż innym. Ale zapamiętałam go. Następnego dnia jechaliśmy autokarem z rozbawioną grupą żurnalistów. Odwróciłam głowę i widzę, że ten chłopak z poprzedniego wieczora ma przypiętą do koszulki plakietkę z napisem „JAREK. INSTRUKTOR". Tyle że przed tym tytułem ktoś odręcznie dopisał „sex". Spojrzałam więc w oczy „sexinstruktora" i zanim zdążyłam cokolwiek powiedzieć, ten pospieszył z wyjaśnieniem:

– No co, ktoś mi po prostu dał taką plakietkę...

Skomentowałam to uśmieszkiem.

Dojechaliśmy nad Dunajec. Podczas raftingu byłam wyjątkowo zawzięta – zaciekle wiosłowałam i pomagałam w wywracaniu oraz stawianiu pontonu. Efekt? Pogubiłam część garderoby oraz buty, więc z pontonu wysiadłam przemarznięta i zawstydzona – adrenalina opadła i kiedy spojrzałam na siebie, okazało się, że stoję na brzegu w prześwitującym body przyklejonym do ciała (dziennikarze nie mieli brać aktywnego udziału w treningach, więc nawet nie wzięłam kostiumu kąpielowego). Tymczasem deszcz lał od prawie trzech godzin i było cholernie zimno… Wtedy właśnie Jarek wyłamał się z loży szyderców, czyli instruktorów, którzy siedzieli na murku i zaśmiewali się ze mnie i z mojej bielizny. Szarmancko okrył mnie swoją kurtką.

– Phi, romantyczny mięczak – koledzy instruktorzy nagrodzili jego gest gwizdami.

Ja odpowiedziałam wdzięcznością. Poczułam się, jakby to powiedzieć...? Zaopiekowana.

Kolejnego wieczoru towarzystwa dotrzymywał mi wyjątkowo marudny gość, który chyba chciał zrobić na mnie wrażenie.

– Kochana, wyszkolę cię na świetnego nurka i pokażę ci cały świat – bełkotał coraz mniej wyraźnie.

Miało być miło – ognisko na leśnej polanie wysoko w górach, schodzące ze wszystkich zmęczenie po całodziennych ekstremalnych przeprawach, wesoła atmosfera… Scenariusz nie przewidywał napastliwego adoratora, którego w żaden znany mi sposób nie byłam w stanie spławić.

– Kochanie, gdzie byłaś cały wieczór? Czekałem! Przecież umówiłaś się ze mną na spacer.

Podniosłam głowę. „Sexinstruktor" stał przed nami i wyciągał zachęcająco rękę.

Mój napastliwy amant próbował wstać, żeby bronić swojego terytorium, ale usłyszał tylko krótkie:

– Spadaj. Ta pani idzie ze mną.

I poszłam na najdłuższy spacer w swoim życiu. A potem zakochałam się tak mocno, jak tylko może zadurzyć się 23-letnia dziewczyna w znacznie starszym panu instruktorze na imprezie survivalowej. Historia jakich wiele. W sam raz na harlequina, znaczy się.

Tak poznałam Jarka Kazberuka. Mojego przyszłego przyjaciela i cztery lata później – pilota podczas Rajdu Dakar.

# ZAKŁADNICZKA WŁASNYCH MARZEŃ

Najlepszym sposobem osiągnięcia sukcesu w dowolnej dziedzinie jest po prostu zacząć działać. Zdradzę wam swoją metodę. Nazwałam ją ZAKŁADNICZKA WŁASNYCH MARZEŃ. Kiedy moja głowa wygeneruje jakiś pomysł, po prostu…

zakładam sobie pętlę na szyję, to znaczy wykonuję czynności, jakby to określić…? Nieodwracalne. Można kupić bilet lotniczy bez opcji zwrotu, zapłacić wpisowe na rajd, pokłócić się z szefem, żeby wyrzucił nas z pracy, albo opowiedzieć wszystkim, że oto podejmujemy największe wyzwanie w naszym życiu i jeśli go nie zrealizujemy, to mają prawo żądać od nas skrzynki najlepszego szampana tytułem przegranego zakładu… Wtedy już nie ma odwrotu. Nic tak dobrze nie motywuje, jak puste konto, bo przestaje wystarczać na bułki, a ciągle-wydzwaniający-znajomi, którzy pytają, kiedy lecimy, sprawiają, że wstyd się wycofać.

Kiedy więc założyłam sobie pętlę na szyję, czyli zdeponowałam oszczędności życia na wpisowe dla mnie i Jarka oraz obwieściłam całemu światu, że startujemy w Rajdzie Dakar, postanowiłam wybrać się w plener i trochę po piachu pojeździć.

Jarek dysponował dużym doświadczeniem, był instruktorem w jeździe offroadowej, miał już wtedy na koncie starty w dziesiątkach rajdów przeprawowych i brał udział w słynnym Camel Trophy w 1996 roku na Borneo. Ja miałam sześć lat mniej niż on i jako taką wiedzę o rajdach terenowych. Ale w kwestii ścigania się po pustyni

Ktoś musi pchać żeby jechać mógł ktoś :-)

byłam kompletnie zielona. Jest takie powiedzenie, które chętnie cytuję: „jedyne co nas ogranicza, to własna wyobraźnia". Problem polegał na tym, że moja wyobraźnia nie sięgała tak daleko i kompletnie nie wiedziałam, na co się porywam. I całe szczęście! Dziś, mając 10 lat więcej i dużo większe doświadczenie, nie podjęłabym takiej decyzji, ale wtedy wszystko wydawało się o niebo łatwiejsze.

— Pojedziemy najpierw na pustynię, u nas w Polsce. Zawsze to coś — zaproponował Jarek, który czuł się odpowiedzialny za przygotowanie mnie do startu w Dakarze. Ponieważ pojawiła się możliwość podnajęcia z Toyota Trophy Land Cruisera, który rok wcześniej pokonał Saharę jako auto serwisowe, postanowiliśmy „przejechać się" i zobaczyć, jak w ogóle się TAKI samochód prowadzi.

— Pustynia Błędowska się nie nadaje, bo jest pozarastana i ten piach jest całkiem nijaki — Jarek zaczął rozważać różne scenariusze. — To może jakaś inna „piaskownica"? Na przykład w Szczakowej pod Krakowem? — zastanawiał się na głos.

Na tej pseudopustyni znaleźliśmy się w końcu dwa miesiące przed startem, bo wcześniej nie miałam pieniędzy, żeby zapłacić za wynajęcie rajdówki. Trening

polegał głównie na tym, że w kółko zakopywaliśmy się w piachu i jakoś musieliśmy z niego wyjechać. O tak, to przećwiczyliśmy naprawdę dobrze.... Metodą prób i błędów odkryliśmy nawet, jak zrobić to całkiem szybko, ale wtedy nie miałam jeszcze pojęcia, że piasek polski do saharyjskiego ma się nijak. Ten nasz jest biały, żółty, jeziorny, miałki, czysty i wręcz idealny do plażowania. Sahara zaś ma często konsystencję mąki. Poza tym piasku jest tam ze 20 różnych rodzajów i kolorów.

Trening w Szczakowej uświadomił nam, że Toyota Land Cruiser – tak przygotowana – po piachu jeździć nie chce. W dodatku szło nam tak źle, że Jarek stwierdził, że to nie jest wina samochodu, ale ja po prostu nie umiem jeździć w takich warunkach. Nie oponowałam, bo rzeczywiście polscy offroadowcy rywalizują najczęściej w... błocie, a nie w piachu. Zamieniliśmy się więc miejscami.

– Ty, to auto naprawdę nie jedzie – powiedział po chwili.

– No i co my teraz zrobimy? – to pytanie było raczej retoryczne.

– Nie wiem.

Nie takiej odpowiedzi się spodziewałam. Liczyłam na jakąś sugestię i festiwal pomysłów. A tu nagle zapadło krępujące milczenie. No nie, za daleko zaszłam, żeby z tak banalnego powodu wycofać się z tej imprezy… Pokonamy ten cholerny piach, nawet gdybym miała to auto pchać przez całą trasę.

# DALEJ POD GÓRKĘ

– Skoro mam wystartować w rajdzie, powinnam jeździć terenówką Toyoty na co dzień, a nie tylko od święta – powiedziałam na głos.

Trzeba było „wjeżdżać się" w auto, choćby w wersji cywilnej. Wiadomo, że każda terenówka jest inna. Inaczej chodzą w niej sprzęgło i gaz, gdzie indziej znajdują się wszystkie przyciski, ale postanowiłam, że w ramach treningu lepiej jest jeździć (nawet po zakupy) autem 4x4. Przesłałam ofertę współpracy do kilku producentów terenówek z prośbą o wypożyczenie mi samochodu testowego na dwa miesiące.

– Ty? Na Dakar?! Przecież nawet jak tam pojedziesz, to nie dojedziesz… – usłyszałam na zachętę od pewnej wpływowej osoby w jednej z firm.

Ostatecznie samochód pożyczył mi Nissan. Od początku jednak prześladował nas (mnie i Terrano) pech. Najpierw wybrałam się w okolice Opola, żeby trochę pojeździć z kolegą o pseudonimie Żółty. Wyjechaliśmy na podeschnięte sztuczne Jezioro Turawskie, które całkiem dobrze imitowało, jak mi się wtedy wydawało, pustynne warunki. W tak zwanym międzyczasie zaczęło kropić. Nie zapowiadało to jeszcze żadnych problemów, ale kiedy wróciłam do miejsca, z którego wyruszałam, znacząco podniósł się poziom wód gruntowych i nagle zostaliśmy kompletnie odcięci. Dookoła łachy piachu utworzyła się... fosa. Byłam uparta, próbowałam wydostać się z tej pułapki, a zamiast tego zakopałam się na amen. Stałam w nasiąkającej od padającego deszczu brei i wtedy przypomniało mi się, że mam w Opolu umówione bardzo ważne spotkanie związane z rajdem. Nie mogłam tego zawalić! Pokonałam wpław ten rów z wodą, a samochód porzuciłam w bagnie (pomyślałam, że i tak nikt nie będzie w stanie go ukraść, bo niby jak?!).

Dopiero w drzwiach całkiem zresztą eleganckiej restauracji zorientowałam się, że zamiast stroju, który przygotowałam specjalnie na to spotkanie, i butów na wysokim obcasie, mam na sobie spodnie moro ubłocone do kolan oraz wojskową kurtkę z zapaskudzonymi rękawami... Mimo zaskoczenia jednej i drugiej strony wieczór okazał się bardzo owocny. Widocznie czasem człowiek „prosto z akcji" wydaje się bardziej wiarygodny.

Po Nissana wróciłam w nocy traktorem, który wynajęłam od rolnika z okolicznej wsi. Ten, kto powiedział, że Polak potrafi, zdecydowanie wiedział, co mówi! Ale to niestety nie koniec perypetii. Kiedy jechałam tym „zmęczonym" samochodem do Warszawy trasą katowicką (sama też już w nieciekawej, przyznaję, kondycji), nagle zobaczyłam koło, które zaczęło mnie wyprzedzać. Dziwne wrażenie, bo na liczniku miałam jakieś 100 km/h. W dodatku – co się okazało po sekundzie – było to... moje lewe przednie koło! Chwilę później samochód opadł na wahacz, a ja – rozsiewając iskry ze szlifowanego podwozia – mimo wysiłków, żeby utrzymać kurs, zaczęłam zjeżdżać na środkowy pas zieleni. Nie mam pojęcia, jak to się stało, że: a) nie wydachowałam, b) nie odniosłam żadnych obrażeń, c) nikomu nie zrobiłam krzywdy – ani ja, ani koło, które toczyło się jeszcze dość długo przeciwległym pasem...

Siedziałam bezradna w sponiewieranym aucie i zastanawiałam się, jak wybrnąć z tej absurdalnej historii...

– Warsztat samochodowy. Wulkanizacja – przeczytałam na głos napis na planszy wbitej tuż przy samej ulicy. – Mam rozwiązanie! – sama siebie przekonywałam, że to dobry pomysł.

Zresztą lepszego i tak nie miałam.

Oczywiście nie pomyślałam, że to nie jest mój prywatny samochód i w związku z tym powinnam wezwać pomoc drogową, która go bezpiecznie odholuje do

Częstochowy, do najbliższego autoryzowanego serwisu... Moja dedukcja poszła zupełnie innym torem:

– No tak, przyjedzie pomoc drogowa i weźmie Nissana na hol do Częstochowy. Jest sobota po południu, więc najwcześniej ktoś zajmie się nim dopiero po weekendzie. Ja będę musiała wracać do Warszawy pociągiem albo stopem, bo mam program na żywo w telewizji za parę godzin i raczej nikt na mnie nie zaczeka...

Godzinę później jechałam już w stronę domu. Wystarczyło przeciągnąć auto kawałek do warsztatu, potem poskręcać na druciki, zaspawać coś w podwoziu, pokleić mocniej niż na ślinę... Wiem że Nissan zasługiwał na coś lepszego, ale przecież wypadki chodzą po ludziach. I jak widać – po samochodach również.

Niestety moja zaradność nie spodobała się firmie ubezpieczeniowej, która wydała orzeczenie, że nie wypłaci odszkodowania, bo wypadek WCALE NIE MIAŁ MIEJSCA! Poważni panowie dokonali drobiazgowej analizy i przedstawili mi niezbite dowody w postaci zdjęć oraz nagrań wideo całego podwozia. Dwóch rzeczoznawców wmawiało mi, że koło oderwało się nie na asfalcie, a w terenie, że jechałam do tyłu, a nie do przodu, i że to nie mogło się zdarzyć przy takiej prędkości, bo wtedy na pewno bym dachowała i nie przeżyła.

Po godzinach tej dziwacznej sesji rzeczywiście zaczęłam się zastanawiać, czy ów „wypadek" faktycznie miał miejsce. Przepychanka trwała jeszcze bardzo długo i dopiero teraz mam stosowną okazję oficjalnie przeprosić panów z Nissana oraz podziękować im za wyrozumiałość.

– Skoro na polskich drogach idzie mi tak „świetnie" – pomyślałam wówczas – to ciekawe, jak sobie poradzę w naprawdę trudnych warunkach...

# NARESZCIE SAHARA!

Wymyśliliśmy sobie Tunezję, bo wydawało nam się, że to: blisko, tanio i łatwo będzie nam taki wyjazd zorganizować. No i była tam już PRAWDZIWA pustynia. Niestety nie było ani tanio, ani łatwo, nie mówiąc już o odległości od Polski.

Znów musiałam zapłacić kilka tysięcy dolarów za wynajęcie tego niejeżdżącego-po-piasku samochodu, tym razem marki Toyota. W końcu podobnym mieliśmy wystartować w rajdzie, więc logika podpowiadała, że to jedyny sensowny wybór. Musiałam też zebrać ekipę, która za darmo (a jak się okazało, także dopłacając z własnej kieszeni) poświęci czas oraz gigantyczną energię, żeby pojechać ze mną i Jarkiem jako zabezpieczenie oraz serwis. Postawiłam tylko jeden warunek – nikt nie może narzekać na jedzenie z puszek (na inne nie było nas stać) oraz każdy będzie odwalał czarną robotę. Zgłosili się (może nie bez nacisków z mojej strony): Darek Prosiński, operator kamery z TVN-u, który miał robić dokumentację, oraz wspomniany już „Żółty", czyli Piotr Szyszko. Akurat ten drugi jest typem zdecydowanym na wszystko i zawsze zgodzi się na najbardziej niekomfortowe warunki. Potrzebny był jeszcze mechanik i to mówiący płynnie po francusku, bo w Tunezji, jak zresztą w całym pasie Afryki Północnej i Zachodniej, jest to podstawowy język komunikacji.

– Ty, „Padżi", jedź z nami na trening do Tunezji – powiedział więc Jarek pewnego dnia do swojego przyjaciela Sebastiana Pająka. – Tylko pamiętaj, że jakby ktoś pytał, a szczególnie Martyna, to jesteś świetnym francuskojęzycznym mechanikiem, OK?

Niewiele to zmieniało, bo i tak nie znaliśmy nikogo lepszego, a fakt, że Jarek ukrył przede mną prawdę, dał mi względne poczucie komfortu. Tak było przynajmniej do momentu, kiedy przekroczyliśmy granicę Tunezji, a „Padżi" ledwo wydukał pod nosem *bonjour*...

Najpierw jednak trzeba było załatwić mnóstwo papierów, bo nasz samochód był na belgijskich tablicach. Przywiezienie go do Polski, a także wywiezienie poza granice kraju było, ogólnie rzecz ujmując, nie do końca legalne. W myśl ówczesnych przepisów obywatel znad Wisły nie mógł jeździć samochodem na obcych numerach. Ale już Francuz lub Francuzka – jak najbardziej. Prosto z Belgii auto przyprowadziła więc... dziewczyna naszego przyjaciela i koordynatora Projektu Dakar (jak dumnie to brzmi, prawda?!) Mariusza Ficonia – słodka blondyneczka Ania, która na co dzień jeździła po ulicach Paryża czy Lyonu maleńkim Renault Clio i nigdy wcześniej nie prowadziła tak wielkiego auta. Poza tym była drobniutka, żeby nie powiedzieć filigranowa, oraz panicznie bała się wsiąść do tego potwora, bo nawet nie sięgała do jego pedałów. Do dziś nie mam pojęcia, jak Anusia dała sobie radę z tym czołgiem? Wewnątrz panował przecież przepotworny huk (aby zmniejszyć wagę samochodu, pozbawia się go wszelkich wykładzin), a zamiast zwykłych foteli, były twarde i niewygodne siedzenia sportowe (tak zwane kubełkowe) oraz profesjonalne (a więc sztywne) pasy bezpieczeństwa. Brakowało też ogrzewania. No cóż, rajdowe auto bardzo różni się od cywilnego. Grunt, że wkrótce nasz Land Cruiser był do odebrania w Bielsku-Białej.

Tuż przed wylotem do Tunezji okazało się też, że... nie mamy wiz. Wtedy nie byłam jeszcze redaktor naczelną magazynu „National Geographic Traveler" (nie było go jeszcze nawet na rynku), więc kupiłam spokojnie bilety lotnicze, myśląc, że to wystarczy. Niestety nikt nie uprzedził mnie, że muszę mieć też wykupione wycieczkę i hotel. Dopiero wówcza organizator zagwarantuje mi bezproblemowy wjazd. Nie wiedziałam, że normalny czas oczekiwania na stempelek w paszporcie to nawet miesiąc! Trzeba było interweniować w Ministerstwie Spraw Zagranicznych oraz w ambasadzie, ale w końcu... Uff... Mogliśmy wyruszyć.

Transport osobowo-sprzętowy miał się odbywać dwoma torami: Jarek i Sebastian Pająk wsiedli do samochodu (bez ogrzewania, a na przełomie listopada i grudnia było wtedy minus 15 stopni Celsjusza) i w ciągu dwóch dni zamierzali przejechać 2,5 tysiąca kilometrów do Francji. Stamtąd zaś promem przedostać się do Tunezji. Wcześniej jednak musieliśmy stworzyć fikcyjny papier, który pozwoliłby wywieźć Toyotę z kraju. Dokument nie był potrzebny w Polsce, lecz w Afryce. Chodziło o zgodę właściciela samochodu na wywiezienie auta, bo Tunezja była wtedy krajem tranzytowym chętnie wykorzystywanym przez afrykańskich przemytników.

Sebastian przyjechał bardzo późno, już po północy, a my zmęczeni wciąż „produkowaliśmy" oficjalne pozwolenia na drukarce u kumpla i postarzaliśmy je, żeby wyglądały wiarygodnie... Polewaliśmy ten skrawek papieru kawą i deptaliśmy po nim, żeby go uwiarygodnić, oraz opracowywaliśmy stosowny podpis. Wystarczyła jednak chwila przy kaloryferze i nas „rozebrało" – zasnęliśmy w kucki. W tym stanie nakrył nas nasz koordynator Mariusz Ficoń.

– Czy to jest ten zespół, który właśnie zamierza przejechać ponad 2 tysiące kilometrów i na konkretną godzinę dojechać w oznaczone miejsce? – zerwaliśmy się na równe nogi.

Pytanie zabrzmiało śmieszne, ale nam śmiać się nie chciało. Byliśmy totalnie wypompowani, a Jarek i Sebastian musieli zaraz ruszać w drogę, żeby dojechać pod naszą granicę z Anią Francuzką, i przeprowadzić auto na czeską stronę. Tam nastąpiła zamiana – koleżanka z francuskimi papierami przesiadła się do drugiego samochodu i wróciła do Polski, a nasza ekipa pojechała dalej. Zmieniając się co godzinę, padając na nos, ubrani w 10 różnych kurtek puchowych i polary chłopacy o dziwo zdążyli do Marsylii przed wypłynięciem promu.

Ja tymczasem robiłam program na żywo w TVN-ie i zaraz po nagraniu z pozostałymi chłopakami z ekipy odlecieliśmy do Tunisu, gdzie jeszcze na lotnisku postanowiliśmy wynająć samochód. Nie wiedzieliśmy, gdzie będziemy spać i co będziemy robić. Nie wiedzieliśmy nawet, dokąd jedziemy – na nic nie było planu, choć przypomnę, że miał to być trening przed naszym startem w największym pustynnym rajdzie świata. No i w końcu nie mieliśmy też pojęcia, czy w ogóle pojedziemy, bo nie mieliśmy samochodu assistance (towarzyszącego).

Skierowaliśmy się do pierwszej z brzegu wypożyczalni samochodów. Miało być cokolwiek, byle z napędem 4x4 oraz terenowym prześwitem. Spodziewaliśmy się jakiegoś starego rzęcha, a tymczasem pan zaoferował nam całkiem nowego Nissana. Chciał 500 dolarów za tydzień. Jak na samochód w tym stanie cena była naprawdę dobra, żeby nie powiedzieć okazyjna. Karta kredytowa miała zabezpieczyć całą tę transakcję. Dwa dni później dodzwonili się do mnie z mojego banku z pytaniem, czy wydałam przed chwilą blisko tysiąc dolarów na kolację. W istocie było to dziwne pytanie, bo na pustyni tak drogich restauracji nie uświadczysz. Ale może pan z wypożyczalni po prostu lepiej znał okolicę?

Kolega Szyszko vel „Żółty" miał ze sobą nowy GPS, który gwarantował, że na miejscu się nie pogubimy. Zaczął sprawdzać ów sprzęt jeszcze na lotnisku, ale w rozgardiaszu przed startem urządzenie gdzieś posiał... No i to by było na tyle, jeśli chodzi o naszą nawigację... Zresztą nigdy nie byłam fanką nowoczesnych technologii i zawsze uważałam, że najlepiej sprawdza się zwykły kompas.

Z mapą na kolanach postanowiliśmy, że przeprawimy się przez Tunezję. Mieliśmy do zagospodarowania zaledwie kilka dni. Biorąc pod uwagę, że co niedzielę prowadziłam na żywo program w telewizji (druga seria „Big Brothera"), to raczej zauważyliby moją nieobecność... Zmarnowaliśmy już dwa dni na przelot i dyskusje nad koncepcją treningu. Mieliśmy zatem jakieś trzy dni na wszystko. Ale czy jechać na południe do El Borma, a może raczej w kierunku Douz? Wybraliśmy Douz, miejsce, gdzie ćwiczyła większość ekip przygotowujących się do Dakaru, więc my też powinniśmy.

Porte du Sahara (z francuska czytaj: port di saara), czyli prawdziwe wrota pustyni – tu zaczynała się prawdziwa Sahara. Przy kolejnych szklaneczkach okrutnie słodkiej herbaty z miętą, która miała smak pasty do zębów, debatowaliśmy, od czego zacząć. Pojedziemy tam i co dalej? Jak to w Afryce, wcześniej czy później (zwykle jednak wcześniej) znajdzie się ktoś, kto zna kogoś, który zna kogoś ważnego i chętnego do pomocy zagubionym turystom. Oczywiście za odpowiednie honorarium. Wielu chciało nas wspomóc swoim doświadczeniem, a jeden z nich opowiadał o pewnym facecie, podobno mistrzu kierownicy. Wynegocjowaliśmy więc stawkę i... następnego dnia tunezyjski mistrz stawił się o świcie, by pojechać z nami na trening.

Na początek była teoria. Kilka praktycznych rad, że jak się patrzy na wydmy, to widać, z której strony wieje wiatr – że tędy się podjeżdża, bo to nawietrzna, więc twardsza część wydmy, a tam, zaledwie parę metrów dalej, już nie da się nawet podejść na piechotę, bo zapadniemy się po pas.

Nasz „trener" chciał, żebyśmy poćwiczyli w miejscu, gdzie przebiegał odcinek Rajd Optic 2000 (nazwany tak nie bez kozery – misja humanitarna rozdawała biednym Tunezyjczykom reklamowe oprawki do okularów). Chłopaki pojechali przygotować trasę (nawiasem mówiąc, w roku 2003 tamtędy również przeszedł Dakar), a potem się zaczęło! Piach okazał się zdradliwy i bardzo trudny do przejechania. Wydmy co prawda nie były wysokie, ale *fesh fesh* pokona każdego. Co to jest? Piasek biały jak śnieg, który wielkością ziaren przypomina talk. *Fesh fesh* występuje wielkimi „plamami", które na wierzchu – od wiatru i słońca – mają twardą skorupkę. Łażenia po czymś takim nie zalecam – postawienie buta w złym miejscu sprawia, że tafla pęka, a stopy nie trafiając na żaden opór, zapadają się na kilkanaście centymetrów. I wierzcie mi – nie da się tego cholerstwa wytrzepać ani z ciuchów, ani z obuwia.

Na którymś z przejazdów (a zrobiliśmy setki kilometrów), już po zmierzchu, kolega „Żółty" został „zaatakowany" przez krzaki. Mocno poturbował samochód i próby utrzymania tempa przez zwykłego Nissana kończyły się tym, że „Żółty" kawałek po kawałku odrywał przedni zderzak, a po jakimś czasie drzwi w aucie po prostu przestały się otwierać. Efekt tych wszystkich zabiegów był taki, że Nissan nie tylko miał pogniecioną karoserię, głębokie rysy, ale brakowało mu też obydwu zderzaków. Na domiar złego mleko, które wiózł nasz kolega (cholera wie po co), rozlało się, i to w dużej ilości, po całej kabinie. Co prawda dało się je wytrzeć i jakoś ten bałagan ogarnąć, ale resztki gdzieś się powdzierały i w tym upale zaczęły fermentować. Śmierdziało tak, że chłopaki musieli jeździć z otwartymi oknami.

Samochód trzeba było jednak jakoś oddać. Tymczasem ja miałam zablokowaną kartę, bo panowie z wypożyczalni „sczyścili" mi z niej już 2 tysiące dolarów. Chciałam domagać się od nich satysfakcji, ale z drugiej strony trzeba się było zachować politycznie – wiedziałam, że zdewastowałam samochód. Resztę treningu pamiętam jak przez mgłę, bo zaprzątał mnie tylko jeden problem: co zrobić, by tego Nissana dało się jakoś bezproblemowo zwrócić. Jeździliśmy po sklepach, szukając czegoś do zamalowania rys. Tam jednak niczego takiego nie było, zawiedzeni pomalowaliśmy więc te szkaradne ślady zielonymi flamastrami. Zdenerwowani na miejsce przekazania sprzętu przyjechaliśmy już po zachodzie słońca, żeby noc zamaskowała ubytki w karoserii. A tu niespodzianka – auto odbierał zupełnie inny pan niż ten, który je nam wypożyczał. I o dziwo nie miał żadnych zastrzeżeń. Zachowywał się tak, jakby w międzyczasie ukradł z mojej karty jeszcze więcej pieniędzy, tylko mój bank mnie o tym nie zdążył poinformować.

Wylądowałam w Warszawie 25 listopada o godzinie 13. Dwie godziny później prowadziłam już na żywo „Big Brothera". Jarek i „Żółty" wsiedli do rajdówki i ruszyli w kierunku ojczyzny. Dojechali dzień później. Tyle że „Żółty" był zielony z bólu. Twardziel przejechał tysiące kilometrów bez lekarza, trapiony wyjątkowo wredną wersją zemsty faraona. Wszyscy, którzy kiedykolwiek byli w Afryce, wiedzą, o co chodzi. Piotrek był tak wykończony biegunką, że zapewne wypiłby nawet wodę z cementem, gdyby w jakiś sposób mogło mu to ulżyć w cierpieniu.

# CHRZEST BOJOWY

Niespełna dwa tygodnie później pamiętnego roku 2001 polecieliśmy z Jarkiem do Paryża, a stamtąd do Le Mans na szkolenie dla wszystkich dakarowych ekip z Pucharu Toyoty, czyli tych co to wynajęli średnio wyczynowe samochody za przystępne pieniądze... Tacy czuliśmy się dumni i ważni, jakby od tej naszej pustynnej misji miały zależeć losy całego świata.

Tymczasem mieliśmy poznać auto, nauczyć się radzić sobie z awariami i wreszcie opanować sztukę rajdowej logistyki. Podczas zajęć poinformowano nas, że będziemy mieć jeden samochód assistance (ubezpieczający) oraz jedną ciężarówkę na trasie, która posłuży do pomocy doraźnej. Dowiedziałam się też, co należy zrobić, gdy padnie elektronika i samochód zatrzyma się gdzieś w piachu. Otóż trzeba wyłączyć zapłon, odczekać chwilę i potem na nowo uruchomić kluczykiem auto.

Byłam zszokowana. Po latach spędzonych w warsztacie samochodowym swojego Taty taka odpowiedź mnie po prostu obrażała.

– A co jeśli nie poskutkuje za pierwszym czy drugim razem? – pytałam z uśmiechem, licząc na to, że wyjawią w końcu jakiś tajemniczy patent.

– Spróbować trzeci raz – padła odpowiedź.

Miałam nadzieję, że nie będę musiała sprawdzać skuteczności tej metody na elektronice własnego pojazdu.

Dopóki sobie gadaliśmy w przestronnym garażu w Le Mans, wszystko odbywało się w koleżeńskiej atmosferze i nawet śmieszyło mnie to francusko-belgijskie poczucie humoru. Potem, kiedy zaczęła się prawdziwa walka o przetrwanie, to z miłymi żabojadami skakaliśmy sobie do gardeł – ekstremalne sytuacje obnażają najgorsze cechy człowieka. Czasem takie, o których istnieniu nawet nie miał pojęcia.

# KASA STRUMIENIEM NIEPŁYNĄCA

Wiedziałam, że muszę zdobyć pieniądze od sponsorów, bo moich oszczędności wystarczyło zaledwie na wpisowe. Szczęśliwie pracowałam wtedy w TVN-ie i nowo powołany prezes Piotr Walter zadecydował, że stacja zakupi prawa do transmisji telewizyjnej Rajdu Dakar. Moim tropem mieli zostać wysłani dziennikarz i operator, którzy będą nadawać codzienne relacje z trasy, żeby widzowie mogli śledzić ten ambitny serial przed odbiornikami. Tej deklaracji bardzo potrzebowałam, bo zakładałam, że jeśli już znajdę jakichś sponsorów, to przynajmniej będę mogła ich pokazać na ekranie (a tylko wtedy sponsoring ma sens dla sponsorów). Swoją drogą czasem internauci wpisują takie komentarze:

– No jak ja bym pracował w telewizji, która by mi za wszystko płaciła, to też bym sobie tak pojechał!

Bzdura. Telewizja, radio czy redakcja gazety to nie są instytucje charytatywne. Czuję się w obowiązku, żeby przybliżyć wam termin „patronat medialny", którym to stacje czy generalnie wszystkie media często obejmują różne projekty. Idea polega na tym, że wybrane medium udostępnia swoją antenę lub strony w magazynie dla promocji danego wydarzenia i wyłącznie na tym polega jego wkład. Żeby pojechać na Saharę, nie dostałam z kasy TVN-u ani złotówki, lecz właśnie taki patronat medialny. On zaś był najważniejszym atutem w rozmowach ze sponsorami.

Na razie jednak nie miałam ani grosza. Miałam natomiast swój wymarzony projekt i mogłam nim zarządzać, jak chciałam. Potrzebowałam wsparcia. W tym celu nawiązałam współpracę z Krzysztofem J. Facet dobrze się zareklamował. Obiecywał mi złote góry i chwalił się, jak rozległe ma kontakty wśród wysoko postawionych osób. Zawsze nienagannie ubrany, mieszkał w hotelu, gdzie przyjmując gości, płacił za nas wszystkich rachunki. Sądziłam, że dobrze trafiłam.

– Ty jesteś od tego, żeby trenować, wystartować i pojechać z Jarkiem najlepiej, jak umiecie. Ja się zajmę poszukiwaniem finansów, negocjowaniem i podpisywaniem korzystnych umów – zapewniał.

Zaufałam. I choć nie wierzę w Świętego Mikołaja, wtedy sądziłam, że ktoś z zewnątrz zrobi za mnie tę cholernie niewdzięczną robotę w zamian za procent (15–20) od zgromadzonej sumy. Tymczasem finał owej współpracy miał miejsce w firmie windykacyjnej, a wcześniej złożyłam w policji doniesienie o wyłudzeniu. Mój „menedżer" nie dość, że nie zorganizował pieniędzy i nie podpisał żadnych umów, to jeszcze ukradł 10 tysięcy dolarów wpłaconych przez sponsora w ramach zaliczki. Potem Krzysztof J. przestał odbierać moje telefony i wreszcie... zniknął. Nigdy więcej już go nie spotkałam.

Byłam w opałach. Czas do startu nieubłaganie płynął. I wtedy Janusz Kulig polecił mi Mariusza Ficonia, menedżera teamu. Mogę powiedzieć, że bez Mariusza zwyczajnie nie dalibyśmy sobie rady. Mariusz przejął sprawy organizacyjne, Jarek zajął się przygotowaniami technicznymi i zakupem potrzebnego wyposażenia, a ja miałam zgromadzić aż 200 tysięcy dolarów (kurs był wyższy niż dzisiaj, więc stanowiło to około 800 tysięcy złotych). Żeby nie zamęczać tą finansową epopeją – udało mi się uskładać 178 tysięcy dolarów. Dla mnie ta kwota była zawrotna i bynajmniej nie podaję jej, żeby epatować cyframi i się chwalić, lecz pokazać, jaki był rzeczywisty potencjał całego przedsięwzięcia. Budżety zespołów ze średniej półki wynosiły bowiem wówczas około 600–700 tysięcy… ale euro. Topowych teamów? Te wydają nawet 22–23 miliony euro na cykl rajdów terenowych, których ukoronowaniem jest start w Dakarze. Obecnie występ naszego polskiego reprezentanta w Rajdzie Dakar to średnio koszt około miliona euro. A Ja i Jarek mieliśmy ułamek tego, ale i tak cieszyliśmy się jak dzieci.

## SŁOWO SIĘ RZEKŁO

*„Przed kilkunastoma minutami zakończyła się w warszawskim klubie Tam-Tam konferencja prasowa z udziałem uczestników 24. Rajdu Paryż-Dakar Martyną Wojciechowską i Jarosławem Kazberukiem. To absolutni debiutanci w tym jednym z najtrudniejszych „maratonów" pustynnych świata, którzy pojadą przez pustynie i bezdroża*

*pięciu krajów Toyotą Land Cruiser. Oprócz nich na trasie o długości 9436 km podzielonej na 14 etapów zobaczymy jeszcze jedną polską załogę: Łukasza Komornickiego i Rafała Martona w bliźniaczej Toyocie, a także motocyklistów startujących już po raz trzeci Jacka Czachora i Marka Dąbrowskiego.*

(13.12.2001, Autoklub, cycu)

Oglądając po latach nagranie z tej konferencji prasowej, widzę dość odważną panienkę, która postanowiła rzucić światu wyzwanie. Prawda zaś jest taka, że właśnie wtedy zdałam sobie sprawę, że oto rajdowa machina ruszyła i już nie da się jej zatrzymać. Do tego momentu jeszcze liczyłam na jakiś kataklizm, który sprawi, że jednak nie będę musiała mierzyć się z swoim marzeniem. Tak bowiem jesteśmy skonstruowani, że choć czegoś bardzo pragniemy, to jednak po cichu szukamy drogi, która pozwoliłaby nam uniknąć stresu. I jednak wycofać się, zachowując twarz. Przełykałam więc ślinę z nerwów, nie spałam po nocach, ale uśmiechałam się szeroko. Im bardziej kruchy lód miałam pod wilczymi łapami, tym stawałam się bardziej pewna siebie. Na zewnątrz. W środku byłam przerażoną dziewczyną, świadomą, że oto porywa się z motyką na słońce. Ta gigantyczna odpowiedzialność przed sponsorami, przyjaciółmi i bliskimi była przytłaczająca.

## TUŻ PRZED STARTEM

W wigilię Bożego Narodzenia, na dzień przed wyjazdem, wydzwaniam do Jarka co 5 minut i zasypuję go milionem pytań.

– Czy na pewno wszystko mamy? Czy jesteśmy gotowi?

W końcu „Jarko" wstał od świątecznej kolacji i przyjechał. Całą noc pakujemy więc majdan i... omal nie zaspaliśmy na samolot. Potem jeszcze ukradziony sen w kolejnych samolotach i wreszcie docieramy do Arras. Ładnie brzmi, ale tak naprawdę to typowe 40-tysięczne miasteczko na północy Francji, niedaleko granicy z Belgią. Skądinąd wiem, że tam urodził się Robespierre i że stamtąd pochodzą arrasy, które dekorują ściany Wawelu. Cóż jednak z tego – moje myśli krążą już wtedy wyłącznie wokół Dakaru.

Większość ludzi wyobraża sobie, że kierowca przychodzi na start rajdu w pięknym kolorowym kombinezonie, bierze od szefa mechaników kluczyki i siada z uśmiechem za kierownicę, żeby zająć się tym, co do niego należy – szybką jazdą. I tak to faktycznie wygląda, ale wyłącznie w najlepszych (czytaj: najbogatszych) teamach. W Dakarze niczego nie dostaliśmy od żadnego „teamu" na żadnej srebrnej, a nawet drewnianej tacy. Nie posiadamy wielkiego zaplecza, bo nas na to nie stać. Nawet kombinezon mam pożyczony, bo zorientowałam się, że nowy kosztuje kilka tysięcy złotych. Strój sprezentował mi Leszek Kuzaj, dlatego pod naszywkami naszych sponsorów były te z logo Mocne Rally. Kiedy Mariusz Ficoń i Jarek przepakowywali sprzęt, ja wraz z dziewczyną Mariusza, Anią, przyszywałyśmy je do drugiej w nocy. I takie to były luksusy.

A nasz samochód rajdowy? Też ledwo zdążył dojechać do Arras. Co więcej, wysłaliśmy do Toyota Trophy komplet naklejek oraz projekt, w jaki sposób samochód ma być oklejony logotypami. Pojawił się... granatowy, bez jednej nalepki i do tego z pustym zbiornikiem paliwa.

Resztę dnia zajmuje nam bieganie z papierami, a potem badanie techniczne. Każdy team musi przejść 24 punkty kontrolne. Niby niedużo, ale Francuzi to straszni biurokraci, uwielbiają podpisy, stempelki i w tym potrafią się zatracić niczym Paul Gauguin przy sztalugach. Tracimy więc czas na robienie zdjęć do akredytacji,

sprawdzanie wiz, odbieranie GPS-ów. Potem jeszcze szkolenie dotyczące używania tak zwanych baliz (właściwie *balise*), czyli radioboi-skrzynek bezpieczeństwa, które w razie wypadku należało odpalić, dzięki czemu będzie można zlokalizować delikwenta w przestrzeni okołoafrykańskiej (w systemie organizatora człowiek pechowiec pojawia się jako migający punkt na mapie).

Mijamy się z szefami największych teamów świata i z wiecznie naćpanym... Johnnym Hallydayem. Francuski piosenkarz, który sprzedał coś koło 100 milionów płyt, jak się okazało, także zapragnął wystartować w rajdzie. Po co? Może dla przyjemności, a może chciał się nieco podpromować? Grunt, że za piosenkarzem, który wyglądał na właśnie trzeźwiejącego, biegał tłum podnieconych fotoreporterów.

Dotarło do mnie, że jestem tu nikim, nie jakąś tam „panią z telewizji", tylko jednym z maleńkich trybów. Do tego doszła bariera językowa. Łamiąc język i profanując francuską gramatykę na każdy możliwy sposób, jakoś udaje nam się dobrnąć do oficjalnego końca badań technicznych. Kiedy mechanicy podnoszą co chwila maskę, przepychają samochód z miejsca na miejsce, z Jarkiem biegamy dookoła, starając się przykleić te cholerne nalepki z logotypami sponsorów. Mamy świadomość, że ktoś nam zawierzył, więc musimy się postarać wypełnić nasze zobowiązania. Samochód zostaje zapieczętowany w parku maszyn – miałam go zobaczyć dopiero następnego dnia, przed samym startem. Zmęczeni idziemy spać.

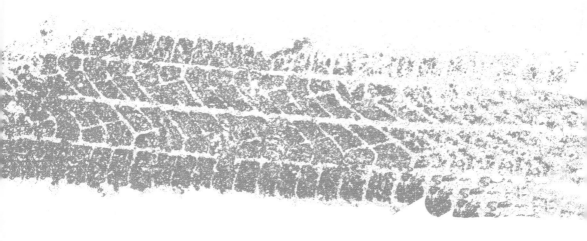

Naszą rajdówkę
oklejaliśmy dosłownie
w ostatniej chwili

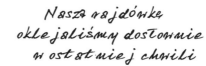

# TROCHĘ HISTORII

Wszyscy powtarzają, że najsłynniejszy terenowy maraton świata wymyślił Thierry Sabine. Ale Dakar wcale nie był pierwszy! Na przełomie lat 1975 i 1976, a więc na trzy lata przed startem Rajdu Dakar, monsieur Jean-Claude Bertrand z Wybrzeża Kości Słoniowej wraz z podobnymi mu postkolonialnymi awanturnikami ruszył przez Saharę. Do historii tamten rajd przeszedł jako Abidjan-Nice Rallye, ale poprawnie nazywał się Côte-Côte, bo jego trasę poprowadzono z Wybrzeża Kości Słoniowej (Côte d'Ivore) na Wybrzeże Lazurowe (Côte d'Azur). Na imprezie panował bałagan, nie było mowy o zabezpie-czeniu trasy, zginęło wtedy nawet dwóch zawodników – taką informację wyszperałam na jakimś forum fanatyków 4x4 znad Sekwany. To jednak wystarczyło, żeby do Afryki przyciągnąć poszukiwaczy przygód, w tym Thierry'ego Sabine'a, który wyruszył na motocyklu w pustynię pustyń, czyli Tenere, na pograniczu Nigru i Czadu. I jak w nią wjechał, tak... zaginął. Dzięki pomocy miejscowej ludności Sabine przeżył i to właśnie wtedy Francuz postanowił stworzyć własny rajd. Ba, lepszy, bo jeszcze bardziej wycieńczający dla ludzi i sprzętu, ekstremalny do bólu.

*Thierry Sabine*

- 10 tys. km (3168 km OS-ów)
- 182 zawodników (w tym 7 kobiet!) i 20 dziennikarzy
- Triumfuje Cyril Neveu na Yamasze (jedna klasyfikacja dla wszystkich)
- Pierwsza ofiara: Patrick Dodin ginie na motocyklu

- Pierwszy start Jacky Ickxa, wielokrotnego zwycięzcy 24 h Le Mans
- Wygrywa Rene Metge (samochody) i Cyril Neveu (Yamaha XT500)

- Trasę Dakaru wydłużono do 14 tys. km

## 1979
**PARYŻ–DAKAR**

## 1981
**PARYŻ–ALGIER–DAKAR**

## 1985
**PARYŻ–ALGIER–DAKAR**

No to w drogę

## 1980
**PARYŻ–ALGIER–DAKAR**

## 1983
**PARYŻ–ALGIER–DAKAR**

## 1986
**PARYŻ–ALGIER–DAKAR**

- Oddzielna klasyfikacja trucków
- Neveu wygrywa po raz drugi. Wśród aut najlepsi są Kottulinsky z Löffelmanem

- 12 tys. km, 3 zespoły fabryczne, 385 zawodników
- Dakar przegrywa z naturą – rajd rozprasza burza piaskowa
- Wygrywa Jacky Ickx (Mercedes) i Hubert Auriol (z ręką w gipsie)

- Rajd w żałobie. W katastrofie śmigłowca w Mali ginie 38-letni Thierry Sabine
- Dakar nie zostaje odwołany. Trzeci raz wygrywa Metge

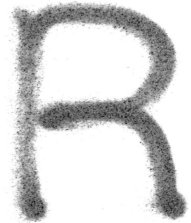

Pierwsza edycja rajdu wystartowała 26 grudnia 1978 r. z Paryża i zakończyła się 14 stycznia 1979 r. w Dakarze. W rajdzie wzięło udział 90 motocykli, 80 samochodów i 14 ciężarówek, a całkowita długość trasy wynosiła 10 tys. km. Przez kolejne 30 lat niewiele się zmieniało. Rajd najczęściej zaczynał się w Paryżu (stąd jego tradycyjna nazwa), choć potem przenoszono go w różne miejsca (kawalkada ruszała również z Marsylii, Granady, Barcelony, Lizbony itd). Wiele razy Dakar finiszował tam, gdzie powinien – w Senegalu, ale czasem trasę wytyczano też przez inne rejony Afryki – od Libii przez Egipt, raz meta była w RPA. Generalnie zawsze jednak była to przeprawa przez Czarny Ląd, aż do pamiętnego roku 2008, kiedy z oba-

-wy przed terrorystami organizatorzy odwołali imprezę, a potem przenieśli ją do bezpiecznej Ameryki Południowej.

Na początku Rajd Dakar organizował Thierry Sabine, ale kiedy w 1986 roku zginął w katastrofie śmigłowca, jego dzieło kontynuował najpierw ojciec, a później formalne prawa do imprezy odkupiła firma ASO (Amaury Sport Organisation), która oprócz Dakaru zajmuje się logistyką 50 imprez sportowych – od wyścigów kolarskich najwyższego stopnia trudności (Tour de France, Paris-Roubaix), przez golfa i maratony dla biegaczy, po *les sports mecaniques* („sporty mechaniczne" reprezentuje w tej kategorii właśnie Dakar oraz Silk Rally).

a starcie pierwsi Polacy (Jelcz)
39 uczestników na trasie!
ebiut teamu Peugeota i Ari Vatanena,
tóry wygrywa „generalkę"
ąte zwycięstwo Cyrila Neveu
kategorii motocykli

· Zakaz startu ciężarówek!
· Peugeot i Yamaha używają
  systemów nawigacyjnych
· Drugie zwycięstwo Vatanena
  (Peugeot 405 T16)

· Czwarte zwycięstwo
  Ari Vatanena (tym razem Citroën)
· Stéphane Peterhansel pierwszy
  raz wygrywa na motocyklu

## 1987
### PARYŻ–ALGIER–DAKAR

## 1989
### PARYŻ–TUNIS–DAKAR

## 1991
### PARYŻ–TRYPOLIS–DAKAR

## 1988
### PARYŻ–ALGIER–DAKAR

## 1990
### PARYŻ–TRYPOLIS–DAKAR

· Na starcie dwa Jelcze S 442
  i dwa Stary 266

· Debiut teamu Kamaz
· Trzecie zwycięstwo Vatanena
  (Peugeot 405 T16)
· Start (nieudany) Andrzeja Kopera

## WSZYSTKIM, BYLE DO CELU

Historia rajdu to również wehikuły, które w nim startowały. Były i takie całkiem proste, ale trafiło się też sporo tzw. wydumek (eksperymentów własnych), które budowano z nadzieją, że okażą się lepsze od innych. Na przykład bracia Claude (włochaty i brodaty) oraz Bernard (łysy i brodaty), którzy w podróż przez Afrykę wybrali się... 140-konnym Renault 4L! Braciszkowie byli nazywani „lisami pustyni", bo na jeżdżeniu po piachu znali się jak mało kto. Na piasku sprawdzono możliwości Opla Manty, motocykli z koszem, trójkołowców, skuterów Vespa, buggy przerobionego z limuzyny Citroën CX (z silnikiem diesla zamontowanym centralnie) oraz Windhounda – prototypu ze studia ekscentrycznego projektanta aut Franco Sbarro. Generalnie na piach szukano różnych „patentów".

## GWIAZDY MILE WIDZIANE

Celebryci, choć bez pustynnego doświadczenia, pojawiali się na Dakarze, bo oczywiście przyciągali sponsorów i media. W rajdzie brał więc udział i kosmonauta Jean-Loup Chrétien, i piosenkarz Michel Sardou, a także kierowcy wyścigowi (np. Jacky Ickx i Henri Pescarolo), lekkoatletka Sophie Telliez (ośmiokrotna mistrzyni Francji, finalistka na olimpiadzie w Meksyku), książę Albert Grimaldi wraz z siostrą Caroline Casiraghi. Czasem bywało dramatycznie – syn brytyjskiej premier Margaret Thatcher, Mark, niestety zaginął podczas imprezy 1982 r., ale po sześciu dniach poszukiwań odnaleziono go, zanim spowodowało to wielki międzynarodowy i polityczny konflikt (co podejrzewano na początku). Moim faworytem jest jednak Winfried Philippe Adalbert Karl Graf Kottulinsky Freiherr von Kottulin: hrabia na 200 procent! W dodatku urodzony w Monachium, ale z korzeniami na Górnym Śląsku...

## POLACY W DAKARZE

Po raz pierwszy Polacy pojawili się na Dakarze w końcu lat 80., kiedy na pustynię wyjechały Jelcze i Stary. Prócz Jacka Czachora, Marka Dąbrowskiego, Łukasza Komornickiego, Rafała Martona do rywalizacji z pustynią brali się Andrzej Dziurka z Maciejem Stańco (35. miejsce w „generalce" w roku 2001), Andrzej Koper (w roku 1990 pilotował jugosłowiańskiego kierowcę Tihomira Filipovicia, który rywalizował w Land Roverze Defenderze; wykluczeni z rajdu za ominięcie jednego z punktów kontrolnych), Grzesiek Baran, Jakub Przygoński, Łukasz Kędzierski, Rafał Sonik, Wojtek Rencz, Jerzy Mazur z gadatliwym Julkiem Obrockim, Robert i Ernest Góreccy (tata i syn), Albert Gryszczuk. Wszystkich nie wymienię, ale warto

---

- Meta poza stolicą Senegalu
- GPS dozwolony!

## 1992
### PARYŻ–SIRTE–KAPSZTAD

- Pierwszy start nie z Paryża!
- Najstarszy czynny uczestnik Dakaru ma 81 lat

## 1995
### GRANADA–DAKAR

- Pierwszy wygrany etap Jutty Kleinschmidt.
- Kenjiro Shinozuka pierwszym Japończykiem na najwyższym podium

## 1997
### DAKAR–DAKAR

---

## 1994
### PARYŻ–DAKAR–PARYŻ

- Od tej pory organizacją zajmuje się ASO.
- Nietypowa trasa – pętla ze startem i metą w Paryżu
- Pierwszy triumf Pierre Lartigue'a (Citroën ZX)

## 1996
### GRANADA–DAKAR

- Po raz trzeci wygrywa Lartigue
- Pierwszy raz wygrywa Kamaz
- Wypadek ciężarówki Citroëna – Laurent Gueguen ginie na minie

## 1998
### PARYŻ–GRANADA–DAKAR

- Dwudziesta edycja!

zachować w pamięci, że aż 30 biało-czerwonych chciało spróbować smaku Dakar Rally. Kto odniósł największe sukcesy? Najpierw muszę wymienić motocyklistów z Orlen Teamu – Czachora, Dąbrowskiego i Przygońskiego. Ci mają wyrobioną markę i jeżdżą w czołówce (najlepszy wynik Dąbrowskiego to 9. pozycja w Dakarze 2003, Czachor był 10. w „generalce" w roku 2004, a Przygoński ze swoją 11. pozycją – w roku 2009 – zasłużył na tytuł najlepszego debiutanta). Tak w telegraficznym skrócie wypisałam ich wyniki, ale mam niedosyt. Bo oni na tych swoich motorach są klasą samą dla siebie: Czachor w cross country wyjeździł dwa tytuły mistrza świata w klasie 450 cm$^3$, a mój uśmiechnięty „Dąbrol" Dąbrowski też był numerem jeden w klasyfikacji 450 Rally Production. Sonik na quadzie też jest niezły – przed dwoma laty (2009) był 3. wśród czterokołowców. Samochody? O ile w roku 2004 Łukasz Komornicki dojechał na 14. pozycji w „generalce", więc dla nikogo z czołówki zagrożeniem raczej nie był (choć Jean-Louis Schlesser twierdzi, że „Komorniak" jeździ szybciej od niego samego), o tyle z Krzysztofem Hołowczycem jest chyba inaczej. Pomijam wyniki „Hołka" z Pucharu Świata i wygraną w Silk Rally 2011. Ale tego ubiegłorocznego 5. miejsca, a więc już tylko ciut, ciut od pudła, Francuzi mu na pewno nie zapomną.

*Jutta Kleinschmidt*

## KTO W DAKARZE BYŁ NAJLEPSZY Z NAJLEPSZYCH?

Biorąc pod uwagę ogólną liczbę zwycięstw w jednej kategorii, gwiazdorem tej imprezy był Fin Ari Vatanen (cztery razy na najwyższym podium). Trzy razy wygrywali również Pierre Lartigue (Citroën ZX), Rene Metge (Range Rover i Porsche) oraz Stephane Peterhansel (Mitsubishi Pajero, ostatnio BMW), ale jeśli doliczyć starty tego ostatniego we wszystkich kategoriach i aż sześć triumfów na motocyklu, to właśnie on nie ma sobie równych.

- Przesiadka Stéphane'a Peterhansela do samochodu (dotąd sześć razy zwyciężył na motocyklu)
- Po 11 startach Jean-Louis Schlesser wygrywa „generalkę"

## 1999
### TOTAL–GRANADA–DAKAR

- Wygrywają Jutta Kleinschmidt i Fabrizio Meoni (na motorze)

## 2001
### PARYŻ–DAKAR

- Dwudziesty piąty Dakar, 8552 km
- Volkswagen wraca do gry
- Poważny wypadek Kenjiro Shinozuki
- Luc Alphand (BMW) wygrywa pierwszy pustynny etap
- Cztery Mitsubishi na czterech najlepszych pozycjach w „generalce"

## 2003
### MARSYLIA–SHARM EL SHEIKH

## 2000
### TOTAL–DAKAR–KAIR

- Nowa trasa z Senegalu do Egiptu
- Na starcie debiutanci z Orlen Team – Jacek Czachor i Marek Dąbrowski (kończą na 46. i 52. pozycji) oraz Piotr Więckowski i Dariusz Piątek
- Schlesser zwycięża po raz drugi i (jak dotąd) ostatni

## 2002
### ARRAS–MADRYT–DAKAR

- Do Afryki jedzie VIP VIP-ów: Johnny Hallyday, gwiazdor francuskiej muzyki pop
- Kończymy na 44. miejscu, a Czachor i Dąbrowski na 20. i 21. pozycji wśród motocykli. Do celu nie dociera Łukasz Komornicki

## NAJBARDZIEJ FRANCUSKI

Chociaż Dakar odbywa się teraz daleko od Francji i jej dawnych kolonialnych dominiów, rajd jest francuski na wskroś. Przekonują o tym statystyki – w Dakarze w najczęściej oglądanej kategorii aut aż 17 razy wygrywali kierowcy z Francji. Na drugim miejscu uplasowali się Finowie (pięć zwycięstw), a dalej Japończycy (trzy razy na podium) i Niemcy (dwa pierwsze miejsca). Pojedyncze wygrane przypadły obywatelom RPA, Belgii oraz Kataru.

## W CIĘŻARÓWKACH NAJCZĘŚCIEJ WYGRYWALI...

Rosjanie, Czesi i Francuzi (odpowiednio osiem i sześć razy). W kategorii trucków liderami statystyk są Władymir Czagin z Kamaza i Karel Loprais z Tatry, którzy na najwyższym stopniu podium stawali – też odpowiednio – siedem i sześć razy. Za nim uplasował się Siergiej Sawostin z Kamaza (pięć zwycięstw).

## NAJLEPSZYM PUSTYNNYM JEDNOŚLADEM JEST...

KTM. Jednoślady tej austriackiej marki wygrywały w kategorii motocykli aż 10 razy, wyprzedzając drugą w rankingu Yamahę (dziewięć triumfów) i BMW (sześć razy na najwyższym podium).

## NAJBARDZIEJ... AWANTURNICZY

Rok 1979. Philippe Hay, 39-letni poszukiwacz przygód, wystartował zabytkowym Renault KZ11CV. Takim samym autem w roku 1927 komandor Etienne przejechał z Oranu do Kapsztadu (18 tys. km w 36 dni).

## NAJ... EKO

W roku 2007 Christian Dequidt rywalizował motocyklem napędzanym alkoholem z buraków (bioetanolem), żeby w ten sposób przekonać francuskich urzędników do zalet nowego paliwa. Dequidt miał w tym partykularny interes – jest francuskim farmerem i sam siebie nazywa „motocyklistą wieśniakiem".

## NAJDZIWNIEJSZY

W roku 1980 Thierry de Montcorgé wystartował... Rolls-Royce'em za pieniądze kosmetycznego giganta Christiana Diora. Budowa prototypowego wehikułu trwała 2000 godzin, samochód otrzymał napęd na wszystkie koła, nowe zawieszenie, przeniesiono też jego silnik i odchudzono całą konstrukcję. Cztery lata po debiucie „Jules 1" Francuz pokazał jego następcę. Auto miało silnik Royce'a, trzy osie i aż sześć kół. Wehikuł nazwano „pustynną formułą 1".

*Rolls-Royce*

*Colin McRae*

- Rekord frekwencji – 688 zawodników
- Obowiązkowa kontrola prędkości GPS
- Zakaz stosowania centralnego systemu pompowania opon
- Ginie Fabrizio Meoni
- Hołowczyc jest 60.

## 2005
### BARCELONA–DAKAR

- Albert Gryszczuk i Jarek Kazberuk kończą na 95. pozycji. Czachor jest 10., a Dąbrowski – 24.

## 2007
### LIZBONA–DAKAR

## 2004
### CLERMONT FERRAND–DAKAR (OFICJALNIE REGION D'AUVERGNE–DAKAR)

- 595 uczestników, 9,5 tys. km
- Na starcie m.in. Colin McRae
- Yamaha wystawia motocykl, który ma napędzane obydwa koła (David Fretigne)
- Wygrywają Peterhansel, Roma i Czagin
- Łukasz Komornicki dojeżdża na 14. miejscu w klasyfikacji generalnej Jacek Czachor jest 10., a Łukasz Kędzierski – 38!
- Grzegorz Baran i Bernard Malferiol zajmują 28. miejsce w kategorii truck

## 2006
### LIZBONA–DAKAR

- Wprowadzenie limitu prędkości dla ciężarówek i motocykli (max. 150 km/h)
- Pierwszy start Carlosa Sainza
- Numerem jeden Luc Alphand na Mitsubi i Czagin na Kamazie

## NAJBARDZIEJ... PRZYPADKOWY

Na pewno tak można zakwalifikować wyczyn Freddy'ego Kottulinsky'ego, który w roku 1980 wygrał rajd w kategorii aut. W drugiej edycji Dakaru niemiecko-szwedzki kierowca jechał VW Iltisem, który wyglądał jak auto dla wojska, ale jego układ przeniesienia napędu pochodził z... Audi Quattro. Herr Freddy pojechał na siłę i bez żadnego przygotowania, zaś wygrał tylko dlatego, że do samochodu zabrał dużo części zamiennych. W ten sposób VW można było naprawiać bez czekania na serwis...

## NAJSZYBSZY

220 km/h. Z taką prędkością poruszał się prawdopodobnie najszybszy dakarowy samochód: sześciokołowy Mercedes 190 zaprojektowany przez Christiana de Leotarda. Za jego kierownicą rywalizował Jean-Pierre Jaussaud, dwukrotny zwycięzca 24 h Le Mans.

## DLA NAJBARDZIEJ... WYSPORTOWANYCH

Żeby ścigać się eksperymentalnym buggy konstrukcji Philippe Gache'a, trzeba mieć żelazne zdrowie. Auto, które zadebiutowało w roku 2007, w sensie konstrukcyjnym łączyło samochód z quadem i motocyklem: częściowo otwarte nadwozie, napęd na tył, silnik Porsche i tylko... jedno miejsce siedzące. Dla kierowcy-pilota – trzy w jednym. Żeglarz Phillip Monnet, który rywalizował tym autem, Dakaru 2007 jednak nie skończył.

## NAJGORZEJ WSPOMINANY

W roku 1988 1000-konny DAF-a Turbotwin X2 wydachował przy prędkości 180 km/h. Szalona ciężarówka z dwoma turbosprężarkami jeździła tak szybko jak topowe auta rajdowe! Na miejscu zginął pilot Kees van Loevezijn, co sprawiło, że DAF wycofał się z Dakaru.

### Największa tajemnica

W roku 1988 faworytem i liderem rajdu był Ari Vatanen. Kłopot w tym, że w Bamako (stolicy Mali) jego samochód skradziono w tajemniczych i niewyjaśnionych do dziś okolicznościach. Wprawdzie Peugeot 405 Turbo 16 w końcu się odnalazł, ale za późno, żeby Ari mógł włączyć się do walki. Na szczęście (dla Peugeota) klasyfikację generalną Dakaru 1988 wygrał drugi kierowca teamu spod znaku lwa, Fin Juha Kankkunen.

• Carlos Sainz wygrywa Dakar!

• Rajd odwołany z powodu zagrożenia atakiem terrorystów

# 2008
## LIZBONA–DAKAR

# 2010
## ARGENTYNA–CHILE

*imiel de Villiers*

# 2009
## ARGENTYNA–CHILE
• Dakar w Ameryce Południowej (9,5 tys. km, 530 zawodników)!
• Wygrywa Giniel de Villiers (VW)
• Debiutant Kuba Przygoński kończy rywalizację motocykli na 11. miejscu, a Rafał Sonik na quadzie jest trzeci

# 2011
## ARGENTYNA–CHILE
• Wygrywa Nasser Al-Attiyah i to trzecie z rzędu zwycięstwo Niemców z VW
• Hołowczyc na 5. miejscu
• Kamaz (za kierownicą Sawostin) wygrywa po raz 10. w historii!

# PRZEZ SAHARĘ

Po taki medal
każdy z uczestników Dakaru
jest gotów jechać
10 tysięcy kilometrów

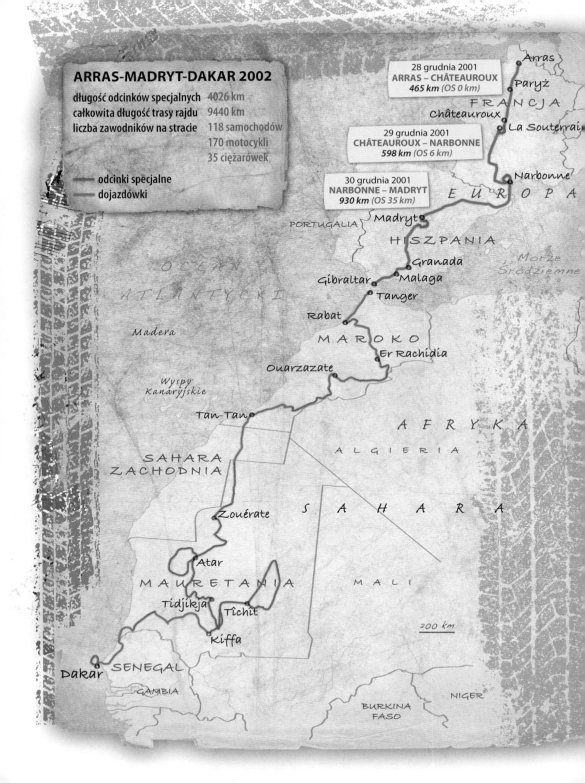

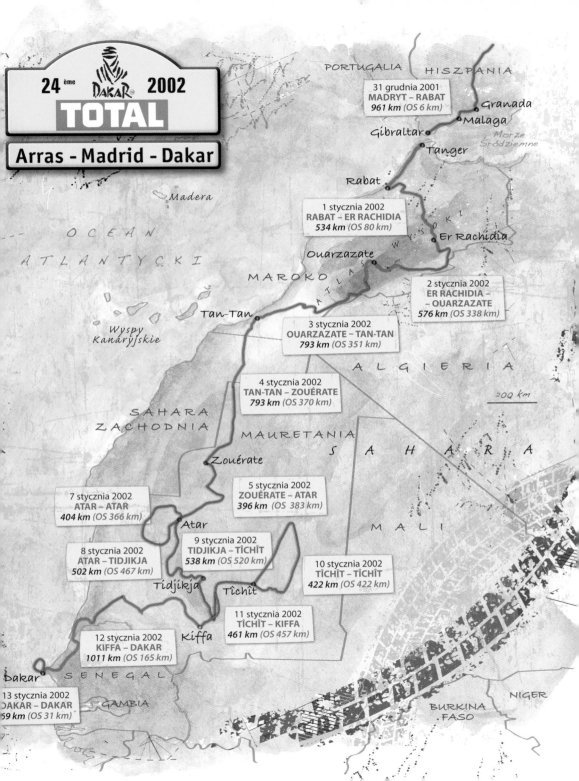

# 1. DZIEŃ - 28.12.2001
## ARRAS - CHÂTEAUROUX (FRANCJA)
## TOTAL 465 KM

dojazdówka 465 km

## WIELKĄ PRZYGODĘ CZAS ZACZĄĆ

Wciąż nie mogę uwierzyć, że to wszystko dzieje się naprawdę. Ale łuna nad zabytkowym Place des Héros w Arras utworzona przez tysiące rozświetlonych latarni, światła samochodów rajdowych i wozów transmisyjnych ekip telewizyjnych z całego świata dowodzi, że to jednak nie jest sen.

Plac Bohaterów – organizator rajdu zadbał o oprawę w najdrobniejszych szczegółach. Nawet miejsce startu ma patetyczną nazwę. Rozmach i atmosfera jak na festiwalu w Cannes, tylko że tam jest znacznie cieplej, my jesteśmy na północy Francji i grudniowy mróz szczypie mnie w policzki. Ale kto by o to dbał w takiej chwili? W takim momencie nie czuje się ani głodu, ani chłodu, a wyłącznie ekscytację. Na honorowej rampie w błysku fleszy prezentują się kolejni uczestnicy. Około godziny 20.00 pierwsi startują motocykliści, potem zwycięzcy Dakaru z lat ubiegłych. My mamy odległy numer 300 – oby przyniósł nam szczęście. Chyba połowa Francji przyjechała nas pożegnać niczym rycerzy wyruszających na krucjatę. Pewnie po cichu ci wszyscy ludzie zastanawiają się, ilu z nas wróci z tarczą, a ilu na tarczy.

– Otwórz tylną klapę – słyszę głos naszego technika. Facet sprowadza mnie na ziemię. Niezapomniany moment, wielka feta, jedyna taka okazja, a tu... trzeba jeszcze zainstalować kamerę, którą mamy nagrywać to, co się będzie działo podczas rajdu w naszej kabinie. Dlaczego nie można było zrobić tego wcześniej? Proste – bo WSZYSTKO ZAWSZE JEST ROBIONE W OSTATNIEJ CHWILI. Mam ochotę udusić tego gościa, który miota się właśnie na moim fotelu, próbując zapanować nad plątaniną kabli, ale szybko strofuję się w myślach.

– Nie pozwól popsuć sobie tej chwili. Chłoń atmosferę, żebyś miała potem o czym opowiadać wnukom.

Patrzę na Jarka – ubrany w szarosrebrny kombinezon prezentuje się doskonale. Jego nigdy nic nie irytuje, a przynajmniej takie sprawia wrażenie. Zawsze się uśmiecha, zawsze ma dobry humor i dla niego szklanka jest zawsze do połowy pełna – taki typ. Tyle już o Nim wiem po tych trzech latach przyjaźni.

Więc ja też się uśmiecham. To czego nie zrobiłam przed rajdem, nie ma już znaczenia, bo i tak jest za późno, żeby to naprawić lub zmienić.

Około północy wreszcie wjeżdżamy na rampę. Co za ironia! W tym czasie pierwsze załogi dojeżdżają już pewnie do mety tego etapu, Châteauroux w centralnej Francji, miasta, gdzie urodził się Gérard Depardieu.

– Martina! Martina! – ktoś skanduje moje imię.

Albo któryś z kibiców przeczytał je na błotniku rajdówki. Albo są tu jacyś Polacy i naprawdę trzymają za nas kciuki?

– Martina Wojcieszkowa et Jarek Kazberuk – duka pan konferansjer.

Wychodzimy z auta, żeby się ukłonić. Oboje tacy jeszcze niezmęczeni, pełni zapału. Uff… Ktoś klepie mnie w ramię. Odbieram ten gest jak kopnięcie w tyłek przed najważniejszym egzaminem w sesji. Powodzenie bardzo się nam przyda.

– No to się zaczęło – mówi Jarek już w samochodzie. I natychmiast zabiera się do roboty. Rozkłada mapę i roadbook, czyli opis trasy przełożony na pismo obrazkowe, próbuje ustalić, którędy jechać.

Ale szpaler ludzi jest tak gęsty, że nie muszę pytać o drogę. Tłum towarzyszy nam przez najbliższe 100 kilometrów. Każdy chce podać nam rękę albo chociaż dotknąć auta. Niektórzy mają dla nas pakunki z ciastem, kanapkami albo wciskają nam plastikowe kubki z napojami. Jestem wzruszona. Oni przecież tak marzną dla nas! Trzeba przyznać, że motosport potrafi wzbudzać nieprawdopodobne emocje. Na wyścigi samochodowe przychodzą tłumy, Indianapolis 500 w Stanach gromadzi nawet 300 tysięcy widzów, którzy chcą na żywo zobaczyć swoich ulubieńców. Atmosfera jest karnawałowa, a zwycięzca zamiast szampana dostaje butelkę mleka. Dakar to porównywalna fiesta i wielkie święto dla kibiców.

– Cholera, nie działa – Jarek wali w minifarelkę zainstalowaną na desce rozdzielczej.

Szyby samochodu są cały czas zaparowane, bo za oknem temperatura oscyluje wokół zera, a my nie mamy żadnego ogrzewania. Nawiewy zostały zdemontowane, żeby zwiększyć moc samochodu i pozbyć się niepotrzebnej elektryki. Niepotrzebnej?! Jeden ze znawców survivalu powiedział, że mając do wyboru minus 40 i plus 40 stopni Celsjusza, woli to pierwsze, bo zawsze można założyć na siebie jakieś ekstraciuszki. Tylko że ja spakowałam absolutne minimum – mam wyłącznie koszulki z krótkim rękawem, dwie pary przewiewnych spodni już na saharyjskie upały i kombinezon rajdowy, w którym teraz dygoczę z zimna. Cały mój bagaż na dwa tygodnie mieści się w jednej niewielkiej torbie. I kiedy zęby szczękają mi z zimna, jedyne co mnie rozgrzewa, to myśl o piekarniku, w którym znajdziemy się już za kilka dni…

Tymczasem nie dość, że jest środek nocy, to jeszcze pada i deszcz, i śnieg. Trudno sobie wyobrazić bardziej parszywą pogodę. Całe szczęście, że organizator na ten dzień łaskawie nie zaplanował rozegrania żadnego odcinka specjalnego, czyli jazdy na czas. Dzięki czemu nie musimy się spinać – mamy szansę oswoić się z samochodem i sobą nawzajem. 465 kilometrów, tyle bowiem dokładnie wynosi pierwszy etap. Pokonujemy go w ciągu… Pewnie ciekawią was szczegóły? Tyle że ja nic nie pamiętam – wszystko zlało mi się w jakiś kolorowy pokaz slajdów puszczony na przyspieszonym podglądzie. Gdzieś dojeżdżamy… Chyba witają nas tam z pompą, jest już prawie ranek… Zasypiam wykończona w jakimś podrzędnym hotelu wynajętym przez organizatora i tylko pod powiekami mam obraz Jarka, który mówi do mnie:

– Marysia, ale na pewno nas obudzisz?

Obudzę. Zawsze wstaję na czas. Przecież jeszcze nigdy w życiu nie zaspałam. Chwilę później dzwoni budzik.

## 2. DZIEŃ – 29.12.2001
### CHÂTEAUROUX – NARBONNE (FRANCJA):
# TOTAL 598 KM

dojazdówka 82 km ❯ OS 6 km ❯ dojazdówka 510 km

## ALE WSTYD!

Na pierwszym naszym odcinku specjalnym na Rajdzie Rajdów wypadamy jak ostatnie sieroty! Jakieś okoliczności łagodzące? No, może jedna – nigdy wcześniej żaden OS na Dakarze nie odbywał się w tak głębokim błocie. Nikt nie był przygotowany na takie warunki, nikt nie ma opon na taką nawierzchnię, a my dodatkowo napompowaliśmy koła na maksa, więc teraz jeździmy na nich jak na łyżwach. Każdy poślizg, który tak bardzo lubią kibice, to strata czasu. W kamerze i na zdjęciach wygląda to malowniczo, ale ja jestem załamana, że nie mogę się utrzymać na trasie.

Samochody utykają po osie w brunatnej mazi, motocykliści się przewracają, dobrze że nie wpuścili tu ciężarówek, bo dopiero byłby pogrom… Popełniam błąd i zmieniam bieg w złym miejscu – nagle tracę siłę rozpędu i topimy się w totalnej brei.

– Jak mogłaś teraz wrzucić trójkę? – Jarek robi mi wyrzut.

Zupełnie jakbym sama nie wiedziała, że to spieprzyłam. Żeby się z tego bagna wydostać, trzeba otworzyć drzwi i wyjść. Zapadam się w błoto po kolana... W okamgnieniu nasze piękne zamszowe buciki i te błyszczące srebrne kombinezony zamieniają się w ciuchy kloszardów. Wstyd mi, że zakopałam auto w tak głupim miejscu, szczególnie że o ile polscy kierowcy rajdowi mogą nie wiedzieć, jak jeździć po piasku, o tyle jazdę po błocie mamy raczej opanowaną – takie są zwykle nasz drogi do off-roadu. Oceniam się surowo. Nie chcę tak nawalać. Co ja powiem tym wszystkim ludziom, którzy mi zaufali?

*Na drugim etapie, po 82 kilometrach dojazdówki, rozegrany został pierwszy, 6-kilometrowy OS. Było dużo zmarzniętego błota, więc większość zawodników pretendujących do podium w Dakarze pojechało ten etap ulgowo, wiedząc, że prawdziwy rajd rozpocznie się dopiero za kilka dni na terenach Maroka. Nikt nie chciał ryzykować kraksy na krótkim, lecz bardzo trudnym OS-ie.*

*Jutta Kleinschmidt była ósma, a Jean-Luis Schlesser, którego buggy źle zachowywało się na oblodzonym błocie, sklasyfikowany został pod koniec szóstej dziesiątki. Zwyciężył Hiszpan Gil Fernando na Seacie. Polskie załogi na dalszych miejscach.*

(materiały prasowe)

„Polskie załogi na dalszych miejscach" – cóż za eufemizm! Ale doprawdy wdzięczna jestem autorowi tej relacji, że nie był przy jej pisaniu specjalnie skrupulatny. Zajmujemy bowiem... 96. miejsce ze stratą 8 minut i 16 sekund do lidera.

Ubłoconym samochodem wyjeżdżamy na dojazdówkę i od razu utykamy w gigantycznym korku. Podczas wytyczania trasy organizator najwyraźniej nie przewidział, że pół Europy zaczyna się w tym terminie przemieszczać na sylwestra. A na drogach dojazdowych obowiązują nas takie same zasady jak wszystkich innych uczestników ruchu. I jak ktoś jedzie „na spóźnieniu" i łamie przepisy... no cóż, wtedy nawet mistrz może dostać mandat (jak Krzysztof Hołowczyc, który przez dyskusje z policją stracił szansę na dobrą lokatę w Rajdzie Wielkiej Brytanii w 1996 roku).

Co prawda nie ścigamy się na dojazdówkach, ale wypadnięcie poza limit czasu wiąże się z karą nakładaną na załogę. Gnamy więc teraz na złamanie karku i choć nie jest to żaden specjalny powód do chwały – jedziemy po chodnikach, po pasach zieleni… Oczywiście za polskim, aczkolwiek niechlubnym (ale co było robić?) przykładem idą inni i już po chwili sznureczek aut przemieszcza się pod prąd. I tak oto zaczynamy być rozpoznawalni na tej imprezie.

Po pierwsze jesteśmy z Polski, a więc z kraju, gdzie białe niedźwiedzie biegają po ulicach i zjadają osłupiałych cudzoziemców, samochód na parkingu nie postoi dłużej niż 5 minut (bo go ukradną), wszędzie jest pełno furmanek oraz dzielnych pijaków, którzy upojeni alkoholem zatrzymują pociąg ręką – Francuzi niestety tak właśnie o nas myślą. A po drugie – jesteśmy teamem mieszanym, a w rywalizacji bierze udział niewiele zespołów damsko-męskich. Siłą rzeczy od początku rzucamy się w oczy...

Wieczorem na spokojnie, po raz kolejny przeżywam porażkę. Pocieszam się, że bardziej doświadczeni koledzy – motocykliści z teamu Orlenu – też wypadli kiepsko – Jacek Czachor zajął 67. miejsce, Marek Dąbrowski 76. Ale chłopaki nie wyglądają na zmartwionych, śmieją się i tylko cały czas powtarzają:

– Ej, to w ogóle nie jest ściganie i ten cyrk w Europie nie ma nic wspólnego z PRAWDZIWYM Dakarem.

Tak, tak, wszyscy straszą mnie tą Afryką. Może i rzeczywiście tam czeka mnie prawdziwa szkoła przetrwania, ale jestem TU i TERAZ. A teraz mam „8 minut 16 sekund straty do lidera". I jestem rozczarowana. I mam gdzieś, że za kilka dni będę się z tego śmiała.

## DZIEŃ Z ŻYCIA RAJDOWCA

Każdy Dakar jest podzielony na etapy, a na tych dodatkowo są odcinki specjalne (OS-y), czyli fragmenty trasy, na których załogi ścigają się na czas (zaznaczone są na mapie zwykle na czerwono). Drogi prowadzące ze startu do odcinka, a potem z jego mety do końcówki całego etapu to dojazdówki. Na nich nie mierzy się czasu, ale jednocześnie organizator wyznacza określony limit czasu na ich przejechanie. Jeśli ktoś się w nim nie zmieści, dostaje karę czasową doliczaną do całkowitego czasu załogi.

# 3. DZIEŃ – 30.12.2001
## NARBONNE (FRANCJA) – MADRYT (HISZPANIA):
# TOTAL 930 KM

dojazdówka 25 km ❯ OS 35 km ❯ dojazdówka 870 km

Przejeżdżamy zaledwie 25 km i ustawiamy się do OS-u, który biegnie przez winnice. Choć nie przepadam za francuskim winem, to muszę przyznać, że samo miejsce musi być niezwykle urokliwe w sezonie. Teraz na krzakach nie ma ani liści, ani tym bardziej winogron. Atmosfera startowa mi się udziela, zaczynam się „wkręcać"… Czuję się jak sprinter na olimpiadzie w finale biegu na 100 metrów. Adrenalina skacze, oddycham nerwowo, kiedy startujemy. Na szutrowej nawierzchni spod kół lecą kamienie na tłumy widzów rozciągnięte wzdłuż drogi. Sponsorom zależy, żeby w europejskiej części rajdu kierowcy i samochody dobrze się prezentowali przed publicznością – wiadomo, większość z nich nie pojedzie oglądać nas w Afryce. A na pokazywaniu swoich logotypów na Czarnym Lądzie sponsorom nie zależy aż tak bardzo, bo jaki sens ma lansowanie się przed Beduinami i stadami kóz.

Ja jednak muszę podnieść sobie morale. W zasadzie świetnie mi się jedzie, lubię szuter i im więcej samochodów udaje mi się wyprzedzić, tym pewniej przyspieszam…

– Ej, Maryśka, zwolnij! – Jarek zupełnie nie podziela mojego entuzjazmu świadomy, że na takiej nawierzchni najłatwiej jest załatwić auto – urwać koło albo zdemolować zawieszenie, bo na trasie leżą ogromne kamienie, zakręty są ciasne, a skarpy zdradliwe.

Tymczasem ja już wyprzedzam kolejny samochód.

– Zwolnij – słyszę po raz kolejny od swojego pilota.

Ignoruję go i znów przyspieszam, bo świetnie się bawię… Czuję się, jakbym była bohaterką jakiejś gry komputerowej i miała nieskończoną liczbę żyć.

– Zwolnij, słyszysz?!

Jezu, gada to jak jakąś mantrę…

– Zwolnij, bo ci przypierdolę! – Jarek krzyczy do interkomu.

Już na mecie, szczęśliwa, że nie urwałam zawieszenia, oddaję kartę rajdówki do podbicia (formalne potwierdzenie zakończenia OS-u) i wtedy dociera do mnie sens wcześniejszych słów.

– Coś ty do mnie powiedział?!

– Że jeśli jeszcze raz to zrobisz, to ci przywalę, Maryśka. Mamy dowieźć to auto w całości do mety, pamiętasz? – i jak to Jarek zaczyna się zaraźliwie śmiać.

Choć miałam wrażenie, że pędziłam z prędkością światła, zajęliśmy na tym odcinku dopiero 79. miejsce. Co tam, przed nami Madryt i kolejne 870 kilometrów, podczas których wszystko się może zdarzyć.

Nie wiem, ile czasu jedziemy. Niezliczone zakręty, kolejne proste. Setki kilometrów za nami, setki przed nami. I wreszcie niemal wymodlony koniec. Czujemy się jak zwłoki. Czyli nie czujemy się w ogóle. Tymczasem w środku nocy trwa niesamowita fiesta! Jak to w Hiszpanii. Kibice rajdowi nie zwinęli się do domów po obejrzeniu czołówki, ale czekają na każdego, nawet z koniuszka ogona klasyfikacji, żeby go osobiście uścisnąć, życzyć powodzenia, poczęstować uśmiechem.

– Nareszcie! Martyna i Jarek! Specjalnie dla was tu przyjechaliśmy! – słyszę polski głos i od razu czuję się lepiej.

Oto znaleźli nas Polacy, którzy wręczają nam malutką polską flagę na szczęście. Ta flaga przejechała z nami cały rajd i na koniec, kiedy już wysiadłam z samochodu w Dakarze, to była jedyna rzecz, jaką ze sobą zabrałam na pamiątkę.

# 4. DZIEŃ 31.12.2001
## MADRYT (HISZPANIA) – RABAT (MAROKO):

# TOTAL 961 KM

dojazdówka 5 km 〉 OS 6 km 〉 dojazdówka 950 km

# SZYBKI AWANS W KLASYFIKACJI

*Gorsze pozycje faworytów. Jutta Kleinschmidt straciła 2:14 (dopiero 72. pozycja, Schlesser – 4:28 – 105. miejsce!).*

*Dobrze pojechali dziś Martyna Wojciechowska i Jarosław Kazberuk (Toyota), ze stratą 1:27, notując 32. czas odcinka.*

*„Dzisiejsza próba rozegrana była na nieużytkach dookoła znanego stadionu piłkarskiego – Santiago Bernabeu. Nawierzchnia była potwornie gliniasta i bardzo śliska, momentami po prostu wydawało się niemożliwym utrzymanie samochodu na drodze.*

*Nie ustrzegłam się kilku błędów, dlatego kiedy zjechałam na metę, nie byłam z siebie zadowolona. Tym bardziej zaskoczył mnie dobry wynik i wysokie miejsce. To z pewnością miłe dla nas zakończenie europejskiej części rajdu.*

*Dzisiejszą niezwykłą noc spędzimy na przeprawie do Maroka, a jutro rozpoczyna się prawdziwe ściganie. Nowy rok zacznie się dla nas 80-kilometrowym odcinkiem specjalnym, także nie ma mowy o jakichkolwiek sylwestrowych szaleństwach. Chciałabym jednak w imieniu całego zespołu życzyć wam wszystkim wspaniałej zabawy i spełnienia wszystkich marzeń w roku 2002!" – tak dzisiejszy dzień komentuje Martyna.*

(materiały prasowe)

Dlaczego człowiek musi spać? Jest tyle rzeczy, które moglibyśmy zrobić w tym czasie... To dopiero czwarty dzień rajdu, a ja mam wrażenie, jakbym spędziła miesiąc w drodze, i znów przysypiam za kierownicą. Zamieniamy się z Jarkiem miejscami. Wielka przygoda zaczyna być męcząca. W dodatku czujemy się trochę jak piąte koło u wozu – brak doświadczenia w tak dużych imprezach też nam nie pomaga. Takie oto myśli dopadają mnie na autostradzie w stronę Gibraltaru.

Znajduję jednak metodę na to czarnowidztwo. Podczas jazdy wymyślam sobie z Jarkiem konkurs, kto opowie najbardziej obsceniczny dowcip. Nie wiedzieć czemu, na pewnym etapie wyprawy rozmowy o seksie są zawsze najciekawsze. Nagle wyprzedza nas samochód, który na tylnej szybie ma wielki napis: „MARTYNA, GAZU!". Nie mogę w to uwierzyć. Wzrusza mnie ta bezinteresowna sympatia. Zawsze to raźniej, jak człowiek wie, że jednak ktoś trzyma za niego kciuki... Choć wyobrażam też sobie, ileż to osób w Polsce liczy na to, że jednak się nam nie uda.

Gibraltar to zaledwie 6,5 km² powierzchni, ale gęstość zaludnienia tego skrawka kolonii brytyjskiej należy już do największych na świecie. Wapienny garb wznosi się na wysokość ponad 400 metrów i ciągnie przez blisko 5 kilometrów. I stąd do Afryki jest przysłowiowy rzut beretem – promem dotrzemy tam w niecałą godzinę. Gibraltar wita nas chłodem i bryzą od morza. Jest wieczór. Pomimo miłej atmosfery i w sumie pierwszej okazji, żeby poznać się bliżej z innymi załogami przed załadunkiem na prom, oczekiwanie dłuży się jak diabli.

– Niedługo sylwester, chłopaki! – zagadujemy Łukasza Komornickiego i Rafała Martona, którzy są drugą polską załogą samochodową na rajdzie i także startują w Pucharze Toyoty. Rafała znam jeszcze z czasów Mocne Rally, bo jeździł z nami na mistrzostwa Polski jako mechanik „Kuziego".

Muszę przyznać, że nie wiedziałam, iż Jarek jest duszą tak niebywale towarzyską, że do każdego podejdzie, zagada, pomoże. Te jego umiejętności interpersonalne okażą się już wkrótce bardzo pomocne.

Płyniemy absurdalnie długo – już sześć godzin, bo rejs do Rabatu odbywa się wzdłuż wybrzeża – to celowe działanie organizatora, żebyśmy wszyscy spędzili sylwestra na morzu i mogli się zintegrować. Czego sobie życzymy o północy na nowy rok? Oczywiście dojechania do mety w Dakarze. Tego dnia wszyscy choć przez chwilę jesteśmy sobie równi.

*Pamiątkowa flaga od polskich kibiców. Mam ją do dzisiaj!*

Ostatnie godziny na
kontynencie europejskim
przed zapakowaniem się
na prom do Afryki

Wydaje się, że pędzimy
"pierwszą kosmiczną",
ale to złudzenie.
Nasz samochód był jednym
z najwolniejszych

# POWITANIE Z AFRYKĄ

– O kurwa, tu się nie da spać – to moje pierwsze słowa na Czarnym Lądzie.

Kto to słyszał, żeby zakłócać ciszę nocną! Jeździć na motocyklach, drzeć się na siebie albo do siebie, stukać jak kretyni w blachę, rozpalać światła, jakby właśnie się zaczynała (zamiast zwijać) impreza sylwestrowa. Wiecie, jak to jest – następnego dnia macie coś megaważnego do zrobienia i zamiast się zregenerować, wypocząć, nie możecie zasnąć. A im więcej o tym myślicie, tym bardziej się rozbudzacie.

W nowiutkim namiocie, rozbitym gdzieś na przedmieściach Rabatu, wciśnięci w śpiwory po uszy próbowaliśmy tej nocy przetrwać, bo temperatura nagle spadła poniżej zera – na tropiku osadził się nawet szron. A miał być upał! No tak, tylko że w dzień… Zupełnie jakbym zapomniała, że na pustyni różnica temperatur pomiędzy dniem a nocą to nawet 30 stopni Celsjusza.

Jak, do cholery, Jarek może spać w tym hałasie? Wsłuchuję się w jego równomierny oddech. To głęboko niesprawiedliwe, że faceci potrafią zasnąć w każdych warunkach i po prostu odpływają w ciągu paru minut. Jarko w nocy jeszcze coś niby mruczał pod nosem, ale po chwili zapadła cisza. Po prostu zamknął oczy, przekręcił się na bok i… już. Przetestowałam więc wszystkie znane mi sposoby: regulowałam oddech, liczyłam barany i… nic. Teraz leżę z zatyczkami w uszach, a wciąż mam wrażenie, że jestem na środku hali produkcyjnej dużego koncernu samochodowego. Ale może jest tak, że nie ma złych warunków do spania, tylko czasem jesteśmy za mało zmęczeni?

Budzę się gwałtownie. Patrzę na zegarek. Jest 5.00 rano i właśnie w stronę startu jadą motocykle. One zawsze wyjeżdżają jako pierwsze – to logiczna kolejność, bo jednoślady przemierzają pustynię najszybciej, potem jadą samochody i zwyczajnie moglibyśmy je rozjechać. Jako ostatnie ruszają ciężarówki, bo są gigantyczne i ciężkie – po nich piach jest totalnie rozjeżdżony, a w dodatku pełnią ważną funkcję zbierania niedobitków. Nikt nikomu nie może wchodzić w paradę i zakłócać rywalizacji. Teoretycznie, bo po kilku dniach wszystko się miesza.

– Boże, co to za ryk?! – gadam trochę do siebie, a trochę do Jarka, licząc, że on też się w końcu obudzi i będzie mi raźniej.

Motocykliści warczą silnikami i jeżdżą pomiędzy namiotami z pełną prędkością, wzniecając przy tym tumany kurzu. Chwilę później do tego psychodelicznego koncertu przyłącza się muezin. Ten głos pięć razy dziennie nawołuje wiernych do modlitwy – zaczyna o wschodzie słońca, a kończy o zachodzie. W tym miejscu przypomina o istnieniu Boga, o sile wyższej. Jakby sugerował, że i tak nasz los jest w jego rękach.

– Witamy w Afryce – komentuję już głośniej, ale na razie nie chce mi się wygrzebywać ze śpiwora.

Tymczasem Jarek, jak to facet, zaraz po przebudzeniu czuje głód. Wiedziony instynktem samca-łowcy zarządza natychmiastowe poszukiwanie jedzenia. Według planu posiłek ma być wydawany do 9.00, my docieramy na „stołówkę" jakiś kwadrans wcześniej. Ale czeka nas zawód, bo po wiele obiecującej porannej uczcie zostało tylko wspomnienie. Na drewnianych stołach rozstawionych w plenerze walają się jakieś niedojedzone resztki – skrawki szynki, obrzynki chleba, resztki dżemu, nad którym teraz unoszą się chmary much. I tak już będzie do ostatniego dnia.

W jakimś sensie Rajd Dakar stał się też dla nas wyścigiem do pełnej miski. Kiedy przyjeżdżaliśmy na biwak, stoły były już zwykle ogołocone. Mieliśmy wystartować około południa (o kolejności decyduje pozycja w klasyfikacji generalnej po ostatnim odcinku specjalnym), musieliśmy więc zerwać się wcześniej tylko po to, żeby cokolwiek zgarnąć ze stołów i zachomikować na później...

Wreszcie, po kilku dniach szarpania się o każdy kęs, zrezygnowałam z jedzenia w ogóle. Walka o suchą bułkę i mrożoną szynkę wydała mi się żenująca. Nawet nie czułam się jakoś szczególnie głodna – adrenalina i koncentracja na zadaniu zwykle skutecznie trzymają w ryzach osłabiony organizm. Z rajdu wróciłam lżejsza o 10 kilogramów. Tak, 10 kilogramów mniej! Ale nie polecam takiej diety odchudzającej.

*Uczestnicy Rajdu Arras-Dakar nie mieli czasu na sylwestrowe szaleństwa w Rabacie. Rankiem 1 stycznia wyruszają na pierwszy marokański etap. Po 10 kilometrach dojazdówki czeka na zawodników 80-kilometrowy OS – kręty i miejscami piaszczysty, dość szybki, od pilotów wymagający maksymalnej koncentracji.*

(materiały prasowe)

Pierwszy dzień nowego roku dla nas oznacza też początek prawdziwej rywalizacji. Nie mam wątpliwości, że dopiero ten OS tak naprawdę ustawi klasyfikację i udowodni, że harce amatorów z europejskich tras muszą się skończyć. Ale na razie ja jeszcze cieszę się wczorajszym sukcesem – na czwartym odcinku specjalnym wypadliśmy bowiem rewelacyjnie, uzyskaliśmy 32. czas przejazdu i tym samym awansowaliśmy w klasyfikacji generalnej. To oznacza też, że dziś – dość nietypowo, bo według klasyfikacji odcinka – wjeżdżamy na trasę przed takimi mistrzami jak De Mévius, Masuoka czy Schlesser, który startuje z dalekiej 105. pozycji. Właśnie tuż za nami ustawia się na linii startu Kenjiro Shinozuka. TEN Shinozuka – cóż za triumf!

Niestety trwa on tylko chwilę...

Już na 40. kilometrze odcinka specjalnego dopada nas Hiroshi Masuoka. Nie możemy zjechać z trasy, ponieważ na poboczu jest za dużo kamieni – przecięcie opony gwarantowane. Jak nie rozbijemy się o głazy, zawsze możemy wylądować na jednym z drzew, które jak wiadomo, mają wielką moc przyciągania samochodów. Potem, po tych pierwszych etapach będzie mi brakowało na horyzoncie jakichś punktów odniesienia i roślinności. Będziemy przemierzać bezkresne piaski. Póki co przedzieramy się jednak przez całkiem gęsty las sosnowy i eukaliptusowy zagajnik. Po chwili mijamy jakieś zabudowania, łąki, pola – jest tu zaskakująco zielono. Jednak na OS-ie nie ma czasu na podziwianie widoków, mięśnie bolą mnie od nieustannego kręcenia kierownicą, a oczy od wypatrywania przeszkód.

Tymczasem Japończyk jest zniecierpliwiony naszą zachowawczą jazdą i zaczyna nas wyprzedzać właśnie po leżących na poboczu kamieniach wielkich jak wiadra! Facet robi to, jakby jechał po bułki do sklepu. To zasługa specjalnego zawieszenia, dzięki któremu Masuoka nie skacze po skałach niczym piłka, tylko przejeżdża po nich jak po lekko wyboistej drodze.

Nie będę was zanudzała regulaminami, bo są one tak napisane, że nigdy żadnego nie zrozumiałam do końca, ale tak z grubsza – w Dakarze ścigają się rajdówki klasy T1, T2 oraz open – pikapy z Ameryki z napędem na jedną oś. Co odróżnia T1 od T2? Wszystko! „Tejedynki" to prototypy, a więc przy ich budowie prawie wszystkie chwyty są dozwolone. Powstają w studiach i tajnych warsztatach, oczywiście głównie na zamówienie teamów fabrycznych. Inżynierowie i specjaliści od aerodynamiki tworzą potwory, które noszą co prawda nazwy aut seryjnych, ale mają z nimi niewiele wspólnego. Taką maszynę ma właśnie Masuoka.

„Tedwójki" to auta, które przeszły tuning mechaniczny, który w tym przypadku oznacza kastrację, wiwisekcję oraz wypruwanie flaków. Dawca, czyli auto kupione w salonie – traci w zasadzie wszystko, co zapewnia kierowcy komfort. Na pierwszy ogień idzie tapicerka (usunięta w całości), potem fotele (na szrot), koła, zawieszenie, na śmietnik trafia nawet zbiornik paliwa. W samochodzie za to montuje się klatkę bezpieczeństwa, systemy: gaśniczy oraz odłączający prąd w razie wypadku, urządzenia do nawigacji (odbiorniki GPS oraz elektroniczne tak zwane haldy, dzięki którym pilot orientuje się, ile załoga przejechała, jak dużo paliwa zostało w zbiorniku itd.), wzmacnia się też i przerabia zawieszenie, wbudowuje powiększony zbiornik paliwa (my mamy 200 litrów). Regulamin zakazuje grzebania w silniku (nie ma mowy o montowaniu sprężarek w autach benzynowych, układ wtryskowy musi być oryginalny), ale mechanicy potrafią wycisnąć z nich dodatkowe konie mechaniczne i niutonometry. Naszą Toyotę z landcruiserowego Pucharu przygotowywał Daniel Vergnes i firma Tepac. Z 3-litrowego diesla udało się wycisnąć 165 KM. Wystarczyło, żeby trochę się rozpędzić, ale z T1 konkurować nie możemy, niestety.

Szybko zatem dostajemy lekcję pokory i dowód, czym nasze Toyoty różnią się od maszyn zespołów fabrycznych. Takie lekkie Mitsubishi (puste waży poniżej 2 ton), którym jedzie Hiroshi Masuoka, na partiach twardych i prostych oddala się od nas nieznacznie. Przewagę czołówki widać dopiero na rozkopanych zakrętach. Kolejne samochody T1 mijają nas teraz niczym zepsute auto na drodze albo furmankę z sianem. Kiedy nasza Toyota zakopuje się w piachu, kierowcy teamów fabrycznych pomykają po tej nawierzchni jak po asfalcie, zostawiając nam na pamiątkę tuman kurzu.

Jedyną osłodą jest dla nas fakt, że jako jedni z nielicznych przejeżdżamy ten OS poprawnie, bo niemal wszyscy gubią się po drodze. Nawigacja to kolejne z wyzwań, jakiemu muszą sprostać uczestnicy rajdu. Jeden zły skręt i można wylądować w środku nicości, tracąc cenne minuty, a nawet godziny na odnalezienie właściwej drogi.

Jarek jest jednak rewelacyjnym nawigatorem i poza biegłą obsługą elektronicznych urządzeń, której ja do końca rajdu nie przyswoiłam w stu procentach, ma też to „coś", czyli nosa. Już po rajdzie śmiałam się z komentarzy, że to Jarek cały czas prowadził, a ja tak naprawdę pilotowałam. Gdyby rzeczywiście był taki podział ról, prawdopodobnie do tej pory byśmy krążyli w wąskich uliczkach Arras.

W pewnej chwili próbujemy wyminąć kogoś z naszego Pucharu Toyoty i podczas manewru na ułamek sekundy koła naszej rajdówki znajdują się nad przepaścią. Nawet nie mam czasu pomyśleć, więc działam automatycznie – lekko skręcam koła, wierząc, że to wystarczy, żeby załapać się na twardy grunt. Wystarczyło… Wyszliśmy z tego cało, ale aż mnie zemdliło ze strachu…

W zasadzie mogło być już po rajdzie.

Pod koniec tego odcinka silnik auta traci moc i pracuje nierówno. Już wcześniej, podczas europejskich odcinków, w Toyotach naszego zespołu zdarzały się problemy z zatkanymi filtrami paliwa. Aż sześć załóg borykało się z tą usterką jeszcze we Francji i w Hiszpanii. Kiedy więc nasz samochód zaczyna się dławić, wiem już, co to oznacza. Wciskam gaz, ale ewidentnie brakuje przyspieszenia.

Po minięciu mety myślimy więc tylko o tym, żeby jak najszybciej znaleźć nasz lotny serwis. Moc auta spada drastycznie i na dojazdówce nie jesteśmy już w stanie jechać szybciej niż 50 km/h. Kiedy jednak w połowie drogi na biwak dostrzegamy wreszcie naszą ekipę serwisową – ta grzebie już w dwóch innych samochodach. Niemal jak na zawołanie u wszystkich pojawiła się bowiem ta sama usterka.

Okazuje się jednak, że sprawa jest poważniejsza, niż sądziliśmy – 200-litrowy bak został bowiem wadliwie skonstruowany (lub nazywając rzeczy po imieniu – spartolony). Zbiorniki samochodów rajdowych wyściela się gąbką, która zapobiega gwałtownemu przemieszczaniu się paliwa. Po co? Wyobraźcie sobie, że za plecami macie kilkaset kilogramów cieczy, która bezładnie przelewa się na boki – takie niekontrolowane wahnięcia, zwłaszcza przy szybkiej jeździe po dziurach, mogą się skończyć dachowaniem. Gąbka ułatwia więc życie kierowcy (bo samochód prowadzi się spokojniej), ale w naszym Land Cruiserze z jakiegoś niezrozumiałego powodu ta gąbka zaczyna się nagle rozpuszczać, a w rezultacie – zatykać całą instalację paliwową. Mechanicy usuwają więc ze wszystkich Toyot sitko z baku, ale to nie załatwi sprawy do końca rajdu. Od tej chwili niemal nieustannie, także na odcinkach specjalnych, gdzie liczą się przecież cenne minuty, my czyścimy filtry. To naprawdę ciężka robota, bo trzeba poodkręcać przewody ciśnieniowe, a jest to i żmudne, i czasochłonne, i brudne…

Zaczynamy zdawać sobie sprawę z tego, że w Pucharze Toyoty startuje 16 samochodów, a w odwodzie do pomocy jest tylko jedna ciężarówka oraz jedna terenówka do „asysty". Czyli nie rywalizujemy już tylko o to, kto będzie pierwszy na mecie odcinka, ale i o to komu pierwszemu uda się dotrzeć do serwisu z ewentualną usterką. Normalnie byłby to zestaw przewidziany na maksimum dwa samochody, ale tymczasem 16 załóg obsługuje sześciu mechaników, choć powinno ich być tylu co samochodów (firma Tepac deklarowała, że będzie 12)! Od tej pierwszej awarii nasza obsługa już kombinuje, co by tu zrobić, żebyśmy za często nie korzystali z ich pomocy – mechanicy ewidentnie zaczynają nas unikać.

Mimo problemów okazuje się jednak, że nasz afrykański debiut wypada zaskakująco dobrze – ze stratą 15:19 ukończyliśmy OS na 45. miejscu w klasyfikacji dnia. Zapewniło to nam awans z 80. na 47. pozycję w klasyfikacji generalnej! Wygraliśmy też w klasyfikacji Pucharu Toyoty, co oznacza, że jesteśmy najlepsi z tych 16 aut. Duma mnie rozpiera, a zawodnicy z innych aut naszego teamu patrzą na nas z niedowierzaniem. Nie było jednak szampana, choć miałam wielką ochotę świętować. Chyba w nagrodę dostaliśmy nowy komplet opon i gdybym tylko wiedziała, co będzie się działo dalej, to zabrałabym jeszcze ze dwa na zapas... W każdym razie tego dnia jesteśmy gwiazdami Pucharu Toyoty!

Tak bardzo cieszę się z tego pierwszego sukcesu, że próbuję się tą radością podzielić ze wszystkimi kibicami w Polsce w wieczornej relacji satelitarnej na żywo w TVN-ie. Tego dnia do studia Dakar prowadzący zaprosił Adriannę Biedrzyńską, aktorkę która pasjonuje się samochodami (codziennie jakaś inna gwiazda urozmaica rozmowy o motosporcie). Podczas łączenia, które nieustannie nam się zrywa, Ada składa mi życzenia noworoczne i mówi, że jestem wielka, że jest ze mnie dumna, że wszyscy trzymają kciuki za nasz sukces, że są z nami, że super sobie radzimy.

W końcu pyta:
– Martyna, boję się o ciebie! Jesteś piękną kobietą, nie obawiasz się tych wszystkich mężczyzn wokół siebie, w tej Afryce? Jesteś przecież atrakcyjną blondynką?
Jestem trochę zaskoczona tym tematem w rozmowie, bo wolę skupiać się na bardziej konkretnych sprawach. Na przykład, że wygraliśmy ten odcinek w naszej klasie i że mamy problem z silnikiem.
– No cóż, kobiety nie mają tu taryfy ulgowej. Panowie poklepują mnie po plecach, dodają otuchy, ale z drogi mi nie ustąpią – odpowiadam ze śmiechem, czekając na to właściwe pytanie.
Niestety łączność znów zawodzi.

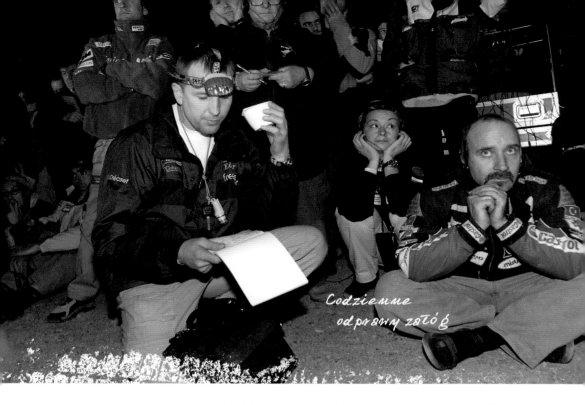

Codzienne
odprawy załóg

– Jeszcze muszę ci powiedzieć jedną rzecz! – Ada krzyczy do telefonu. – Czy masz przy sobie wodę Vichy, żebyś mogła spryskiwać sobie twarz i nawilżać. I krem pod oczy, żebyś nie wysuszyła… – tu kawałek wypowiedzi zostaje zagłuszony. – Jako koleżanka cię o to pytam i radzę!

Myślałam, że się przesłyszałam. My wygraliśmy dziś odcinek specjalny i chcę się tym pochwalić wszystkim Polakom przed telewizorami, opisać nasze emocje na żywo. Tymczasem ze studia słyszę pytanie, czy odpowiednio dbam o cerę?! Szczerze mówiąc, niewiele ostatnio o tym myślałam…

Fakt, jestem kobietą, ale na wyprawach kompletnie o tym zapominam. Moja płeć przestaje mieć znaczenie – jestem po prostu maksymalnie skoncentrowanym na osiągnięciu celu członkiem załogi. Rajd Dakar nie jest konkursem piękności. A ja nie potrzebuję wygód i nie dbam o to, jak wyglądam, bo moje ciało ma mi służyć wyłącznie do jednego – jest narzędziem, dzięki któremu chcę osiągnąć metę w Dakarze.

– Boże, jak to jeszcze daleko – myślę i zasypiam w namiocie na kolejnym afrykańskim biwaku. I mam w nosie, że w czołówce walka już trwa. Że Grégoire de Mévius jest liderem rajdu, a pół minuty wolniej jedzie Hiroshi Masuoka.

## PUCHAR TOYOTY
**12 samochodów z Toyota Trophy (16 stanęło na starcie, do mety dojechała mniej niż połowa)**

300 procent normy!
Mimo przeciwności losu
nadal jesteśmy w grze

Szósty etap jest ciężki i szybki. Jutta Kleinschmidt nazwała go nawet etapem sprinterów, ale za to rozgrywa się w cudownej scenerii. Początkowo kamienista i wyboista droga wiedzie na południe, w kierunku pustynnych regionów Maroka. A tam zaczyna się iście filmowa okolica – to właśnie gdzieś całkiem niedaleko mety, czyli Ouarzazate, znajduje się Ajt Bin Haddu, ufortyfikowana górska twierdza z XVI wieku, gdzie kręcono „Gladiatora", kilka lat później „Aleksandra" oraz wiele innych hollywoodzkich produkcji. Miejsce wygląda nierealnie, niczym scenografia wybudowana na potrzeby historycznych epopei. Ten baśniowy ksar opasany wysokim murem z czerwonej gliny, ozdobiony wieżyczkami klei się do wzgórza otoczonego gajami palmowymi, które zasila meandrująca rzeka. Na fotografiach wygląda zjawiskowo – idealne miejsce na romantyczne wakacje. Szkoda tylko, że podczas rajdu nie widzi się nic poza drogą.

Góry, które mijamy, mienią się kolorami. Są czerwone, żółte, pomarańczowe i wyglądają niczym z najbardziej kiczowatego obrazka. Nasz OS przebiega przepastnymi dolinami, których czarne ściany wznoszą się na wysokość co najmniej kilkuset metrów. Onieśmiela mnie konieczność zmierzenia się z potęgą tego krajobrazu. Początkowo idzie nam jednak nieźle. Właśnie nadlatuje nad nas śmigłowiec z ekipą dziennikarzy.

Telewizja Eurosport zamontowała bowiem w naszym samochodzie zestaw kamer i nagłośnienie. Zrobili to poprzedniego dnia wieczorem w tempie ekspresowym, w białych rękawiczkach, nie przeciągając przez naszą Toyotę nawet jednego kabla. Choć pracuję w mediach od lat, to nadal jestem pod wrażeniem ich profesjonalizmu.

W śmigłowcu jest Marek Oblaciński, który relacjonuje Dakar dla TVN-u. Nagle wszystkie kamery odpalają się zdalnie, a „Oblat" zaczyna nagrywać z nami rozmowę, podczas której cały czas (i my, i oni – w powietrzu) zasuwamy z prędkością 100 km/h.

– Martynko, Martynko, słyszysz mnie? – dociera do mnie głos Marka z interkomu zamontowanego w kasku.

– Widzieliśmy palące się samochody po drodze – relacjonuję przejęta.

Liczę na to, że może od chłopaków dowiem się, co się stało. Nie mamy bowiem pojęcia, co się dzieje z uczestnikami rajdu, dopóki nie dojedziemy na metę odcinka.

– To był samochód Schlessera.

– Schlesser? Schlesser się palił? To po prostu koszmar! – nie mogę powstrzymać emocji.

– To taki rajd, Martynko – słyszę w słuchawkach.

Tak, wiem. Kilka razy omal nie dachujemy, prawie tracimy koło...

Nie mogę jednak uwierzyć, że coś takiego mogło się przydarzyć liderom tego rajdu! Na 40. kilometrze tego odcinka ich samochód nagle stanął w ogniu. Załoga szczęśliwie zdążyła opuścić płonący pojazd i to dosłownie w ostatniej chwili. Przejeżdżając, widzieliśmy tylko dogasające zgliszcza. Podobno przyczyną było uszkodzenie wtryskiwacza oraz wyciek paliwa na gorący silnik. Mówiło się potem, że Schlesser sam doprowadził do tej awarii, bo nie mógł pogodzić się z porażką – zajmował miejsca znacznie gorsze, niż można było się spodziewać. Jako konstruktor stworzył superlekki pojazd z napędem na jedną oś na bazie Renault Kangoo i ten „buggy Schlesser" miał być pierwszym samochodem z silnikiem Diesla, który wygra na trasie Dakaru.

– Zdążyliśmy tylko odpiąć pasy i wyskoczyć na zewnątrz, a całe auto już płonęło. Baliśmy się, że wybuchnie, a poza tym i tak nie było już mowy o jakiejkolwiek akcji ratunkowej. Mogliśmy tylko stać i patrzeć, jak owoc wielu miesięcy ciężkiej pracy w ciągu zaledwie kilku chwil przestaje istnieć – Schlesser przez łzy komentował wypadek dziennikarzom.

A ja poczułam, jak dreszcz przebiega mi po plecach, bo gdy najlepsi odpadają w tak spektakularny sposób z rywalizacji, to co powiedzieć o nas?

– Nawet w najczarniejszych snach nie wyobrażałam sobie, że Afryka może być aż tak nieprzyjazna kierowcy. Kto tego nie przeżyje sam, nigdy nie uwierzy – odpowiadam więc Markowi Oblacińskiemu, próbując pokonać kolejną wyrwę w drodze.

Ale czy właśnie nie po to został wymyślony ten rajd, żeby dać nauczkę kierowcom? Wszystko sprzysięga się tu przeciw nam – buntują się nasze własne organizmy, buntują się auta, a natura jest bezlitosna. Do tego dochodzi jeszcze rywalizacja i czysto ludzka zawiść.

To było auto
Jeana Louisa Schlessera.
Miesiące pracy
poszły z dymem

Nagle w samochodzie robi się biało od kurzu i piasku, jakby ktoś rozpylił mąkę.

– Co się stało?! – krzyczę do Jarka, ale nie przerywam jazdy.
Ktoś w nas uderzył, auto rozpada się na pół… – snuję w głowie scenariusze.
– Chyba strzeliła butla ze sprężonym powietrzem! – przekrzykuje mnie Jerry.
Faktycznie, ścięło zawór w naszej butli do pompowania kół, choć była przecież zamontowana z tyłu auta na ponoć megabezpiecznych uchwytach. Kilkanaście atmosfer idzie z hukiem w powietrze – właśnie zostaliśmy bez pompki do kół. Co gorsza – przez ten kurz wypełniający kabinę teraz nic nie widać, więc jedziemy po omacku. Gwałtowny stres odreagowujemy śmiechem, a po chwili śmiejemy się coraz głośniej, aż zaczyna mnie boleć brzuch. Nawet się nie zatrzymujemy i tylko otwieramy szerzej okna, żeby wywiało cały ten syf na zewnątrz. Powoli się chyba aklimatyzujemy do niespodzianek, które tutaj spotykają nas na każdym kroku.

Arabska legenda głosi, że Sahara była kiedyś cudownym ogrodem, w którym żyli ludzie, którzy nie wiedzieli, co to jest kłamstwo. Aż w końcu ktoś popełnił małe kłamstewko, właściwie tak nieistotne, że doprawdy nie było o co robić afery. Ale rozgniewany Allach zwołał wszystkich ludzi i oświadczył im, że następnym razem, kiedy ktoś z nich skłamie, on na ziemię zrzuci ziarenko piasku.

– Jedno ziarenko? Phi, też nam kara – pomyśleli ludzie. – Przecież jedno ziarenko to tyle co nic.

I tak powstała Sahara.

Teraz na horyzoncie pojawiają się pierwsze wydmy i to od razu takie „z górnej półki". Zaraz przyjdzie nam się zmierzyć z najwyższymi górami piachu w Maroku, Erg Chebbi w miejscowości Merzouga. Te piaskowe kolosy mają nawet 350 metrów wysokości – toż to więcej niż Pałac Kultury! Nadjeżdżamy jako załoga setna z kawałkiem, więc mamy pod kołami całkowicie rozjeżdżony, wręcz przemielony piach.

Już po chwili przypomina mi się film „Dzień świstaka" – napędzamy samochód, tuż pod szczytem zaczyna brakować mu mocy i… utykamy po osie. W ruch idą łopaty i plastikowe podkłady. Po kilkunastu minutach powtarzamy wszystko od nowa. I tak mijają cenne godziny.

W końcu jednak znajdujemy twardszy grunt i kiedy jesteśmy na szczycie wydmy, auto, które jedzie przed nami, zatrzymuje się, a my za nim i… cały wysiłek idzie na marne. Znów zakopujemy się w piaskowym „siodle". Pocieszam się jednak, że nie jesteśmy osamotnieni – takich ofiar jak my jest tu więcej.

I nagle ten gość, co to zatrzymał auto przed nami, wrzuca wsteczny bieg i cofa, pewnie żeby nabrać rozpędu do kolejnego podjazdu pod wydmę – myślę. Ale on zaczyna jechać do tyłu z pełną prędkością i wjeżdża z hukiem w nasz samochód. Nie, to nie może być prawda.

– Nie wierzę w to! Jak można zderzyć się z innym autem na pustyni? – krzyczę wściekła i rzucam kaskiem o ziemię.

Dużo mnie kosztuje powstrzymanie się, żeby nie przywalić nim w głowę tego pajaca od idiotycznych manewrów.

 – To jest pustynia, widoczność jak na patelni! Zwariowaliście? – wrzeszczę, aż zasycha mi w gardle…

To jednak tylko niepotrzebna strata energii. Jarek zbiera więc nasz błotnik, resztki halogenów i pakuje wszystko na tył samochodu. Ja w tym czasie próbuję ochłonąć.

– Sorry – burczy kierowca, który przed chwilą nas staranował.

– W dupie mam twoje sorry, gościu – mruczę sama do siebie, bo wiem, że pomoc drogowa raczej się tu nie pojawi i musimy radzić sobie sami.

Ten wypadek okazuje się jednak fatalny w skutkach. Już do końca rajdu nie mamy bowiem porządnego oświetlenia, a bez tego jest piekielnie ciężko jeździć po pustyni, zwłaszcza nocą. Dostajemy co prawda jakieś zastępcze lampy, ale są wyjątkowo marnej jakości. Tak więc po ciemku zmuszeni jesteśmy jeździć wolniej, a w rezultacie – tracimy więcej czasu i spadamy coraz niżej w klasyfikacji. To z kolei sprawia, że na kolejne OS-y wyruszamy coraz później. Równia pochyła… Co więcej, tego dnia Jarek w ferworze walki kilka razy zapomina wypiąć wtyczkę łączącą kask z interkomem. I wyskakując z samochodu za którymś tam razem, po prostu ją wyrwa z gniazda. Tracimy więc łączność – resztę odcinka Jerry dyktuje mi, machając rękami.

W samochodzie jest tak głośno, że nie wiem, jak poradzimy sobie bez łączności – jeśli zwykła rozmowa ma 30–40 dB, krzyk do ucha – 100 dB – to nasz samochód rajdowy generuje 130 dB i nijak nie da się tego hałasu przekrzyczeć. Na biwaku usuwamy usterkę, ale od tego dnia nasz interkom czasem działa, a czasem nie…

Mimo przeciwności losu powoli jednak zmierzamy do Ouarzazate, czyli miasta, które leży na wysokości ponad tysiąca metrów i uznawane jest za bramę do Atlasu Wysokiego. Matka Natura stworzyła wokół niego monumentalne, wspaniałe i nieoczekiwane dzieła w zadziwiającej palecie barw. Szkoda tylko, że są tak wymagające technicznie – kiedy próbujemy je pokonać, piaszczysta nawierzchnia co chwila przechodzi w kamienisty szuter. To też trudny test dla naszych opon. Może nasze gumy Bridgestone sprawdzają się na asfaltowych szosach, ale na pewno nie nadają się na kamienie Maroka. Czołowe ekipy jadą na oponach specjalnie stworzonych na takie rajdy – muszą one bowiem wytrzymać kontakt ze skałami ostrymi jak brzytwa. Jednak nawet najlepsi czasem łapią „kapcia". Powód jest prozaiczny: koła na pustyni bardzo szybko się przegrzewają, ciśnienie z niskiego nagle robi się bardzo wysokie, a opony tego nie lubią.

My na Dakarze mieliśmy ze sobą zaledwie dwa koła zapasowe i najczęściej dwa (już przedziurawione) wyrzucaliśmy po każdym odcinku. Nurtowało mnie jednak pytanie, co zrobimy, jeśli w końcu złapiemy trzeciego kapcia jednego dnia, co na odcinku dajmy na to 500-kilometrowym nie jest trudne? Dla nas byłby to koniec rywalizacji, ale dla zawodników z czołówki – tylko chwilowa przerwa w wyścigu. W najlepszych teamach jedzie bowiem kilka samochodów i każda z załóg ma obowiązek pomagać liderowi. Jeśli numer jeden ma problem techniczny, to pozostali zawodnicy muszą go dogonić (lub do niego zawrócić) i oddać mu swoje części zapasowe, choćby własne koła. Potem pozostaje im czekać spokojnie na ciężarówkę serwisową, która może kiedyś dojedzie. Andreas Schulz, jeden z najlepszych pilotów na świecie (jeździł z Hiroshim Masuoką i Juttą Kleinschmidt), powiedział mi kiedyś, że na jednym z kamienistych odcinków Dakaru złapał aż osiem flaków. I mimo tego ukończył go na wysokiej pozycji. Nie ma więc sprawiedliwości na tym świecie.

*Co jakiś czas zatrzymywaliśmy się przy potrzebujących pomocy załogach. Potem sami stawaliśmy, zakopując się. W końcu jednak udało się i po ponad ośmiu godzinach spędzonych na odcinku specjalnym dotarliśmy do mety. Byliśmy już bardzo zmęczeni, ale czekała nas jeszcze ponad 180-kilometrowa droga dojazdowa do biwaku. Brak halogenów mocno dawał się nam we znaki, bo z ostatnich sześciu godzin aż trzy pokonaliśmy w ciemnościach. Po wczorajszym sukcesie dziś przeszliśmy przez prawdziwe piekło. Fortuna kołem się toczy, ale mam nadzieję, że kolejne etapy nie będą obfitowały już w takie wrażenia, jakich dostarczył nam dzisiejszy dzień. Z drugiej strony, od kilku doświadczonych zawodników, jadących tu już któryś raz, ciągle słyszymy, że to nie koniec atrakcji, które czekają na nas w Afryce.*

(materiały prasowe)

W rezultacie przekraczamy jednak czas przeznaczony na przejazd tego etapu i dostajemy regulaminową karę pięciu godzin doliczonych do czasu uzyskanego na OS-ie. Zrzuca nas to na dalekie miejsca w klasyfikacji generalnej.

De Mévius ukręcił półoś. Nowym liderem rajdu jest Masuoka.

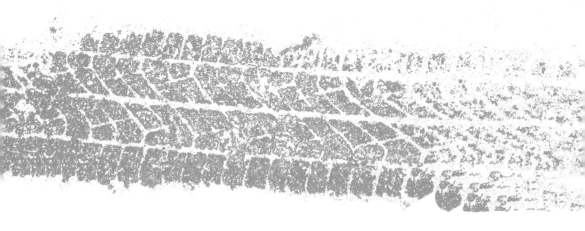

Tym razem Stéphane Peterhansel w Nissanie nie dojechał do mety

Prostowanie
metodą chałupniczą
zdezelowanego przodu
naszej Toyoty

Wschód słońca niedaleko
granicy z Mauretanią.
Wyglądamy jeszcze
zaskakująco czysto

# 7. I 8. DZIEŃ - 3-4.01.2002
## OUARZAZATE - TAN TAN - ZOUÉRATE (MAROKO)

## TOTAL 1545 KM

dojazdówka 176 km ❯ OS 351 km ❯ dojazdówka 266 km ❯ regrouping ❯
dojazdówka 365 km ❯ OS 371 km ❯ dojazdówka 16 km

# PRZEZ POLA MINOWE

Nasz samochód po ostatnim odcinku jest w fatalnym stanie i potrzebujemy cudu. Na reanimację naszej Toyoty mamy zdaniem Jarka aż noc, moim – tylko noc. Do trzeciej nad ranem prostujemy więc rozbity przód i skatowane zawieszenie samochodu, wymieniamy koła… W końcu poddaję się, proszę Jarka, żeby rozbił namiot, bo sama nie mam już na to siły i głodna – tak jak stoję, w pełnym rynsztunku – pakuję się do śpiwora i kiedy budzik dzwoni o szóstej, czyli jakieś dwie godziny później, ledwo mogę otworzyć oczy. Nie mam nawet siły się przebrać. Zresztą przestało mi zależeć, jak wyglądam – jestem brudna, mam tłuste włosy i kompletnie nie zwracam na to uwagi.

Kiedy Thierry Sabine wymyślał Dakar, miał to być pojedynek człowieka z pustynią. Sabine chciał, żeby były łzy, pot, adrenalina i takie wyzwanie, któremu sprostają tylko najtwardsi. Słowem – Przygoda przez duże „p". Sahara obiecywała samotność, strach, niepewność, problemy z zaopatrzeniem, bo tam gdzie nie ma dróg, ludzi, nie ma ani wody, ani żywności, człowiek wreszcie może liczyć tylko i wyłącznie na własne umiejętności. I o to właśnie w Rajdzie Dakar chodziło. Ale idea z czasem się wyświechtała, a Dakar się skomercjalizował – wprowadzono GPS-y, centralne systemy pompujące koła, pomoc lotnych serwisów i wiele innych udogodnień, które z pierwotną Przygodą miały już niewiele wspólnego. I właśnie w 2002 roku Hubert Auriol, komandor rajdu, postanowił „wrócić do korzeni"…

Organizatorzy podjęli więc decyzję, że podczas rajdu zostaną rozegrane dwa maratony. Co to oznacza? Dokładnie tyle, że pomiędzy dwoma etapami jest tylko krótka przerwa na przegrupowanie samochodów i znów trzeba kontynuować jazdę – w zasadzie non stop przez dobę lub dwie. Do pokonania zaś ponad 1,5 tysiąca kilometrów przez pustynię. Żeby jakoś oddać skalę takiego maratonu, dodam, że przeciętny rajd z cyklu mistrzostw Polski ma, licząc tylko OS-y, około 200 km.

My podczas zbliżających się etapów mieliśmy przejechać ponad siedem pełnych rajdów z naszych mistrzostw. Co więcej, w trakcie maratonu nie wolno korzystać z pomocy serwisu, a zdziwilibyście się, co można zrobić z samochodem przez noc, szczególnie jeśli zabierają się do tego najlepsi mechanicy świata – nawet po dachowaniu i zajechaniu silnika na rano można mieć znów prawie nową rajdówkę.

Ale to nie koniec „udogodnień", które w tym roku przygotował dla zawodników organizator. Zwykle do pokładowego GPS-a wpisuje się specjalny kod, który ułatwia znalezienie na trasie punktów kontrolnych (tzw. CP – checkpointów), przez które trzeba przejechać, aby nie zaliczyć kary. W maratonach mieliśmy jednak jeździć na azymut, czyli mniej więcej w jakimś kierunku, bez wytycznych, którędy konkretnie… Zamysłem było bowiem nie dać odetchnąć zawodnikom i zmusić nas do posługiwania się mapą, kompasem i wreszcie – własną intuicją…

Wszystko to brzmiało świetnie, szkoda tylko, że Auriol nie wstrzymał się z wprowadzeniem tych nowych-starych rozwiązań do przyszłego roku. Dlaczego musiał zrobić to akurat TERAZ, kiedy postanowiłam wystartować w rajdzie?!

Przed nami zatem najdłuższy etap i długie godziny kręcenia kierownicą. Startujemy z Ouarzazate, a przed nami 176 km dojazdówki i ponad 350 km OS-u. Najpierw spod kół wytryskują fontanny piachu, potem pojawia się szuter, czyli nareszcie coś stabilnego, po czym da się jechać normalnie – czuję wiatr w żaglach i pędzę momentami nawet 140 km/h. Jednak kiedy jest bardzo gorąco i dookoła widać wyłącznie piasek, to obrazy zaczynają nakładać się na siebie, przez co krajobraz sprawia wrażenie płaskiego aż po horyzont. Nie zauważam małego podbicia i w konsekwencji wykonujemy najdłuższy lot na tym rajdzie.

Nie zapomnę tego uczucia niepewności – samochód leci w powietrzu, a ja myślę tylko o tym, że jak już spadniemy, a nie mam wątpliwości, że tak się stanie, to zdemoluję całe zawieszenie albo nie daj Boże – wydachujemy przy pełnej prędkości. W powietrzu pokonujemy jakieś 20 metrów. Z łoskotem opadamy na szuter. Na szczęście. To i tak nic, na Rajdzie Portugalii Markko Märtin wykonał skok na 57 metrów! Ale Märtin jechał autem znacznie lżejszym niż nasza Toyota, no i rozpędził się co najmniej do 170 km/h.

Nie mamy czasu, żeby odetchnąć, bo teraz nawierzchnia najeżona jest ostrymi kamieniami, a dodatkowo są w niej wyrwy wymyte przez wodę. Kolejny błąd i wpadam w lej jak po bombie – omal nie zostawiam w nim całego zawieszenia.

– Uważaj! – Jarek strofuje mnie znad roadbooka.

– Sam uważaj! – mruczę, bo nie czuję się winna.

Ja jej nie widziałam, on nie miał tej gigantycznej jak Rów Mariański dziury oznaczonej w książce drogowej.

Niestety często się zdarza, że nasz roadbook nie odwzorowuje rzeczywistości. Zapewne od momentu, kiedy organizator przygotowywał te opisy, przeszła tędy burza piaskowa albo jakaś ulewa. Jedno i drugie mogło kompletnie zmienić topografię terenu. My jednak tego nie wiemy. Co innego zawodnicy z czołówki – przed nimi jadą szpiedzy, którzy nanoszą w notatkach poprawki, a czasem leci nawet śmigłowiec, który sprawdza przejezdność drogi i ostrzega o wszelkich niespodziankach, które mogą napotkać.

OS jest szybki i wykańczający fizycznie. Jazda z dużymi prędkościami wymaga totalnej koncentracji, do tego ciągle muszę pamiętać, żeby nie wyciskać z naszego auta zbyt dużo i tym samym go nie zarżnąć, a przed nami wciąż długa droga. Oddycham ciężko, kiedy mijamy metę, ale po podbiciu karty mamy jeszcze do przejechania, bagatela, 266 kilometrów po równie podłych drogach.

Na prowizoryczny biwak wpadamy dosłownie w ostatniej chwili. Na stole o dziwo zostało jakieś jedzenie – są nawet jajka na twardo. Pochłaniam teraz kilka z nich na stojąco, żeby tylko uspokoić skręcający się z głodu żołądek. To mój pierwszy posiłek od wczoraj, bo o świcie nie dopchnęliśmy się do przysłowiowego paśnika... Jednak już po chwili żałuję, że połakomiłam się na tak ciężkostrawne jedzenie, bo zaczyna boleć mnie brzuch.

– Cholera, przecież problemy żołądkowe mogą równie skutecznie wykluczyć mnie z rywalizacji jak niesprawny samochód! – myślę. Od dziś postanawiam oszukiwać głód czekoladą na gorąco. W dodatku – saszetek z brązowym proszkiem jest tu akurat pod dostatkiem, bo jakoś kiepsko schodzą.

– Wyjeżdżamy – Jarek pogania mnie, choć nawet nie zdążyłam się wysikać.

Przed nami drugi odcinek maratonu – blisko 800 kilometrów, z czego połowę stanowi odcinek specjalny.

Miało być sześć godzin odpoczynku, ale na taki luksus mogli pozwolić sobie tylko liderzy klasyfikacji. My mieliśmy połowę tego czasu i znów siedzimy w samochodzie. Zawsze wcześniej czy później pojawia się pytanie – po co robię to wszystko?

– Jesteś tu, bo tego właśnie chciałaś – mówię do siebie i wrzucam bieg.

Późno już, a dojazdówka prowadząca do granicy Sahary Zachodniej jest równie trudna jak ponad 300-kilometrowy OS. Ten nocny postój był zbyt krótki, żeby wypocząć, raczej wybił nas z rytmu i rozbił psychicznie. Szybko okazuje się, że nie jestem w stanie prowadzić – zamieniamy się z Jarkiem miejscami. Pogrążam się w letargu, z którego co jakiś czas wybudzają mnie bóle żołądka i mdłości. Na szczęście mogę sobie na to pozwolić. Po pierwsze, w razie czego Jarek jest w stanie jechać i kontrolować notatki, co jest ekwilibrystyczną umiejętnością. Po drugie, przez ten krótki kawałek trasy nie jest potrzebny nawigator – drogę wyznaczają płonące gęsto ogniska, a cały przejazd kolumny aut na start kolejnego odcinka specjalnego jest eskortowany przez siły ONZ, wojsko i policję.

Przemieszczamy się wzdłuż muru biegnącego przez Saharę – ten wielki wał--nasyp z piachu to umowna granica pomiędzy w zasadzie nieistniejącym oficjalnie państwem Saharą Zachodnią a Mauretanią. Kiedyś w tym miejscu kończyła się władza Hiszpanów (mieli tu swoją kolonię), ale później, w latach 70. ubiegłego wieku, 266 tys. km$^2$ piachu i skał straciło właściciela. Zaczęła się przepychanka – do Sahary Zachodniej przyznawały się Maroko oraz Saharyjska Arabska Republika Demokratyczna utworzona przez niby-partię polityczną Front Polisario. Formalny statut terenu pod względem powierzchni porównywalnego z Polską jest wciąż niedoprecyzowany – większą część Sahary Zachodniej kontroluje Maroko, resztę wciąż ma w rękach Polisario (Mauretania umywa ręce).

Ta część pustyni była (i w zasadzie ciągle jest!) niebezpieczna. Zdarzały się napady z bronią w ręku, takie północnoafrykańskie podjazdy i rokosze. Były grabieże i śmierć, więc zbudowano wał z piachu (całkowita długość ponad 2,5 tysiąca kilometrów), wyłożono miny i po obydwóch stronach muru rozstawiono wojskowe posterunki.

Wał da się przekroczyć, ale tylko większą grupą, właśnie pod osłoną obserwatorów z ONZ. Karawana pojazdów czeka więc teraz cierpliwie, aż przyjedzie spychacz, który otworzy „przejście". Procedura jest zabawna, ale tylko przez 20 sekund. Tyle mniej więcej zabiera minięcie linii pochodni, za którymi jest czerń. Mam wyrzuty sumienia, że nawalam i Jarek został sam – teraz prowadzi samochód i szuka trasy. Jednocześnie czuję ulgę, że mam partnera, który jest w stanie mnie zastąpić... Pod koniec dojazdówki dochodzę do siebie i wracam za kierownicę, żeby stanąć na starcie odcinka specjalnego.

*Marek Oblaciński każdego wieczoru przygotowywał relację dla TVN-u*

– Naprzód i nie skręcać na boki poza pas wyznaczony do przejazdu. Poza nim są miny – ostrzega sędzia jeszcze przed rozpoczęciem odliczania. – Słyszycie? Trzymajcie się pomiędzy białymi kopczykami. Zrozumiano?

Mamy przerąbane. Przemieszczamy się z tyłu stawki, pomiędzy ciężarówkami i samochodami serwisowymi. Zamiast koncentrować się na szybkiej jeździe, próbuję przetrwać w zawiesinie kurzu wzbijanego przez pojazdy. Wygląda to tak, jakby ktoś rozpylił nad nami mąkę, która zapycha mi teraz nos, wdziera się do gardła, przez co krztuszę się, a oczy mi łzawią. Ze wzgórza widzę, że ten szary ogon ma z kilka kilometrów długości i raczej nie opadnie, bo co chwilę wzbija go kolejne auto. Przenikliwy wiatr w niewielkim stopniu poprawia sytuację.

Jedziemy więc w tej piaskowej chmurze i staramy się trzymać wąskiego pasa drogi wyznaczonego przez kopczyki, na szczytach których faktycznie ułożono pomalowane na biało kamienie. Za nimi zaczynają się pola minowe. Kolumna aut przesuwa się powoli, ale w takich warunkach nie sposób kogokolwiek wyprzedzać. Nie mogę przyspieszyć, bo mam ograniczoną widoczność. Boję się też zwolnić, bo za nami nacierają gigantyczne ciężarówki, które w tym pyle mogą nas nie zauważyć i zwyczajnie staranować... One pędzą z dużą szybkością i w przeciwieństwie do nas nie muszą hamować przed każdą dziurą.

Czuję się więc jak w pułapce. Ta presja jest dla mnie nie do zniesienia i szybko podejmuję decyzję, że bokiem wyprzedzę kilku maruderów. Skręcam koła i mijam linię kopczyków oznaczoną białymi kamieniami.

– Co ty robisz, wariatko?! – Jarek krzyczy, bo oderwał wzrok od roadbooka i właśnie widzi, co wyprawiam.

– Nie wytrzymam już tej jazdy w kurzu i w stresie! Zaraz mnie Kamaz rozjedzie, rozumiesz?! – dę się.

– Wracaj na trasę! – Jarek jest wściekły.

– Zaufaj mojej kobiecej intuicji – odkrzykuję, próbując załagodzić sytuację, bo właśnie cieszę się, że wyprzedziłam całe pięć aut...

– Zatrzymaj się! Kurwa, słyszysz?!

Staję. Nigdy jeszcze nie widziałam Jarka tak wkurzonego. Przez chwilę mierzymy się wzrokiem i... grzecznie wracam na właściwą trasę po własnych śladach...

Jadąc po polu minowym, nie bardzo zastanawiałam się, ile ryzykuję. A przecież w 1996 roku rozerwało jeden z samochodów francuskiej ekipy Citroëna.

Wprawdzie organizator rajdu twierdził, że przyczyną eksplozji była... nieszczelna butla gazowa, ale w to mętne głędzenie i tak nikt nie uwierzył. Wybuch poderwał ciężarówkę na kilka metrów. Potem ta obróciła się w powietrzu, runęła na ziemię i stanęła w płomieniach – siła wskazuje na solidną minę przeciwpancerną.

Takich przypadków historia rajdu zanotowała co najmniej kilka. Na poprzednim Dakarze, w 2001 roku, wybuch miny urwał nogę portugalskiemu kierowcy Jose Eduardo Ribeiro, a już po naszym występie, w roku 2003, mina oderwała koło i zniszczyła kabinę jednej z ciężarówek. W Afryce min jest całe mnóstwo – od tych, które w piasku pozostały jeszcze z II wojny światowej, po całkiem nowoczesne ładunki sprzed kilkunastu lat. Jedne i drugie są wciąż sprawne i śmiercionośne.

Sama zastanawiam się potem, co sprawiło, że czułam się wtedy nieśmiertelna? Liczyło się tylko tu i teraz oraz to, że wreszcie mogę przyspieszyć... Miałam wtedy takie irracjonalne przeświadczenie, że nic mi się nie stanie. Innym może tak, ale na pewno nie nam! Myślicie, że to głupie? Może, ale nikt, kto nie znajdzie się w konkretnej sytuacji, w tamtym miejscu i czasie, nie może tego sprawiedliwie ocenić. Po prostu nasze decyzje determinują warunki, w jakich je podejmujemy.

Już spokojnie przemieszczamy się w kierunku mety. Wyprzedzam nawet konkurentów – w sumie 20 samochodów. Nagle słyszę znajomy huk. Właśnie pękła nam opona. Tyle wysiłku na nic...

Zjeżdżam na pobocze, bo musimy szybko usunąć awarię. I jednocześnie modlę się, żeby chłopaki w ciężarówkach zauważyli nas w tych tumanach kurzu i nie staranowali przez przypadek.

– Myślisz, że możemy wystartować już w mistrzostwach świata w zmienianiu kół na czas? – próbuję żartami rozładować atmosferę.

Faktycznie, po przerzuceniu „-dziestu" kół mamy już opracowany system. Ja wyjmuję podnośnik, Jarek w tym czasie odkręca śruby... Działamy bez słowa, jak dobrze naoliwiona maszyna. Jednak od tego momentu jadę z duszą na ramieniu. Pozostało nam już tylko jedno zapasowe koło, a na tej kamienistej drodze nie trudno o złapanie kolejnego kapcia. Staram się wybierać możliwie najbardziej bezpieczny tor jazdy, nawet kosztem kolejnej straty czasu. Jak się okazuje, ta taktyka jest słuszna. Zaraz za metą odcinka specjalnego strzela druga opona i ostatnie 250 kilometrów pokonujemy już bez zapasu i szans na uzyskanie pomocy z zewnątrz.

Jazda w takim kurzu
i bez widoczności jest
wykańczająca dla psychiki—

Nie ma to jak
tradycyjne rozwiązanie!
Kompas, który przejechał
z nami cały rajd

Mamy też przekoszone zawieszenie – zamiast dwóch równoległych zostawiamy za sobą cztery ślady... Najgorsze jest jednak to, że co kilkanaście kilometrów grzeje nam się silnik i musimy się zatrzymywać, żeby go studzić. Wyobraźcie sobie: czas odcinka biegnie, lecą cenne minuty, a my otwieramy maskę i spokojnie czekamy, aż spadnie temperatura silnika. Absurd! I pomyśleć, że jeszcze kilka dni wcześniej, na odcinkach europejskich, byłam gotowa wypruć sobie żyły za kilka sekund przewagi. Rutynowo już przetrzepujemy filtr powietrza (po raz piąty tego dnia) i gapimy się przed siebie.

– Szkoda w sumie, że nie palimy, bo z tej przerwy przynajmniej byłaby jakaś korzyść, co? – żartuję i Jarek nawet się odrobinę rozchmurza.

Pewnie jeszcze nie może mi wybaczyć tego wjazdu na pole minowe. A może tak jak ja rozmyśla o tym, jak bardzo ten rajd różni się od naszego o nim wyobrażenia? Po 30 minutach możemy jechać dalej.

W pewnym momencie stajemy na rozstajach dróg, bo ślady kół prowadzą we wszystkich możliwych kierunkach. Skręcamy w lewo, ale po chwili widzę zawracające samochody.

– Ej, to którędy w końcu? – pytam zdezorientowana.

Przejechaliśmy ze 30 kilometrów, tyle samo z powrotem, więc w sumie straciliśmy 60 kilometrów. Paradoksalnie jednak uzyskaliśmy na tym odcinku specjalnym 53. czas, tracąc do najszybszej załogi 1:16.20. W klasyfikacji generalnej awansowaliśmy więc na 66. pozycję, czyli jak na nasze realia – całkiem nieźle.

To był też prawdziwy chrzest bojowy, który zdaliśmy z Jarkiem celująco. Najważniejsze jest to, że mimo wszystko dojechaliśmy do mety i coraz lepiej współpracujemy jako team. Przyznaję, że na początku afrykańskich etapów zaczęliśmy walczyć o przywództwo: kto z nas jest w aucie ważny, a kto ważniejszy. Jarek zapewne źle znosił moje próby rządzenia – jak każdy facet. Któregoś razu posprzeczaliśmy się o to Jarka wzdychanie i gadanie, że on by pojechał inaczej. Nie wytrzymałam, wysiadłam z auta, trzasnęłam drzwiami i poszłam odparować na wydmę...

– Teraz jedź ty. Proszę bardzo! – rzuciłam zmęczona tą przepychanką.

Jerry ruszył ostro. Pech chciał, że akurat jechała ciężarówka, która zaczęła osuwać się bokiem z wydmy. Przechyliła się niepokojąco, a w tym czasie nasze auto także zsuwało się po nasypie i już po chwili staliśmy zakleszczeni dachami w piaszczystym siodle. Nie powiedziałam słowa, choć samochód wyglądał jak po dachowaniu.

Prawda jest taka, że w Dakarze nie jadą kierowca i pilot, lecz dwóch równoprawnych członków załogi. Każdy z nich może usiąść za kierownicą, kiedy ten drugi już nie daje rady. A gadanie, że któryś zrobiłby coś lepiej, jest bez sensu – trzeba uznać, że ta osoba, która w danym momencie trzyma kierownicę, podejmuje decyzje i nawet jeśli coś spieprzy, to rajdówkę z piachu odkopujemy wspólnie... Podobnie jak wspólnie głodujemy, cierpimy pragnienie i wszelkie niewygody. Bo kiedy jest naprawdę źle, to i tak możemy liczyć tylko na siebie. Zajęło mi trochę czasu, zanim to zrozumiałam. Oboje to zrozumieliśmy.

## 9. DZIEŃ - 5.01.2002
### ZOUERAT - ATAR (MAURETANIA):

## TOTAL 396 KM

dojazdówka 9 km > OS 383 km > dojazdówka 4 km

## MARTWE WYDMY

*Dziewiąty etap Rajdu Arras-Dakar był właściwie w całości odcinkiem specjalnym, bowiem z trasy o łącznej długości 396 kilometrów tylko 13 kilometrów stanowiły drogi dojazdowe. Dziś najszybsi byli zawodnicy Mitsubishi: Hiroshi Masuoka i Pascal Maimon, dla których było to już trzecie zwycięstwo OS-owe podczas tegorocznej imprezy. Tym samym japońsko-francuska załoga umocniła się na pozycji liderów.*

*Niestety nie był to dobry dzień dla naszych załóg. Łukasz Komornicki i Rafał Marton ze stratą 5:39.51 zajmują 64. miejsce na odcinku. Tym samym stracili pozycję liderów w Pucharze Toyoty i spadli na odległe miejsce w klasyfikacji generalnej. Martyna Wojciechowska i Jarosław Kazberuk, po ciężkich zmaganiach z wydmami, ponad dwie godziny po zmroku również osiągnęli metę. Cały czas z bardzo dobrej strony pokazują się natomiast nasi motocykliści. Obaj jadą równym, ale szybkim tempem, czego efektem są wysokie miejsca zajmowane przez nich na kolejnych etapach. W klasyfikacji generalnej prowadzi nadal Włoch Fabrizio Meoni (KTM). Czachor jest 23., a Dąbrowski 25.*

(autoklub.pl)

Do Mauretanii powinno się przyjeżdżać, żeby podziwiać krajobraz, a nie ścigać się na czas. Za oknami naszego auta widzę bezmiar czerwono-czarnych skał. Czuję się, jakbym jechała po Księżycu. Nie ma tu nikogo poza uczestnikami rajdu, niemal żadnego śladu życia. Co jakiś czas zerkam na monumentalne czarne skały. W tej okolicy znajdują się złoża rudy żelaza i to właśnie ją wydobywa się tu w milionach ton. Urobek nad ocean transportuje najdłuższy skład towarowy świata – wąż ponad 200 wagonów poruszający się po jednotorowej linii SNIM ma aż 3 kilometry długości. Mauretańczycy wykorzystują SNIM również do innego celu. Wożą nim całe rodziny wraz z dobytkiem i kozami. W tej części świata brakuje dróg, a nawet jeżeli są, to rzadko którego mieszkańca stać na coś więcej niż rower. A na pryzmie rudy w węglarce mogą się przejechać za darmo.

W Mauretanii łączna długość utwardzonych dróg nie przekracza 3 tysiące kilometrów (w Polsce jest to „aż" 296 tysięcy). Mimo stosunkowo krótkiego dystansu przejazd z górniczego miasta Zouérate do Ataru położonego w oazie na skraju Sahary dosłownie nas masakruje. Trasa tego odcinka dała nam większy wycisk niż wczorajszy czterokrotnie dłuższy maraton.

Powiedzieć, że ten odcinek jest bardzo urozmaicony, to tak, jakby tropikalną ulewę nazwać deszczykiem. Są na nim wszelkie rodzaje afrykańskich nawierzchni – od szutru, przez kamieniste wyboje, aż po piach z *camel grass*, czyli wielbłądzią trawą. Ta niewinnie wyglądająca roślina wydziela substancję, która sprawia, że bladozielonożółta kępka zamienia się w kamień. *Camel grass* jest więc zmorą kierowców rajdowych. Wjechanie w coś takiego z dużą prędkością można porównać jedynie ze zderzeniem z... betonową ścianą. Szczęśliwi urywają na *camel grass* koła, pechowcy zaś lądują na dachu. No i warto też wspomnieć ledwo sterczące z piachu głazy, które z bliska okazywały się mieć pół metra wysokości.

Dzień jak co dzień. Kolejna złapana guma, kolejna strata czasu na wymianę koła. Nawierzchnia zmienia się z szutrowej na piaszczystą, by potem doprowadzić nas do pola kamieni, które wygląda jak wielka tarka. Żeby przetrwać, dziesiątki razy musimy wysiadać z samochodu i zmieniać ciśnienie w kołach. Zasada jest prosta. Na piachu spuszcza się powietrze do 0,5 lub 0,8 atmosfery – opona robi się miękka i sflaczała, ale lepiej trzyma (bo ma większą powierzchnię styku z podłożem). Na kamienie pompuje się 2,2 lub nawet 2,4 atmosfery, czyli jak w cywilnym aucie, żeby twardy bieżnik wytrzymał kontakt z ostrymi krawędziami skał.

Biegamy więc tak co chwilę z ciśnieniomierzami dookoła auta i wypuszczamy powietrze z bridgestone'ów, po to by je za chwilę dopompowywać. Cyrk na kółkach.

Na deser dostajemy ponad 100-kilometrowy dywan z wydm – niektóre mają wysokość sześciopiętrowej kamienicy. Mdli mnie z nerwów. Wiecie, co w jeżdżeniu po wydmach jest najgorsze? Że dojeżdżając do szczytu, nigdy nie wiadomo, co jest za nim. Bywa, że piaszczyste wzgórze urywa się nagle pionowo, a samochody spadają jeden na drugi. Widziałam takie sceny wielokrotnie...

– Nie odpuszczaj! Jeszcze nie teraz! – Jarek krzyczy mi w interkomie zdesperowany.

Zdławiłam samochód chwilę za wcześnie i utykamy niemal na szczycie wydmy. Toyota osiada na osiach.

– Panicznie boję się tych pieprzonych uciętych wydm – przyznaję. – Dojeżdżając do szczytu, jestem przerażona i za szybko odpuszczam – próbuję się wytłumaczyć.

Wiem, że powinnam na pełnym gazie dojechać na samą górę, aby samochód nie stracił mocy. Na wierzchołku wydmy, już po przekroczeniu go w trzech czwartych (przednia oś musi być poza najwyższym punktem), trzeba zwolnić, żeby sprawdzić, co jest kawałek dalej. Jeśli zrobisz to za wcześnie – utkniesz w piachu i stracisz resztę dnia na machanie łopatą. Jeśli zrobisz to odrobinę za późno – możesz spaść na nos auta lub nawet dachować. W rajdowym żargonie takie lądowanie to „stempel" i raczej nikt nie chce go zaliczyć.

Wreszcie na którymś tam kolejnym garbie piachu postanawiam nie odpuszczać i już po chwili czuję, że lecimy w dół zdecydowanie zbyt szybko i zbyt pionowo.

– Ups – cóż można powiedzieć w takim momencie. Teraz pozostaje już tylko biernie czekać na wynik walki naszego samochodu z prawami fizyki.

Toyota staje na przodzie, jakby się wahała, co dalej zrobić... Siłą woli pomagam jej podjąć właściwą decyzję. W końcu czuję, jak tylne koła lekko dotykają podłoża, wykorzystuję to i śmiało dodaję gazu. Uff... Wyjeżdżamy z tej pułapki cało. Fart!

Na pustyni obowiązuje wiele zasad, ale ta jest najważniejsza. Nie zatrzymywać samochodu na miałkim piachu nawet wtedy, kiedy szuka się koncepcji na przejazd trudnego odcinka. Lepiej już jeździć w kółko. Kiedy auto staje – jego koła zapadają się pod naporem blisko 2,5 tony. Tyle waży nasza rajdówka.

Właśnie okazuje się, że nasza prędkość najazdu na wydmę jest znów zbyt mała, skręcam więc koła, żeby skutecznie wyrwać się z koleiny, a potem wycofuję się po łuku. Zataczam koło, wracam do punktu wyjścia i ruszam do kolejnego ataku. Byle tylko się nie zatrzymać. To nic, że pod tę wydmę podjeżdżamy już siódmy raz...

Tylko że to też wcale nie gwarantuje sukcesu. Utykamy. Czas wyjąć plastikowe podkłady.

– Myślisz, że przekopaliśmy już tę cholerną wydmę na pół? – zagaduję Jarka, który macha łopatą z zadziwiającym, zważywszy na okoliczności, entuzjazmem.

– Ale ja lubię tę robotę! To mi się coraz bardziej podoba! – zmęczenie chyba odebrało mojemu partnerowi rozum, ale i mnie udziela się ten zapał.

Jacek Czachor i Marek Dąbrowski – motocykliści, dla których to już trzeci start w Dakarze – powiedzieli nam przed rajdem:

– Przed Atarem zaczyna się prawdziwa szkoła przetrwania.

I wykrakali. Każdy kolejny kilometr jest dla nas drogą przez mękę. Do tego zbliżamy się właśnie do pasa wytyczonego przez obszar tak zwanych umarłych wydm. Zwykła wydma jest od nawietrznej bardzo twarda, a od zawietrznej – sypka. Tymczasem *dead dunes* (lub jak kto woli: *les dunes mortes*) to góry pyłu, w który samochód zapada się od razu do wysokości szyb. I właśnie dlatego pomiędzy nimi wyznaczono nam korytarz szerokości od pół do kilometra. Lepiej, żebyśmy nie zboczyli z trasy, bo wówczas nasza Toyota zostanie tu już na zawsze. Przez *dead dunes* po prostu nie da się przejechać. Choć tylko my biali nie radzimy sobie z wyciąganiem samochodów z takich piaszczystych zasp, bo jak inaczej wyjaśnić fakt, że miejscowi po zapyziałych afrykańskich ulicach jeżdżą rajdówkami do złudzenia przypominającymi te z Dakaru?! W dodatku domorośli mechanicy z Afryki, i to mnie zdumiewa najbardziej, potrafią taki samochód zreanimować i jeździć nim jeszcze przez wiele lat.

Od następnego roku (2003) nie było już odcinków prowadzących przez obszary *dead dunes*. I znów – dlaczego to nam właśnie udało się trafić na ten ostatni feralny rok?

Organizator zafundował nam piekło. I niestety nie da się go ominąć. Nikt bowiem nie wie, gdzie na trasie zostali ukryci sędziowie i w jakich miejscach nasz GPS ma wpisane sekretne punkty kontrolne, które musimy zaliczyć. Każdego,

kto wybierze łatwiejszą drogę i objedzie bokiem tę strefę obowiązkowych tortur, czeka dotkliwa kara czasowa. My zresztą mamy tylko jeden system nawigacji, co dziś (choć wtedy było oficjalnie zabronione) uważam za poważny błąd. Niemal każda załoga dysponuje zapasowym GPS-em, bo zgubić się na obszarze setek kilometrów nie jest specjalnie trudno. Trudniej jednak takich pechowców odnaleźć i choć nad naszymi głowami latają satelity, to wcale nie gwarantują one sukcesu.

Etap Zouérate–Atar dla mnóstwa załóg staje się miejscem dramatu – po drodze widzimy co najmniej 30 wypadków. Przy wielu nieszczęśnikach zatrzymujemy się, żeby w razie potrzeby udzielić im pomocy. To też jest podstawowa różnica pomiędzy naszym Dakarem a ściganiem się zawodników z czołówki. Nikt, kto walczy o sekundy w klasyfikacji generalnej, nie stanie nawet na moment, żeby pomóc innej załodze w postawieniu auta na koła po dachowaniu lub choćby sprawdzić, czy wszyscy żyją. Po prostu pędzą do mety i dopiero wtedy zgłaszają, gdzie widzieli wypadek.

– To co, mamy w dupie czas? – Jarek i ja zadaliśmy sobie to pytanie już na początku odcinka specjalnego.

Początkowo chętnie dzielimy się z innymi wodą oraz tymi resztkami jedzenia, które mamy przy sobie. Potem zaczyna do nas docierać, że to do niczego nie prowadzi. Za chwilę to my możemy potrzebować pomocy i tej cholernej wody, którą właśnie wielkodusznie komuś oddaliśmy.

I wtedy dostrzegamy zawodniczkę – to Youma Tall z Burkina Faso. Zatrzymujemy się, bo czarnoskóra dziewczyna wygląda na załamaną – motocykl marki KTM leży przewrócony, a ona siedzi przy nim, jakby nie wiedziała, co dalej począć. No i jest dziewczyną, więc solidarność jajników nie pozwalała mi przejechać obok niej obojętnie. Z bliska okazuje się, że jest z nią bardzo źle... Dziewczyna ma otwarte złamanie – jej kość udowa właśnie wystaje przez pokrwawiony kombinezon. A ona gapi się na tę nogę i chyba jest we wstrząsie pourazowym. Nie płacze, choć ból musi być okropny. Jest tak zastanawiająco spokojna, że delikatnie trącam ją w ramię i pytam po angielsku:

– Wszystko w porządku? Jak się czujesz?

– A dobrze, dobrze... – odpowiada automatycznie, błądząc nieobecnym wzrokiem.

Ma może 30 lat i jest cholernie dzielna. Moim zdaniem to właśnie kierowcy motocykli są największymi bohaterami tej imprezy – ich wysiłek fizyczny jest przecież nieporównywalny z naszym.

– Wezwałaś pomoc? – pytam.

Cisza.

– Czy odpaliłaś system ratunkowy? – wskazuję głową na ten *safety beacon (balise)*, który dziewczyna trzyma na kolanach niczym bożonarodzeniowy prezent.

To taka skrzynka, która po odbezpieczeniu wyśle do organizatora sygnał przez satelitę wraz z lokalizacją, gdzie jest potrzebna pomoc. Wtedy albo ruszy po nią samochód, jeśli jest łatwy dojazd, albo przyleci śmigłowiec. Dziewczyna będzie musiała zostawić motocykl, wsiąść na pokład i odlecieć już bez szansy na kontynuowanie Dakaru.

Teoretycznie organizator ma 48 godzin na znalezienie poszkodowanego, ale w historii zdarzyło się, że i cztery dni szukali zaginionych delikwentów. Tym bardziej trzeba pamiętać, żeby zawsze mieć przy sobie namiot, cokolwiek do jedzenia i solidny zapas wody, który my już dziś rozdaliśmy. Wiadomo, że w normalnych warunkach dorosły organizm potrzebuje 3 litrów wody dziennie, ale na pustyni ta ilość wzrasta nawet do 15. A bez wody na pustyni człowiek jest w stanie przeżyć od trzech do czterech dni.

– Czy wezwałaś pomoc? – pytam głośniej i przez chwilę myślę, że może ona po prostu nie zna angielskiego.

– Nie. Nie mogę tego zrobić! – ożywia się nagle.

– Spokojnie – Jarek przemawia do niej jak do dziecka.

– Nie! – dziewczyna jest wyraźnie podenerwowana. – Ja nie mogę zostawić tu motocykla… Muszę jechać dalej!

Nie wierzę własnym uszom. Najwyraźniej ona nie zdaje sobie sprawy z tego, co się stało, co zresztą jest dość częste u ofiar wypadków. Znane są historie, gdy w szoku ludzie pokonują dziesiątki kilometrów mimo złamanej nogi, Jacek Czachor ukończył Dakar w 1999 roku ze złamaną ręką, tyle że podjął tę decyzję świadomie.

Jest mi żal młodej motocyklistki, jest niewiele starsza ode mnie i być może po tak poważnym złamaniu nigdy już nie odzyska pełnej sprawności. Wzrusza mnie jej determinacja.

– Tak tylko tu sobie chwilę posiedzę i pojadę dalej – mówi z przekonaniem.

Gapię się na jej kość udową, która przebiła gore-texową tkaninę, a potem patrzę jej głęboko w oczy. Bez słowa.

– No, wiem… Wiem. To jeszcze chwilę tak tu sobie posiedzę. Jeszcze chwilę…

Przelewam resztkę naszej wody do bidonu dziewczyny, Jarek wciska jej do kieszeni paczkę herbatników. Na szczęście za chwilę na horyzoncie pojawia się śmigłowiec ratunkowy i zmierza w naszym kierunku.

Marzenia czasami kosztują tak wiele. Ale czasem jeszcze więcej – rezygnację z nich. Dla zawodnika z czołówki to tylko kolejny rajd, których wiele przejechał i pewnie jeszcze przejedzie. Dla niektórych jednak start w Dakarze to owoc wielu miesięcy, a nawet lat pracy i wydane oszczędności niemal całego życia. O tak, wtedy zupełnie inaczej przychodzi decyzja, że „dobra, to ja już dalej nie jadę"…

Tuż przed zachodem słońca znowu zakopujemy się w wydmie, pewnie setnej tego niekończącego się dnia. Tak się składa, że akurat w tym miejscu stoi też ekipa telewizji Eurosport, która filmuje nasze zmagania z piaszczystą materią.

– Hej, możemy nagrać z tobą wywiad? Będziemy w obozie na pewno przed wami i możemy podrzucić ten materiał waszej ekipie dziennikarzy z Polski.

I wtedy, w promieniach zachodzącego słońca, mówię do kamery kilka zdań, które do dziś często są wklejane do wszelkich dokumentów o historii Rajdu Dakar:

– Jadąc tu, myśleliśmy, że mamy szansę się o coś ścigać. Dziś wiem, że najważniejsze to na koniec dnia być na mecie odcinka specjalnego.

Co po angielsku brzmi trochę zgrabniej: *The most important is to be at the end of the day at the end of the superstage…*

Kiedy oboje z Jarkiem zdaliśmy sobie z tego sprawę to, paradoksalnie, ulżyło nam. Po tym jak opadły emocje, dotarło do nas, że nigdy właściwie nie mieliśmy wielkiej szansy na prawdziwe ściganie się w Dakarze (szczególnie podczas pierwszego startu). Nie ten budżet, nie ten samochód i za małe doświadczenie. Zaczynam rozumieć, że rajd, który oglądałam na kanale Eurosport i (zdawkowe relacje) w polskich mediach, to tylko wylukrowany przekaz. W kilkuminutowym materiale widać zwykle najlepszych zawodników, którzy każdego dnia wsiadają do swoich supermaszyn w superczystych kombinezonach. Wcześniej zjedli normalne śniadanie i wyspali się w klimatyzowanych namiotach, podczas gdy prawdziwa walka odbywa się właśnie tu, wśród załóg jadących w tle. Ale skoro nie musimy już z nikim rywalizować, to i tak wciąż pozostaje nam godny rywal – własna słabość. Choć kto wie, czy nie jest to najpoważniejszy przeciwnik w całej tej szalonej przeprawie przez pustynię?

W drodze do obozu mijamy kolejne rozbite auta, poprzewracane motocykle, ale też załogi, które się poddały. Z ciemności wyłaniają się zaparkowane w różnych miejscach samochody, a obok nich są rozbite namioty. Nasi konkurenci widocznie uznali, że nie dadzą rady kontynuować jazdy, i postanowili bezpiecznie dotrzeć do biwaku dopiero po wschodzie słońca.

Po 12 godzinach jazdy, późną nocą docieramy na metę. Członkowie każdej nadjeżdżającej załogi witani są niczym bohaterowie, a obcy ludzie rzucają się sobie z radością w ramiona. Widać, że nie tylko dla nas ten odcinek był trudny... Po tym etapie cała 39-osobowa ekipa medyczna polowego szpitala zarywa noc, bo trzeba opatrzyć ponad 40 poszkodowanych. Po przyjeździe na biwak dowiadujemy się też o wypadku naszych kolegów z Pucharu Toyoty. Jeden zawodnik z tego zespołu, Dries Veen, ma złamany kręgosłup i właśnie jest transportowany do Francji na operację, bo rajdowi lekarze nie radzą sobie z tak trudnymi przypadkami.

Po raz pierwszy nawet nie mamy siły podejść do tablicy wyników. Zresztą bez względu na rezultat, dla nas najważniejsze było ukończenie tej próby, czyli *to be at the end of the day at the end of the superstage…*

Nawet nie mam pojęcia, że w telewizyjnej relacji w TVN-ie kilka godzin temu podano, że zaginęliśmy na pustyni.

– Oto na tym samym odcinku w ubiegłym roku Marek Dąbrowski złamał nogę, a w tej edycji rajdu podobny los spotkał Jeana Brucy na KTM-ie, który po kilkudziesięciometrowym locie stracił przytomność i ze wstrząsem mózgu trafił do szpitala – prowadzący w studio mówi o tym sensacyjnym tonem. – Nadal nie mamy informacji jakie są losy naszej załogi – dodają na koniec.

Moja Mama w tym czasie siedzi przed telewizorem i ogląda te doniesienia. Dla niefrasobliwego dziennikarza jest to wiadomość, która pewnie wygeneruje lepszą oglądalność. Dla mojej rodziny oznacza to nieprzespaną noc. Jedną z wielu w trakcie trwania tej imprezy.

# 10. DZIEŃ: ODPOCZYNEK - 6.01.01
## ATAR

– Hura, wreszcie mamy szansę na normalny posiłek – mówię zaraz po przebudzeniu. Nikt nam nie zwinie kuchni, bo dziś, w trakcie tego jedynego dnia odpoczynku, posiłki mają być wydawane od rana do wieczora. Wyruszamy więc na poszukiwanie jedzenia. Chłopcy orlenowcy, czyli Jacek Czachor i Marek Dąbrowski, od początku etapu afrykańskiego nie rozbijają swoich namiocików i śpią na kolorowych dywanach rozłożonych pod głównym namiotem w obozie. To coś w rodzaju prowizorycznie zadaszonej stołówki, w której za podłogę, stół i krzesła służą rozrzucone „persy". Wolą spać właśnie tu, nie bacząc, że reszta zawodników wędruje nad ich głowami.

Teraz Marek i Jacek sprawiają wrażenie zmęczonych, ale nadal są uśmiechnięci. Na ich ogorzałych od słońca, ubrudzonych kurzem twarzach i w przekrwionych oczach odcisnął się jednak każdy dzień tego Dakaru. Chłopaki nie kąpali się od kilku dni, więc teraz wietrzą nogi odparzone przez motocyklowe buty. Widząc nas, Marek zaczyna się głośno śmiać, a Czachor patrzy z niedowierzaniem i wreszcie mówi:

– Wiesz, Martyna, nie wierzyłem, że dasz sobie tu radę. Nawet obstawialiśmy z Markiem, kiedy wymiękniesz. Ale jak przepchaliście Erg Zachodni i jesteście w Atarze, to znaczy, że już ukończycie ten rajd!

I jak mogłam mu nie uwierzyć? Dla mnie ci motocykliści są i będą guru! Choć wiele razy było potem jeszcze gorzej… Ba! Było fatalnie! Jednak w tych najbardziej krytycznych chwilach przypominałam sobie te słowa.

– Jak przepchaliście Erg Zachodni i jesteście w Atarze, to znaczy, że już ukończycie ten rajd...

I działało.

Dzień odpoczynku, więc nareszcie możemy sobie pozwolić na odrobinę leni-
stwa. Oj, przyda się to wolne naszym udręczonym ciałom! Ale najpierw trzeba załatwić formalności. Ponieważ znaleźliśmy się na terenie Mauretanii, musimy przejść
odprawę paszportową.

– Dajesz 10 dolarów i masz to załatwione – słyszę od jakiegoś zasłoniętego po
oczy „strażnika granicznego".

Cóż mogę zrobić innego, niż wręczyć mu łapówkę? Szkoda mi czasu i sił na
takie przepychanki.

Po raz pierwszy od wystartowania z Arras mamy możliwość obejrzenia całego obozu. Biwak takiego rajdu wygląda niczym miasto. Co to oznacza? Że trzeba
każdemu (a jest tu półtora tysiąca osób) dać jeść, zapewnić higienę, dostęp do wody,
telefonu i prądu, ochronić przed potencjalnym atakiem czy kradzieżami. Wyobraźcie

**BIWAK NA DAKARZE**
Po lewej stronie w długim namiocie jest
stołówka, w której zawsze dzieje się najwięcej

# PRAWIE JAK NOWY

**Nawet w tak spartańskich warunkach zespół sprawnych mechaników jest w stanie rozłożyć samochód na części pierwsze i na rano zawodnik ma zreanimowaną rajdówkę**

Zaskoczony
zdjęciem
Jarek

Dziennikarz
Marek
Oblaciński

Śp pamięci Maciek Majchrzak,
który jechał jako obserwator

Jacek
Czacha
z tea
Orlen

Piasek wdziera się
wszędzie

Totalny zjazd...

Czas wolny?
To okazja, żeby
popracować
i naprawić
samochód

Operator Darek
Prosiński i ja
(wyluzowana
po dniu odpoczynku)

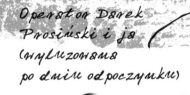

Wielkie porządki
na pustyni

Czasem udawało się
znaleźć łazienkę

sobie, jak wygląda flota, która na trasie liczącej 10 tysięcy kilometrów musi roz-
wieźć zaopatrzenie – potrzeba do tego nie tylko samolotów i śmigłowców, ale też
78 samochodów, 10 wielkich ciężarówek, 15 autobusów oraz 35 średniej wielkości
dostawczaków. A to tylko część maszyn. Doliczyć jeszcze trzeba motocykle, rajdówki i zaplecze każdego z teamów.

Z trudem możemy się połapać gdzie co jest, ale za to mamy okazję podpatrzeć
załogi z czołówki. Nazywamy ich „top zawodnikami".

Dostrzegam więc rekina francuskiego show-biznesu – Johnny'ego Hallydaya,
za którym jak zwykle goni tłum dziennikarzy, operatorów i fotografów, oraz Peterhansela, którego zawsze podziwiałam – sześć razy wygrał tu klasyfikację motocykli, a od
1999 roku startuje samochodem i to z niezłym skutkiem (potem jeszcze trzy razy wygrał w rywalizacji aut). Z podziwem przyglądam się Juttcie Kleinschmidt – Królowej
Pustyni nazywaną też Miss Dakar. To zwyciężczyni rajdu z 2001 roku, czego do-
konała jako pierwsza kobieta w historii. I choć złośliwi zarzucają jej, że osiągnęła
to wyłącznie dzięki kłótni, której efektem było wykluczenie z rywalizacji dwóch
walczących o pierwszeństwo zawodników (Schlessera i Masuoki), faktem jest, że
Kleinschmidt nagle awansowała z trzeciego miejsca i zwyciężyła. Chciała honorowo
oddać puchar, ale Masuoka odmówił.

Kiedy miała 17 lat, kupiła swój pierwszy motocykl, spakowała sakwy i z zamia-
rem przejechania rajdu Dakar wyruszyła w drogę. Nie zapłaciła wpisowego, jechała
za rajdową karawaną, od innych motocyklistów dostawała benzynę oraz jedzenie
i – w co trudno uwierzyć – przejechała cała trasę. Teraz jest najbardziej utytułowanym niemieckim kierowcą rajdowym.

Ja i Jarek poznaliśmy ją trzy lata wcześniej – Niemka przyjechała wtedy do
Polski na Marlboro Adventure Team jako instruktor jazdy off-road. Zapamiętaliśmy
ją jako równą, otwartą babkę i przez te cztery dni spędzone wspólnie w terenie wydawało nam się, że czegoś się o niej dowiedzieliśmy i może nawet, że się zakumplo-
waliśmy. Ale na rajdzie przepaść między nami była tak ogromna, że w zasadzie nie
było już pola do jakiejkolwiek interakcji.

Od początku różnice między czołówką a ogonem były widoczne nawet w najdrobniejszych szczegółach. Oni mieli lepsze jedzenie, każdego dnia zakładali czyste,
nowe kombinezony, gdy my na cały rajd mieliśmy po jednym i to pożyczonym.
Z czasem zaczęliśmy przypominać wychudłe, wyliniałe psy wałęsające się po kątach. Czułam się gorsza, słabsza, a nawet brzydsza.

„Topowcy" nie spali tam, gdzie my, a nawet często nie spali w ogóle w namiotach – po południu część z nich transportowano do najbliższego hotelu, z normalnym prysznicem i innymi cywilizacyjnymi wygodami. Jeśli już komuś przyszło spać w namiocie, to w takim klimatyzowanym, z łóżkami i innymi ekstrasami. (Krzysztof Hołowczyc jeździł nawet z namiotem tlenowym, żeby przyspieszać regenerację organizmu!). Zawodnicy Kamaza mieszkali w specjalnym kontenerze, niemal apartamencie, o powierzchni 30 m². Tam były łóżka polowe i nawet puchowe poduszki...

My tymczasem nie mamy szans na regenerację. Wprawdzie, jak na tutejsze standardy, spaliśmy nawet dość długo (czyli z pięć godzin), ale nie oznacza to, że mój mózg nie odbierał przez ten czas bodźców, bo stale panuje tu gwar – w dzień i w nocy. Jarek znosi te niewygody lepiej – lata wyczynowego treningu judo i, ogólnie, końskie zdrowie teraz procentują. Choć sądziłam, że fizycznie jestem nieźle przygotowana, to i tak – słabsza niż on. Dziś, także psychicznie, zniosłabym to o niebo lepiej, ale wtedy czułam się upodlona, zmęczona i rozgoryczona.

Zdarzały się jednak takie momenty, kiedy i oni, ku naszej uciesze, wyglądali równie źle jak my. Mam na myśli maratony. A że były takie tylko dwa, na całym rajdzie mieli łącznie cztery „brudne dni".

Obozy rozkładane są na gigantycznej przestrzeni tuż obok polowych lotnisk, na których lądują samoloty z zaopatrzeniem. Zabawny to widok, bo lądowiska kompletnie nie nadają się do obsługi gigantów z Dakaru. Przez kilka pierwszych dni widziałam, jak na tych ubitych poletkach i fragmentach regularnej pustyni lądują wojskowe transportowce, do których da się wpakować nawet transporter opancerzony. Taki na przykład Hercules C-130 wozi tylko dziennikarzy telewizyjnych i ich sprzęt. Maszyna kryje supernowoczesne studio oraz zestaw anten satelitarnych. Na środku Sahary można mieć więc takie warunki jak w TVN 24, z miejscami do montowania materiałów oraz ich zdalnego przekazywania na cały świat.

Prócz tego są też: samolot organizatora, samolot kuchnia, samolot szpital, łącznie dziewięć podobnych maszyn oraz osiem śmigłowców!

W Afryce Francuzi z ASO podnajmowali samoloty transportowe od Ukraińców, Rosjan i Bułgarów, a załogi tych latających fortec ledwie mówiły po angielsku, więc w dzień do gadania niespecjalnie byli chętni, za to w nocy zdecydowanie się ożywiali i solidnie sobie panowie lotnicy popijali.

Rankiem, kiedy szykowałam się do kolejnego startu, widywałam ich leżących pokotem na skrzydłach maszyn. Spali mocnym snem wprost na gołej blasze, bo niska temperatura wychłodzonego w nocy metalu sprawiała, że procenty szybciej mogły wyparować. Czasami odbywały się także większe bibki, podczas których zaproszeni goście harcowali na skrzydłach samolotów. Tak, tak – na płatach mieściło się nawet kilkanaście osób! Choć w maszynach cywilnych na jednym skrzydle może stać jedna osoba i to tylko wtedy, kiedy zajdzie absolutna konieczność.

Widać teraz, że cała lotnicza obsługa świetnie się bawi – piloci ze Wschodu śpiewają i grają na harmoszce, zupełnie jak żołnierze z serialu o czterech pancernych.

– Panowie, a wy to tak możecie pić? – dopytuję nieśmiało w ramach babskiej ciekawości, ale też w ramach dziennikarskiego rozpoznania, kalecząc przy tym niemiłosiernie piękny język rosyjski wyuczony jeszcze w podstawówce:

– Bo przecież musicie jeszcze dziś w nocy być w formie i siąść za sterami, nie?

Faktycznie, samoloty organizatora startują zawsze zaraz po wschodzie słońca, czyli o godzinie 6–7 rano, a chłopaki zachowują się, jakby mieli tu koczować przez kolejny tydzień…

– Kochana – pilot (nazwijmy go Sasza) zwraca się do mnie z uśmiechem.

– Widzisz to lotnisko – omiata teraz wielką dłonią piaszczysty teren dookoła.

– No widzę – odpowiadam nieśmiało, bo nie wiem, do czego gość zmierza.

– I ty byś tu wylądowała? – krzyczy teraz już całkiem głośno.

Kręcę przecząco głową.

– Ja też nie. Przecież to strach! Nie wiem jak ty, ale ja na trzeźwo w życiu bym tu nie wylądował… – i wychyla szklankę z ognistą wodą.

Niby racja – przytakuję i otwieram kolejne, z trudem zdobyte piwo. W końcu to jedyny wolny dzień na tym rajdzie.

W podobnych okolicznościach przyrody Jarek zaprzyjaźnia się z Rosjanami z ekipy Kamaza. Chciał chyba coś pospawać albo pożyczyć, albo po prostu nawiązać kolejną miłą relację – z teamami z ciężarówek zawsze warto żyć dobrze. Kiedy samochód utknie w piachu, wydachujesz albo po prostu masz poważną awarię to tylko trucki mogą cię wyratować. I nie ukrywam, że właśnie dzięki pomocy załóg tych potworów na sześciu czy ośmiu kołach wykaraskaliśmy się z wielu poważnych problemów. Chłopaki każą więc Jarkowi na dzień dobry wypić szklankę wódki, ale potem pozwalają z bliska obejrzeć, jak mają zorganizowane zespół i serwis.

– To niewiarygodne, ale w tych polowych warunkach mają kompletny warsztat, w którym można wykonać dowolną część do Kamaza – opowiada mi teraz niemal z wypiekami na twarzy. – Mają obrabiarki, spawarki! Dosłownie wszystko!

W czasie kiedy Jarek biega od teamu do teamu z grzecznościowymi wizytami, postanawiam się wykąpać. Od dwóch tygodni nie miałam możliwości, żeby się porządnie umyć, i czuję, że pachnę coraz gorzej, a skóra mnie swędzi…

Woda na tym rajdzie jest na wagę złota. Trudno się zresztą dziwić, bo na każdym biwaku śpi tysiąc (a czasami nawet więcej) osób i większość chce się też od czasu do czasu umyć. Tylko w czym?! Ponieważ butelki z wodą wydawane są na sztuki i ściśle reglamentowane, nasza dwuosobowa ekipa telewizyjna staje więc każdego dnia po kilka razy w kolejce, żeby zebrać dla nas jak najwięcej litrów. A kiedy przyjeżdżamy w nocy na biwak, sekretnie podrzucają nam te z trudem zdobyte zapasy do auta.

W ogóle chłopaki są nie do przecenienia. A to posprzątają nasz samochód (żeby nam było lżej, bo na takie ekstrawagancje to my już nie mamy siły), a to któryś z nich raz bohatersko pierze moje skarpetki i koszulkę, bo nie mam co na siebie włożyć. Jestem tym autentycznie wzruszona. I zawsze na nas czekają na mecie – nawet wtedy, gdy pojawiamy się tam nad ranem.

Tego dnia akurat wody w butelkach jest za mało, kolejka do prowizorycznego prysznica wije się po horyzont, więc zdesperowana postanawiam kupić wiadro wody od jakichś lokalsów. Płacę za nie okrągłe 100 franków centralno-afrykańskich, czyli uiszczam opłatę w walucie, która obowiązuje w całej pofrancuskiej Afryce. W tej części świata, choć franków nad Sekwaną od dawna już nie ma, nadal używa się takich banknotów. „Sto" brzmi poważnie, ale to w przeliczeniu (według obecnego kursu) zaledwie 60 polskich groszy. Płacę za wodę, ale dostaję breję o konsystencji zupy, w podobnym kolorze, w dodatku mocno śmierdzącą mułem. No cóż, nie wybrzydzam, bo bez niej nie będzie kąpieli w ogóle. Proszę Jarka o pomoc – na tym etapie rajdu, kiedy wszyscy wszystko robią na oczach innych, zapominam o wstydzie.

Okazuje się, że dzień wolny nie jest jednak tak do końca fajny, bo wypada się z rytmu. Czasu robi się zdecydowanie za dużo, a wtedy przychodzą człowiekowi do głowy głupoty. Ja na przykład postanawiam, że uporządkuję nasze graty. Zresztą na mnie sprzątanie zawsze działa relaksująco – kiedy wprowadzam ład do otaczającej mnie przestrzeni, od razu czuję, że osiągam większy spokój i harmonię wewnętrzną... W każdym razie przed startem rajdu zachomikowałam różne rzeczy w skrzyni, która jedzie ciężarówką serwisową. Mamy więc teraz tonę T-shirtów, zapasowe rękawiczki rajdowe, a nawet odtwarzacz płyt CD, bo naiwnie sądziłam, że wieczorami będziemy się relaksować przy muzyce!

I nagle, w połowie rajdu, doznaję olśnienia, że to są przedmioty kompletnie nam niepotrzebne. Zaczynam więc cały ten towar wywalać na ziemię i po chwili wyrasta przed samochodem góra „śmieci". Tak to jest, kiedy człowiek przygotowuje się do zagranicznej podróży i myśli, że wszystko będzie mu potrzebne... Podczas gdy większość naszych zdobyczy cywilizacyjnych to tylko zbędny balast.

Zakładam, że z pozbyciem się nadmiaru klamotów kłopotu wielkiego nie będzie... W Mauretanii bieda aż piszczy – ludziom przydaje się każda rzecz. Zdejmujesz jedną skarpetkę i kładziesz ją na ziemi. Potem odwracasz się, żeby zdjąć drugą, a tej pierwszej już nie ma... Zdejmujesz tę drugą i po chwili też nie ma po niej śladu. Brudne ubrania same znikają! Kładziesz szczoteczkę do zębów, odwracasz się po pastę i szczoteczki też już nie ma (to akurat przydarzyło się mi i nie byłam tym faktem zachwycona). Mauretańczycy wyznają bowiem zasadę, że jeśli coś położysz, zamiast trzymać w ręku – znaczy to, że jest niczyje i już można to wziąć. Od tej reguły jest pewne odstępstwo – jak się rozbierzesz pod pseudoprysznicem, to twoje rzeczy są nietykalne. Wystarczy jednak, że zrobisz krok albo odwrócisz się plecami... – to znaczy, że je porzuciłeś. W Mauretanii trzeba być bardzo czujnym. I przede wszystkim znać zasady!

Tutaj każdy: i mały, i ten większy, prosi o *cadeau* (po francusku „prezent"). „Kado" może więc stanowić długopis, butelka z wodą, przepocone buty, cokolwiek. W pewnym momencie Jarek, zirytowany ciągłym marudzeniem jakiegoś namolnego handlarza, mówi po polsku:

– „Kado-Kado", a może ty byś mi coś dał w prezencie?!

Na co ten, choć nie wyglądało, żeby cokolwiek zrozumiał, zdejmuje z szyi naszyjnik z koralikami i zapina go Jarkowi na szyi. Przez chwilę sądzimy, że będzie chciał za to pieniądze, ale on tylko macha nam i odchodzi z uśmiechem. Rzadkość!

Po porządkach, wykąpani, idziemy z powrotem na stołówkę. Posiłki dostarczone przez organizatora mają formę bufetu, pod warunkiem że się na nie zdąży, co nam się raczej nie zdarza. Przed każdym wyjazdem na trasę dostajemy jednak tak zwane lunch-pakiety: wodę (zaledwie od 250 ml do 1,5 litra na osobę, czyli o wiele za mało jak na saharyjskie upały) plus rację żywnościową, która miała wystarczyć na przetrwanie do ewentualnej ewakuacji z pustyni. Składają się na nią małe serki, musy owocowe, herbatniki i czipsy. Aż trudno sobie wyobrazić, ale w sumie na rajdzie zużywa się dziennie 1,5 tony jedzenia!

Teraz jednak stoimy w kolejce, żeby odebrać standardowe zestawy na kolację (ponoć, bo jemy ją pierwszy raz – zwykle o tej porze jesteśmy jeszcze na OS-ie) – jest wędlina (wyrób prawdopodobnie zawierający białko) i bułka oraz ciepłe danie. Jak paniska nakładamy sobie więc śmiało pokaźne porcje spaghetti na plastikowe talerze i nawet dostajemy po małej buteleczce wina na głowę (ćwiartka). Stoimy chwilę i debatujemy, co by tu jeszcze ewentualnie zjeść albo zabrać na wynos.

Na blacie obok stoją też żele do mycia rąk – takie antybakteryjne, oczywiście bez konieczności użycia wody. Podchodzą Włosi, nalewają sobie kawy i coś tam między sobą gadają w swoim śpiewnym języku. Patrzą na nas, jak myszkujemy za żarciem, i nagle jeden z nich pokazuje na mydło i mówi:

– Chłopie, tego nie jedz, to jest niedobre. Blee…

Jarek zaczyna się śmiać i mówi:

– Ale to jest mydło!

– No może. Ale niesmaczne jak cholera. Próbowałem.

Umarliśmy ze śmiechu. Nie ma jak nasza wykształcona zachodnia cywilizacja, co?

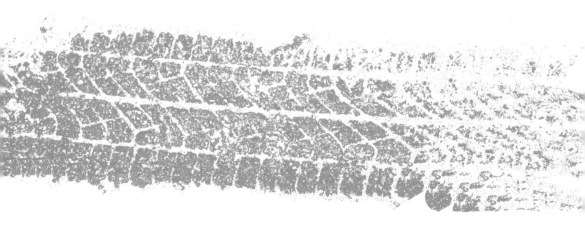

# 11. DZIEŃ - 7. 01. 2002
## PĘTLA ATAR - ATAR
## TOTAL 404 KM
dojazdówka 33 km › OS 366 km › dojazdówka 5 km

# BEZ GPS-A I Z POMOCĄ MIEJSCOWYCH

„Etap bez pomocy samochodów serwisowych – czytam w opisie dzisiejszego odcinka. Dobre sobie!

Znaczy to tylko tyle, że nie ma na trasie „oficjalnych" serwisów. Ale od czego jest szeroko rozumiana pomoc koleżeńska, którą oczywiście dopuszcza regulamin. W rzeczywistości wygląda to tak, że duże zespoły zgłaszają na Dakar najważniejszego zawodnika, a wraz z nim drugi identyczny samochód (albo nawet dwa), którego zadaniem jest w razie awarii lidera oddać mu dowolną potrzebną część ze swojego auta. Ci bardziej zamożni mają też ciężarówki startujące jako załogi rajdowe i (teoretycznie) rywalizujące w klasyfikacji trucków. Takie monstery dojeżdżają do "numeru 1" z całą paką części zamiennych i trzema wyszkolonymi mechanikami, a w razie konieczności mogą też podholować auto choćby do mety. A co my możemy zrobić? Modlić się, żeby nic przykrego nas na trasie nie spotkało, no i oczywiście liczyć sami na siebie.

Mam już dosyć tych wydm. Piach zbrzydł mi całkowicie. Tymczasem przed nami są (o czym wiemy z wcześniejszych opisów trasy) dwa najtrudniejsze pod tym względem dni. Organizator dostarczył nam właśnie roadbook, w którym oznaczono różne rodzaje wydm: zielone, czarne, białe i żółte.

– Wow, Jarek, wiedziałeś, że jest aż tyle rodzajów wydm?

Nienawidzę wszystkich. One pięknie wyglądają tylko na zdjęciach.

W ramach rozluźnienia zaczynam opowiadać kretyński dowcip o Saharze, który kiedyś usłyszałam:

– Znasz to? Idą dwa koty przez pustynię. Nagle jeden zatrzymuje się i stwierdza: „Wiesz co, stary, nie ogarniam tej kuwety".

Śmiejemy się, kiedy nagle słyszę głośny huk. Ktoś walnął kamieniem w nasz samochód. To taki miejscowy sposób kibicowania. Dzieci rzucają kamieniami w szyby przejeżdżających aut, próbując nas zdekoncentrować, podczas gdy dorośli przygotowują w tym czasie na drogach kamienne niespodzianki albo kopią wilcze doły i czekają, aż nadjedzie ktoś i urwie sobie zawieszenie. Wspaniała rodzinna rozrywka! I jaka integrująca. Kolejne kamienie uderzają w karoserię. Kątem oka dostrzegam całą mauretańską rodzinę, która usadowiła się przy trasie i teraz wypatruje swojej ofiary. Są niczym widzowie czekający na show.

– Co dziś obejrzymy? Spektakl urywających się kół czy pokaz dachowania? – zdają się wyrażać ich miny.

Jednak tak naprawdę ci wszyscy ludzie liczą na to, że pomagając poszkodowanym wyjść z opresji, dostaną odpowiednio wysokie honorarium. Walutą, którą chętnie akceptują miejscowi, są też... T-shirty. Choćby używane.

Nasza ekipa funduje rodzince mały spektakl zakopywania się. Zanim zdążyliśmy wysiąść z auta, błyskawicznie, niczym spod ziemi (skąd oni się do cholery biorą na tym pustkowiu?), wyrasta cała zgraja wyrostków chętnych do „pomagania". Tyle że jeden z nich pcha samochód do przodu, drugi – do tyłu, kolejny biega, robiąc zamieszanie, a najmłodszy w tym czasie próbuje sięgnąć do schowka auta i ukraść coś, cokolwiek.

– Weź te łapy – walę go z całej siły po złodziejskich rękach.

Jarek wrzuca bieg i niemal rozjeżdżając tę zgraję, rusza ostro przed siebie. Już w biegu wskakuję do auta i gnamy w kierunku mety. Jesteśmy totalnie spóźnieni. Patrzę z niepokojem na zegarek i sprawdzam jeszcze raz, o której najpóźniej musimy zakończyć ten etap.

– Szlag by to trafił! Nie zdążymy! – wyrzucam z siebie, po cichu licząc na cud.

I cud się staje. Organizator, ze względów bezpieczeństwa, zdecydował się bowiem na skrócenie trasy o 20 kilometrów i meta, ku naszemu zaskoczeniu i radości, jest bliżej. A my meldujemy się na niej zaledwie kilka minut przed upływem regulaminowego czasu.

*Jedenasty etap rajdu Martyna i Jarek pokonali ze stratą 5:32.43, zajmując 71. miejsce. W klasyfikacji generalnej plasują się na 68. pozycji. Wśród samochodów pozycję lidera utrzymał Masuoka, który dystansuje Shinozukę i Kleinschmidt.*

(materiały prasowe)

A co z resztą? Mitsubishi nokautuje wszystkich. Załogi na japońskich rajdówkach zajmują od pierwszego do ósmego miejsca w „generalce". Cieszę się, bo Jutta wygrała ten etap. Baby górą!

# 12. DZIEŃ - 8.01.2002
## ATAR - TIDJIKJA (MAURETANIA):
# TOTAL 502 KM
dojazdówka 33 km ❯ OS 467 km ❯ dojazdówka 2 km

## DZIEŃ ŻAŁOBY

*Dzisiejszy etap z Ataru do Tidjikji o łącznej długości 502 kilometrów był najdłuższym z dotychczasowych odcinków specjalnych i zaliczanym do najtrudniejszych na trasie tegorocznego Rajdu Dakar. To był niezwykle ważny dzień dla trójki liderów. Jutta Kleinschmidt jechała z przewagą nad Japończykami, jednak straciła 10 minut po złapaniu gumy. Pierwsza piątka na etapie dokładnie pokrywa się z miejscami zawodników w „generalce". Miejsc polskich załóg agencje nie podają. Ich straty są zbyt duże, a nazwisk nie ma na oficjalnej stronie rajdu. W nocnym przekazie TVN-u mogliśmy oglądać krańcowo zmęczoną Martynę Wojciechowską, która jeszcze walczyła na trasie etapu, by uniknąć kar regulaminowych za przekroczenie limitów czasu. Załoga Wojciechowska/Kazberuk zajęła na tym etapie 65. miejsce ze stratą 7:55.27 i w klasyfikacji generalnej jest na 64. miejscu (+30:21.31). Załoga Komornicki/Marton nie została sklasyfikowana na tym etapie i odpadła z rajdu.*

*(materiały prasowe)*

Gdzieś pomiędzy wydmami natrafiamy na drugą z polskich załóg. Łukasz Komornicki i Rafał Marton po awarii silnika ugrzęźli na trasie. Jeszcze kilka razy na naszych oczach próbują podjechać pod spore wzniesienie, ale turbina w ich silniku pada i auto traci moc. Debatujemy przez jakiś czas, co możemy zrobić. Naprawiać? Wziąć na hol? W tej sytuacji jedyną skuteczną pomocą byłaby ciężarówka. Ona dałaby radę przeciągnąć ich przez tę pustynię aż do mety, a tam można by spróbować naprawić silnik. Rozważamy coraz mniej prawdopodobne scenariusze. Prawda bowiem jest taka, że nic już dla nich nie można zrobić, a w okolicy nie ma żadnego trucka.

Jarek ma z chłopakami poprawne stosunki (rok później pojedzie w ich zespole jako członek serwisu). Byłam jednak zła na Łukasza za traktowanie mnie z góry. Nawet zwykłe „cześć" z trudem przechodziło mu przez gardło. Nie integrował się, nie rozmawiał, nigdy nie zaoferował pomocy, choć miał na trasie szybki serwis (z własnym zapasem części). Kiedy spotkaliśmy się już w Dakarze na mecie, nie podał mi ręki, żeby ot, zwyczajnie, pogratulować. Skąd ta antypatia do mojej osoby? Może dlatego, że jestem babą, a on miał z tym problem? Albo że to na naszej załodze skupiło się większe zainteresowanie mediów? A może, jak to często bywa, po prostu Polacy nie do końca lubią się wspierać, szczególnie kiedy pojawiają się na arenie międzynarodowej? Faktem jest, że między nami nie było chemii od początku. Łukasz imponował mi jednak, bo jechał naprawdę nieźle, szczególnie że dla niego to także był pierwszy start w Dakarze, zrobił lepsze czasy niż my. Rok później ponownie wystartował, ale znów nie ukończył rajdu. W 2004 roku zajął już wysokie 14. miejsce. Tym razem na 305. kilometrze zakończyła się jego przygoda z Dakarem.

Kiedy piliśmy na pożegnanie Johnnie Walkera (miałam żelazny zapas w torbie na czarną godzinę, która właśnie wybiła), zrobiło mi się jednak przykro i smutno. W końcu Ci faceci to nasi... Polacy. Zanotowałam w pamięci ich geograficzną pozycję 18 stopni 36.653 N i 12 stopni 30.688 W. W tej chwili zostaliśmy jedynym samochodowym teamem z Polski w Dakarze.

Łukasz Komornicki odpadł z rajdu na 10. etapie

Bez kasków na głowie ruszamy przed siebie w ciemną noc, pomiędzy gigantyczne wydmy. Pierwszy raz w życiu widzę zupełnie czarne góry piasku, które według moich dotychczasowych wyobrażeń miały prawo mieć kolor wyłącznie... piaskowy. Tymczasem wydmy mają różne kolory. Są więc białe, pomarańczowe, niemal czerwone. Nigdy nie zdawałam sobie sprawy, że piach może mieć aż tyle odcieni! Im jaśniejszy, tym z reguły jest bardziej suchy, czarny i pofalowany – oznacza, że jest to twarde wzniesienie. I tam najlepiej jechać.

– Czuję się tak, jakbyśmy spędzili tu kilka miesięcy, a Ty? – zagaduję Jarka.

W trasie jesteśmy od niespełna dwóch tygodni, a ja zdążyłam zapomnieć, że mam przecież jakieś życie poza tym na Dakarze. Nie tęsknię za domem, nie mam potrzeby rozmawiania z bliskimi, niczego mi nie brakuje, nawet tych wszystkich cywilizacyjnych wygód, bez których na co dzień większość z nas nie wyobraża sobie życia. Sprawy, które zostawiłam w Polsce, wydają mi się bez znaczenia. Co jest ważne? Żeby jechać, zjeść, przespać się choć godzinę...

W zasadzie ta prostota życia jest uzależniająca. W domu na głowie mam kredyt i urząd skarbowy, telefon dzwoni niemal bez przerwy, a faceci, którzy mnie otaczają, są coraz bardziej zniewieściali.

– Może jednak powinnam zostać zawodowym kierowcą wyścigowym lub rajdowym, zamiast robić karierę w mediach? – myślę. Kręcenie kierownicą wydaje mi się w tym momencie najatrakcyjniejszym zajęciem świata.

– W show-biznesie każdego dnia wstajesz i na nowo musisz brać udział w wyścigu szczurów. I nigdy nie możesz być pewien miejsca, w którym jesteś, i czy w ogóle jeszcze gdzieś jesteś, bo pod pokojem prezesa stacji TVN czeka tłum chętnych, żeby cię zastąpić.

Jarek milczy, więc kontynuuję monolog.

– Może jedynym sposobem na sukces jest po prostu być najlepszym?

No cóż, w tym rajdzie chyba już nie uda mi się zabłysnąć.

– Nie widziałaś go, do jasnej cholery?! – Jarek wyrywa mnie z tego melancholijnego nastroju. Właśnie uderzyłam w kamień i to cud, że nie urwałam jednego z przednich kół.

– Widziałam! – idę w zaparte.

– Ej, ty go naprawdę nie zauważyłaś! – Jarek triumfuje. Jestem rozdrażniona.

Prawda jest taka, że mam wadę wzroku, do której nigdy nie chciałam się przyznać. Właściwie to od dawna o tym wiem, ale nienawidzę nosić okularów. Jarka to śmieszy i już do końca rajdu wmawia mi, że co chwilę czegoś nie widzę na drodze. No cóż, udało mi się oszukać wszystkich, włącznie z lekarzem, który wydał mi pozwolenie na prowadzenie pojazdu mechanicznego, a potem kolejnego doktora, który badał mnie pod kątem przydatności do motosportu. Tymczasem ja, choć po zmroku jestem ślepa jak kura, prowadzę auto na Rajdzie Dakar.

W ogóle zdrowie mam raczej kiepskie. Pomijając ten drobny fakt, że mam za sobą dwa złamania kręgosłupa (w zasadzie jedno to tylko pęknięcie, więc nie ma co histeryzować) oraz kilka wstrząśnień mózgu, to zawsze byłam po prostu chorowitym dzieckiem. Takim, co to ciągle ma anginę, zapalenie płuc albo leży w szpitalu z zapaleniem opon mózgowych i innymi chorobami. Moi Rodzice mieli ze mną sporo problemów. Astma, która dopada mnie w najmniej oczekiwanych momentach, nie ułatwia życia. Poza tym dwie ciężkie operacje i chemioterapia też osłabiły mój organizm. Wierzę jednak, że nie powinniśmy ulegać słabościom i właśnie to zawsze mnie mobilizowało do zwiększonego wysiłku. Ba! Uważam nawet, że to te problemy zdrowotne i długie miesiące leczenia ukształtowały mój charakter i zahartowały mnie na różne przeciwności losu.

Na mecie odcinka sędzia przekazuje nam tragiczną wiadomość. W drodze do Tidjikji zginął szef naszych mechaników, 54-letni Daniel Vergnes. Według świadków prawdopodobną przyczyną wypadku serwisowej Toyoty było pęknięcie opony, co spowodowało wielokrotne dachowanie samochodu. Daniel miał niezapięte pasy. Dwóch mechaników oraz szefowa PR-u naszej ekipy, Sheona Dorson-King, zostali przetransportowani śmigłowcami do szpitala w Nouakchott.

Ofiar Rajd Dakar ma na swoim koncie więcej. Trudno ustalić, ile osób podczas niego zginęło, bo organizator nigdy się nie kwapił z podawaniem tych statystyk. Dakar zawsze był niebezpieczną imprezą i dobrze o tym wiedzieliśmy. Jednak tym razem śmierć pojawiła się tuż obok nas. Jak to się mogło stać? Rano wszyscy wyjeżdżaliśmy, rozdając sobie uśmiechy, a wieczorem Daniela już nie ma wśród nas. Cały zespół pogrąża się w żałobie.

Wypadki zdarzają się wszędzie, codziennie i mogą trafić na każdego. Nikt nie jest na nie odporny i nie można się przeciwko nim zaszczepić. Na tym polega magia życia – jest tak cenne, bo nie wiemy, w jakich okolicznościach może się skończyć. Dakar od lat jest krytykowany, bo giną na nim ludzie – zawodnicy i widzowie.

Krytyka jest jednak bez sensu, bo jak zabezpieczyć blisko 10 tysięcy kilometrów trasy? Już w roku 1979, a więc w pierwszej edycji, zginął Patrice Dodin. Nieszczęśnik postanowił poprawić kask w czasie jazdy, co skończyło się utratą panowania nad motocyklem i wywrotką. Dodin uderzył głową w kamień... Śmierć pustynnego wyjadacza Fabrizia Meoniego w roku 2005 była równie przypadkowa. Włoch przewrócił się gdzieś na trasie i złamał kręgosłup. Podobnie – w roku 2006 – skończył Andy Caldecott z RPA. Na moim Dakarze obydwaj jechali wspaniale, a Meoni, wyprzedzając nieco historię, wygrał nawet „generalkę" (po raz drugi z rzędu).

Anonimowi redaktorzy wyliczyli, że od początku zginęło na pustyni 24 sportowców. Do tego trzeba jednak dodać tych, którzy w rajdzie nie uczestniczyli – załogi assistance, kibiców, afrykańskie dzieciaki, dziennikarzy oraz jakiegoś Bogu ducha winnego policjanta z Burkina Faso. Według niektórych źródeł Dakarze "uśmiercił" łącznie około 100 osób.

Na liście tragicznie zmarłych jest również sam twórca rajdu Thierry Sabine, jednak Jego śmierć to po prostu nieszczęśliwy wypadek – pilot prowadzący śmigłowiec, którym lecieli Sabine, słynny francuski piosenkarz Daniel Balavoin oraz Nathalie Odent, młodziutka dziennikarka „Journal du Dimanche", stracił orientację w piaskowej burzy. Pechowiec kierował się na światła samochodu, który pędził po pustyni, i tak się skoncentrował na tych świetlnych punktach, że w tumanie piaskowego pyłu nie zauważył wydmy. Eurocopter uderzył w nią z dużą siłą, eksplodował i spłonął – zginęły wszystkie podróżujące nim osoby. Motosport powinien być niebezpieczny – twierdzi słynny nestor wyścigów samochodowych Stirling Moss. Ja się z nim – choć to może kontrowersyjne – zgadzam. Bez ryzyka Dakar byłby po prostu kolejną imprezą jakich wiele, a start w nim, nie mówiąc o dojechaniu do mety, nie byłby żadnym szczególnym osiągnięciem...

– Jarko, trzeba by rozłożyć namiot – proza życia sprowadza mnie na ziemię, bo zostało nam niewiele czasu na sen.

Uwielbiam określenie „trzeba by", co w zasadzie oznacza „weź się do roboty i zrób to za mnie, bo ja nie dam rady".

– Pieprzę to. Będę spał w samochodzie – Jarek stawia sprawę po męsku.

Po czym idzie do naszej Toyoty i niczym cyrkowy człowiek guma wciska się w fotel kubełkowy. I natychmiast zasypia.

Ja jednak zawzięłam się, że będę spała „jak człowiek". Chyba nawet jestem trochę zła na Jarka, który się na mnie kompletnie wypiął. Szukam jakiegoś miejsca

do rozbicia namiotu i, o dziwo, nic nie mogę znaleźć! Albo miejsca są zajęte, albo panuje huk, tumult i ogólna bieganina. Do świtu zostaje mi coraz mniej czasu, a ja miotam się po strefie serwisowej kompletnie bez sensu.

W końcu gdzieś na uboczu znajduję najbardziej płaską powierzchnię. Linki namiotu latają mi przed oczami, nie widzę już nawet, jak i co z czym połączyć... Uznaję, że w zasadzie to nie jest istotne. Ważne, żeby mnie nic we śnie nie oblazło i żeby piach na mnie nie leciał. Włażę do sflaczałego namiotu niczym do wielkiego worka i zapadam w niespokojny sen.

– Tryyyyyy! Wrrrryyy!

Chryste! Budzi mnie jakiś kosmiczny huk! Ale taki, jakby coś właśnie mi urywało głowę! Minęły ledwie dwie godziny od zaśnięcia, więc wkurzona i totalnie zaspana wyczołguję się z kokonu. Nie mogę pojąć, dlaczego gigantyczny samolot transportowy Antonow startuje w tak bliskiej odległości ode mnie. Wreszcie dociera do mnie, że rozbiłam namiot na pasie startowym samolotów obsługi! Pilot warczącego potwora odpala i grzeje silniki dosłownie parę metrów dalej. Samolot wchodzi na wyższe obroty i nagle startuje razem z moim namiotem. Najpierw ten flak unosi się tak, że zaczyna jakby lewitować, a potem gigantyczny podmuch sprawia, że mój nylonowy domek odlatuje hen daleko, wraz z całą zawartością. Ukyo Katayama, który akurat ogląda tę scenkę, właśnie dławi się ze śmiechu, patrząc na mnie, wciąż kompletnie zaspaną... Gdyby nie to, że to akurat ja straciłam część mojego dobytku, to pewnie sama pękałabym ze śmiechu.

## 13. DZIEŃ - 9.01.2002
### TIDJIKJA - TÎCHÎT:
TOTAL **538 KM**
dojazdówka 18 km ⟩ OS 520 km

## OCZEKIWANIE NA CUD

Właśnie zostaliśmy poinformowani, że nie ma dla nas zapasowych opon – te, które mamy do dalszej jazdy, nie nadają się kompletnie – bieżnik odchodzi z nich płatami. Nie posiadamy też butli ze sprężonym powietrzem do pompowania kół.

– Ale właściwie to co będziemy pompować, skoro i tak nie mamy opon na zmianę – tłumaczę sobie żartobliwie w myślach.

Brakuje też filtrów, ponieważ niemal cały ich zapas był w serwisówce, która wczoraj wydachowała. W ogóle u mechaników nie można się niczego doprosić, bo, co zrozumiałe, są załamani śmiercią Daniela, ale też – przerażeni, co będzie dalej. Więc jednak to nie był tylko zły sen? Daniel nie pochyli się dziś nad maskami samochodów i wszystko nie wróci do normy... Dopiero teraz w pełni dociera do mnie, co właściwie wydarzyło się wczoraj.

Prawda jest jednak taka, że mimo tej tragedii nie przestaniemy jechać dalej.

– Po co myśleć o śmierci?! – ganię się po cichu.

Muszę się skoncentrować na celu. Przed nami „najtrudniejszy z najtrudniejszych" etapów tego rajdu. Przynajmniej tak twierdzą wtajemniczeni. Tylko że ja się już uodporniłam na te wszystkie strachy. W końcu nawet horror, gdy reżyser przesadzi z makabrą, zamiast przerażać – śmieszy. Jesteśmy na półmetku Dakaru, musimy zacisnąć zęby i napierać. Od rana chodzimy więc jak łajzy od zespołu do zespołu, żebrząc o wszystko, a najbardziej o pompkę do kół, bo bez niej jednak nie odważę się wyjechać na odcinek specjalny...

Wojciechowska, skręć w lewo. Dokąd jechać? Pomiędzy wydmami i camel grassami

Znowu wydmy, znowu trzeba się skupić

"Jedź po starych koleinach". Gdy jedziesz na końcu, masz milion kolein do wyboru...

Uwaga! Wysoka wydma. Ciekawe która z tych narysowanych?

| PAGE 34 | STAGE: TIDJIKJA - TICHIT SELECTIVE SECTION Nr. 11 | | STAGE K. SECTION k - MAXIMUM |
|---|---|---|---|
| TOTAL KM / PARTIAL KM | DIRECTION | | COMM |
| 354,46 | | | !! AFTER THE 1 CAP 355-20 |
| 0,64 | | S | IN DUNES AND VALL. CAMEL GRASS |
| 355,76 | (PH) | | !! HP CROSSING OF DUNES FOR 2 KM NORTHWARD |
| 1,30 | | TJS | ALONG CLIFF |
| 357,76 | | HP | END OF CROSSING CAP 360-10 |
| 2,00 | | | |
| 361,23 | | HP | CAP TURNS 270 ON OLD TRACKS |
| 3,47 | | | GPS.11 ... 18°24'247"N 10°21'265"W |
| 361,95 | | !! | HIGH DUNE |
| 0,72 | | CAP 310 ON TRACKS | OLD |

RC Moto Cl

Obecnie organizator
   każe oddawać zawodnikom
roadbooki. Dlaczego?
Żeby nie bawili się w Dakar
   na własną rękę :-)

A - TICHIT
r. 11

STAGE KM : 538,80
SECTION KM : 520,00
- MAXIMUM TIME : 14h00

...CTION

COMMENT

(PH)

S

!! AFTER THE 1st DUNE CAP 355-20

S IN DUNES AND VALLEY CAMEL GRASS

!! HP CROSSING OF DUNES FOR 2 KM NORTHWARD

JS ALONG CLIFF

HP OF CROSSING 360-10

RNS 270 KS

4'247"N 265"W

TIDJIKJA - TICHIT
2002, january 9th

ROAD BOOK
Moto club et ASA du Paris Dakar

24- 2002 TOTAL
Arras - Madrid - Dakar

I tak lawirując między samochodami, trafiamy na Maćka Majchrzaka, który jedzie trasą rajdu z serwisówkami, żeby zebrać informacje, bo w przyszłości sam planuje wystartować w Dakarze. Chwilę rozmawiamy i Maciek oferuje nam własną pompkę do kół oraz, jak przystało na mechanika i złotą rączkę, chce nam pomóc w naprawie auta. Proponuje też, że podłączy przewody elektrycznej pompki do klem akumulatora i umocuje ten mały kompresorek wprost pod maską.

– Będziecie mieli zawodowe rozwiązanie! – zapewnia rozentuzjazmowany.

Zostawiam panów przy podniesionej masce Toyoty, a sama wsiadam do środka, żeby sprawdzić jeszcze opis dzisiejszego odcinka.

– Ech, jednak Polak Polakowi bratem – wzdycham zadowolona.

Nagle, pochylona nad roadbookiem, słyszę głośny syk. Podnoszę wzrok i widzę (a raczej – czuję!), że właśnie zalewa mnie biała piana!

– Ratunku – krzyczę i zatykam palcami otworki, przez które pod ciśnieniem przedziera się do środka zawartość gaśnicy! Wprost na mnie, na nasze notatki, na zapas jedzenia, który z takim trudem zdobyliśmy dziś na stołówce…

Okazuje się, że Maciek – skądinąd świetny specjalista od off-roadu i sprawny mechanik – doprowadził właśnie do zwarcia i samoistnego odpalenia systemu gaśniczego. Nie dość, że w ułamku sekundy przemokłam do suchej nitki, to jeszcze piana upieprzyła całą kabinę, a z kolei proszek został wystrzelony na silnik. Wszyscy wybuchamy śmiechem, bo to przecież abstrakcyjna historia – właśnie popsuliśmy jedną z niewielu rzeczy, które w naszej Toyocie jeszcze działały.

Niestety Maćka nie ma już wśród nas, zginął we wrześniu 2010 roku w wypadku motocyklowym.

Dwunasty etap rozpoczyna się całkiem obiecująco – uzyskujemy świetny czas na pierwszym punkcie kontrolnym. Szczęście jednak, jak to czasem bywa, szybko nas opuszcza. W końcu, jak mówi przysłowie, ono sprzyja najlepszym, a my, mimo wielkich serc i ducha walki, nie możemy się do nich zaliczyć.

Najpierw zakopujemy się w jakimś miałkim piachu, więc trzeba wysiąść z auta po podkłady ułatwiające wyjechanie z pułapki, i w tym właśnie momencie widzę, jak niebezpiecznie szybko zbliża się do nas Mercedes francuskiej załogi: Jean-Yves Menguy/Patrick Antoniolli. Pokazujemy chłopakom na migi, że tędy lepiej nie jechać i żeby ominęli nas z drugiej strony. Odwracam się dosłownie na chwilę i nagle słyszę ryk silnika tuż za plecami. Uskakuję w bok, a rozpędzony samochód uderza w naszą Toyotę, solidnie rozbijając jej prawy bok. Zamiast „przepraszam" słyszę stek francuskich wyzwisk…

– Co za dupki – żalę się wkurzona, kiedy z Jarkiem próbujemy odkopać samochód i ocenić straty.

Szybko jednak dochodzę do wniosku, że nawet ten mój lapidarny komentarz jest bezsensowną stratą czasu. Stało się i już – teraz trzeba jak najszybciej się stąd wydostać.

Na rajdzie jeden dzień nie różni się specjalnie od drugiego. Atrakcje za to pojawiają się w nocy, szczególnie odkąd nie działają nasze halogeny.

– Po jakimś czasie skręć w prawo, między dwie wydmy, tak aby żółta była po prawej, a czarna po lewej – Jarek czyta opis z roadbooka.

Kto mógł wymyślić coś tak skrajnie głupiego? Przecież kiedy na Saharze jest totalnie ciemno, to takie opisy można sobie co najwyżej wsadzić w tyłek…

Poszukiwanie drogi zaczyna nam dodatkowo utrudniać burza piaskowa, która nieśmiało się rozkręca.

Ośmiela się, niestety, coraz bardziej. W końcu szaleje na całego.

Taka burza potrafi wznieść piasek na wysokość ponad dwóch kilometrów i gnać go z dużą prędkością. Nie jestem w stanie ocenić siły naszej nawałnicy, ale chyba nie jest aż tak straszna. Mimo to nic nie widać, a piasek wdziera się wszędzie. Zdezorientowani kręcimy się w kółko. Co chwila zmieniamy się z Jarkiem za kierownicą, bo druga osoba sprawdza trasę na piechotę, oświetlając szlak latarką. Tej nocy ponad 20 załóg rozpaczliwie próbuje odnaleźć przejazd przez to pasmo wydm. Na 40 kilometrach długości jest tylko jeden przesmyk, przez który można pokonać tę przeszkodę i dotrzeć do mety.

Początkowo z burzą walczy spora międzynarodowa grupa. Jednak szybko wykruszają się kolejne załogi – rezygnują z dalszej jazdy, gaszą światła w samochodach, żeby przeczekać do rana. I bezpiecznie dotrzeć na metę, mijając żółtą wydmę po prawej stronie, a czarną po lewej…

My jednak nie zamierzamy się poddawać, a adrenalina dodaje nam sił. Wreszcie, po sześciu godzinach kluczenia (!), wraz z dwoma innymi samochodami wydostajemy się tej z pułapki. Pokrzepieni zwycięstwem nad Saharą żwawo ruszamy do przodu i wiemy, że teraz musimy już jechać non stop, na złamanie karku, podejmując nawet największe ryzyko. W przeciwnym wypadku nie dotrzemy do mety w wymaganym czasie. I przegramy wszystko. Przepisy mówią bowiem, że aby zostać zaklasyfikowanym na danym etapie, załoga musi się zameldować na mecie przed wyjazdem pierwszej załogi na kolejny etap.

Jarek przejmuje kierownicę. Siedząc teraz na miejscu pilota próbuję coś tam dyktować, ale nie dość, że kiepski ze mnie nawigator, to wkrótce staję się kompletnie bezużyteczna. Kiedy bowiem emocje opadły, poczułam się zmęczona i po prostu urwał mi się film.

Z relacji Jarka wiem tylko, że w rajdowym kasku zwiesiłam głowę i dyndałam na pasach niczym kukiełka... Zatrzymał się więc chłopina, zdjął mi garnek z głowy i wyjął notatki z rąk...

Budzi mnie cisza przerywana kroplami deszczu odbijającymi się od dachu naszej rajdówki. Jarko śpi z głową na kierownicy. Przez zamazaną deszczem przednią szybę nic nie widać.

– Jerry, wstawaj! Wstawaj! Słyszysz?! Musimy jechać, jechać! – krzyczę spanikowana, bo właśnie spojrzałam na zegarek i dotarło do mnie, że nie mamy już czasu. A ten, co nam pozostał, płynie nieubłaganie...

Nie wiem, gdzie jesteśmy i jak długo śpię, ale wiem tylko, że MUSIMY jechać dalej i to natychmiast! Otwieram gwałtownie drzwi i przez strugi deszczu dostrzegam jakieś auto z wyłączonym silnikiem – to chyba Argentyńczycy, a za nimi rajdówka teamu szwedzkiego.

– *Wake up!* Cholera, wstawać! Ludzie! Musimy jechać do mety! – krzyczę po angielsku i po polsku na zmianę.

Wpadam w szał nieświadoma, że chłopaki ustalili między sobą, że zrobią 30–40 minut przerwy (nastawili nawet budziki w zegarkach) i – po krótkim odpoczynku – mieli kontynuować jazdę. Ja tymczasem zrywam ich na równe nogi po kwadransie, biegając od auta do auta, waląc w szyby, kopiąc w drzwi i krzycząc. Argentyńczyk Sergio Gora podchodzi do Jarka i szepcze z przejęciem:

– Ty, stary, ona jest szurnięta, co?! Chyba jednak powinniśmy ruszać, bo będzie tylko gorzej. Współczuję ci, chłopie!

No cóż, cel uświęca środki – ekipy z sąsiednich samochodów zaczynają zbierać się, odpalać silniki...

Mój triumf szybko jednak psuje kondycja bohatera. Nigdy wcześniej ani nigdy potem nie widziałam go tak nieludzko zmęczonego. Wiedziałam, że oto właśnie mój niezniszczalny „Jarko" osiągnął swój limit. I wtedy postanawiam otworzyć Czerwoną Kosmetyczkę...

Jeszcze przed wyjazdem z Polski skompletowałam profesjonalną apteczkę – antybiotyki, leki przeciwbólowe, środki na zatrucia i wiele innych specyfików. Zabrałam też ze sobą odżywki węglowodanowe, które próbowałam na rajdzie rozpuszczać w butelce wody. Słabo mi to szło – a jeszcze gorzej wyglądało i smakowało – w środku pływały trudne do przełknięcia gluty, ale kiedy nie było nic innego do jedzenia, tylko one dawały względny *power*. Od zaufanego lekarza usłyszałam też, że niektórzy motocykliści w sytuacjach skrajnego wyczerpania na Dakarze stosują amfetaminę, czyli silny środek pobudzający. Jak to możliwe, że sprawa rozchodzi się po kościach i nie ma żadnej afery? – zastanawiałam się. To proste, na Dakarze nie ma kontroli antydopingowej.

No cóż, nie jestem aż taką ekstremistką, żeby faszerować się tym specyfikiem, dzięki któremu piloci Luftwaffe mogli niemal non stop wykonywać loty bojowe w czasie II wojny światowej, a wielcy niemieccy wspinacze zdobywać jeszcze w latach 50. i 60. kolejne ośmiotysięczniki w Himalajach i Karakorum. Pan doktor przygotował mi coś lepszego i zapakował to „na czarną godzinę". To miała być ostatnia deska ratunku, gdy poczuję, że jest bardzo źle i dalej nie dam już rady jechać. Nie mam pojęcia, co dokładnie było w środku tych kilku domowej roboty pigułek, ale przypuszczam, że jakaś mieszanka guarany oraz efedryny. Trzymałam je w specjalnej saszetce (wspomnianej Czerwonej Kosmetyczce), żeby mi się przypadkiem z niczym nie pomyliły…

– Jareczku, ja ci dam witaminy, żebyś się lepiej poczuł, dobrze? – zwracam się do niego przymilnie.

– Nie chcę tych twoich wynalazków.

Jerry każdego dnia śmiał się z moich fiolek z magnezem, który miał mi dodawać sił. Mówił, że smakuje to i wygląda jak siki dinozaura. A je wtedy jeszcze wierzyłam w medyczną suplementację. Dziś wiem, że jak nie dajesz rady, to zrezygnuj z napinania się i tyle. Nawet na wyprawach w góry biorę co najwyżej aspirynę. Tym razem jednak mam zamiar wytoczyć najcięższe działa i nafaszerować Jarka efedryną. Musi mieć siłę, żebyśmy dotoczyli się do tej pieprzonej mety. 10 minut później Jerry się ożywia. A nawet stwierdza z uznaniem:

– Chyba niezłe są te witaminy, wiesz? To może wezmę jeszcze jedną tabletkę? Jesteśmy uratowani.

Wyjaśnię tylko, że Jarek nie ma o tym wszystkim pojęcia aż do dziś. I jeżeli czyta ten tekst – pewnie jest na mnie teraz bardzo zły. Przepraszam!

Tuż przed finiszem, który majaczył nam na horyzoncie niczym fatamorgana, jest pole *camel grass*, które tworzy teraz coś na kształt naszych kocich łbów. Ten ostatni odcinek przed metą jedzie Jarek, a ja próbuję go stopować, żebyśmy nie rozwalili auta. Facet jest jednak pod wpływem środków pobudzających i moje apele o rozwagę na nic się zdają. Nie zostaje mi więc nic innego, jak zamknąć oczy i wierzyć, że Los jednak nad nami czuwa.

Po blisko 23 godzinach jazdy meldujemy się u sędziów na mecie. Do zamknięcia tego etapu zostało 40 minut… Za nami wjeżdżają jeszcze tylko nasi przyjaciele Argentyńczycy z numerem bocznym 299. Zespół ze Szwecji został na wielbłądziej trawie i po nieudolnej próbie usunięcia awarii Skandynawowie wycofali się z rywalizacji. A my, choć w opłakanym stanie, wciąż jesteśmy w grze.

– Macie pół godziny na doprowadzenie się do porządku. Potem musicie stawić się na starcie kolejnego odcinka. Przykro mi, ale takie są zasady – duka łamanym angielskim sędzia, który patrzy na mnie, na Jarka i na naszą Toyotę, która jest w opłakanym stanie.

Kładę głowę na ramieniu Jarka i kompletnie się rozklejam – pierwszy raz na tym rajdzie. Mój partner osłania mnie od kamer, które rejestrują to moje nagłe i jedyne załamanie. Mam dość brudu, głodu, bezsilności, braku wsparcia serwisowego i nie mogę się pogodzić ze śmiercią Daniela... I z tym, że tutaj ściga się 10 pierwszych załóg, a cała reszta walczy po prostu, tak jak my, o przetrwanie.

Jednak ego nie pozwala mi zrezygnować. Presja, z którą muszę się zmagać, i odpowiedzialność przed sponsorami, kibicami, przyjaciółmi, a głównie sprzed samą sobą – z jednej strony mi ciąży, ale z drugiej – trzyma w ryzach. Odwracam się więc do kamery i (przyznaję dziś) nieco egzaltowanym i infantylnym tonem mówię:

– Albo umrę na tej pustyni, albo dojadę do mety w Dakarze.

I po chwili namysłu dodaję: – Mam nadzieję, że jednak dojadę.

# 14. DZIEŃ - 10. 01. 2002
## TÎCHÎT-TÎCHÎT (MAURETANIA)

## 450 KM

TOTAL

OS 450 km

# CZEKAJĄC NA CUD

Hubert Auriol, komandor rajdu, niczym Napoleon chodzi właśnie po obozie i ogląda krajobraz po skończonej bitwie – na mecie brakuje ponad połowy samochodów, większość z tych, którzy zanocowali na wydmach, nadal nie dojechała na biwak. Pewnie też analizuje, że nie bardzo można się zwinąć dalej z tą rajdową karawaną, bo bez paliwa, wody i jedzenia, które zapewnia organizator, ci spóźnieni nie mają szans bezpiecznie dotrzeć do cywilizacji. Mamy nadzieję... Ba! Jesteśmy pewni, że dzisiejszy odcinek zostanie odwołany. Jak bowiem wytłumaczyć, choćby takim

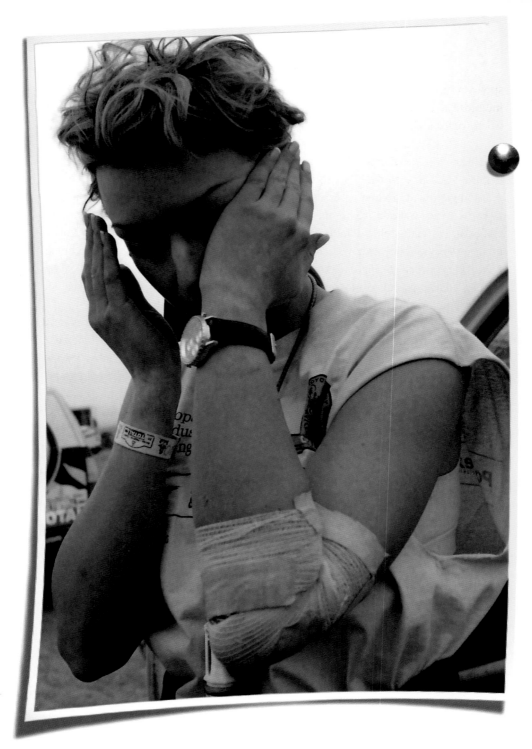

sponsorom imprezy, że kilkadziesiąt załóg nagle wypadło z rywalizacji? Przecież to nie może być zwykły pech, raczej wszyscy obwinią organizatora, który tym razem trochę przesadził ze stopniem trudności trasy, delikatnie mówiąc.

Jesteśmy na nieprawdopodobnie wysokim, bo 30. miejscu w klasyfikacji generalnej! Niestety głównie dlatego, że w całej stawce jest chyba niewiele więcej aut. A zaledwie dwa tygodnie temu 118 załóg dumnie prezentowało się na rampie startowej w Arras. Szkoda, że nie mam siły cieszyć się tym spektakularnym awansem, czuję się jak cień siebie samej. Nie mówię, że mam dość. Wiem, że ludzki organizm jest najbardziej zadziwiającym dziełem Matki Natury – kiedy wydaje ci się, że już nie możesz, że nie dasz rady... to zazwyczaj stać cię na jeszcze dużo, dużo więcej. Marzę jednak o odpoczynku, chcę po prostu zamknąć oczy i zapaść się w sobie, nic nie musieć choć przez chwilę...

Przez ostatnie trzy dni spaliśmy w sumie niecałe cztery godziny. A wystarczą 24 godziny bez snu, żeby nasza zdolność zapamiętywania pogorszyła się o 40 procent. Po 36 godzinach wzrasta skłonność do podejmowania ryzyka. Dwie doby bez snu i człowiek zachowuje się tak, jakby miał 1,5 promila alkoholu we krwi. Po 72 godzinach zaczyna mieć halucynacje, drżą mu ręce, nogi, może nawet dojść do zapaści.

Okazuje się, jednak, że *show must go on* i nici z odpoczynku dla nas i naszych równie przemęczonych samochodów. Po szybkiej ocenie sytuacji Hubert Auriol postanawia... zmienić na chwilę regulamin. Widocznie uznał, że 47 załóg, które zostały na tym etapie, to trochę za mało, i takie liczby będą źle wyglądały w relacjach prasowych, a może nawet zrobi się z tego jakaś afera... Zatem dla uspokojenia emocji i lepszego wrażenia Francuzi chcą zaliczyć w klasyfikacji odcinka tych wszystkich zawodników, którzy w ciągu sześciu następnych godzin dotoczą się jeszcze do mety.

– Sześć godzin? – mówię cicho rozczarowana. – To po co było tak pędzić? Niszczyć samochód, jadąc na granicy zdrowego rozsądku? – patrzę wyczekująco na reakcję Jarka.

Tą jednak decyzją Hubert Auriol przekreślił nasze poświęcenie. Nie mam nawet siły być zła. To już nie ten etap, żeby krzyczeć, gardłować, unosić się, narzekać... Dwa dni później miało się okazać, że taka „chwilowa zmiana regulaminu" znów uratuje kilka załóg przed wypadnięciem ze stawki. W tym nas. Czyli jednak fortuna kołem się toczy. Ale wtedy kto mógł o tym wiedzieć?

Patrzę na nasz biedny, poturbowany, ciężko chory samochód i bardzo chcę mu pomóc. Ale sala reanimacyjna jest jedna, a my znajdujemy się na samym końcu kolejki oczekujących. No i niektórzy wchodzą poza kolejnością. Od pierwszego dnia wiemy, że nawet wewnątrz teamu Toyoty są równi i równiejsi. Najlepsze warunki ma od początku Mark Miller, doświadczony kierowca motocyklowy, który teraz postanowił ścigać się samochodami – to na niego stawia właściciel teamu, więc mechanicy naprawiają głównie jego samochód (zresztą w 2002 roku wygrywa nasz Puchar Toyoty, a w roku 2009 jest drugi w „generalce"). Reszcie brakuje już mocy przerobowych. Mimo że jeszcze przed momentem skarżyłam się, że jestem totalnie wyczerpana – bez słowa bierzemy się do roboty.

Najpierw wymiana filtrów, potem prostowanie wahacza, czyli walenie młotem na oślep, aż koło mniej więcej wraca na swoje miejsce i już nie będzie trzeć bieżnikiem o błotnik... Wycieram zapuchnięte oczy, zasmarkany nos i... siadam za kierownicę. Przed nami 450 km na tak zwanej pętli Tichit-Tichit – w założeniu start i meta są w tym samym miejscu. Mam tylko nadzieję, że możliwie jak najszybciej zameldujemy się tu znowu.

W całym tym rozgardiaszu zapomnieliśmy zatankować. Ten absurdalny fakt dociera do nas w momencie, kiedy sędzia „odlicza" nas do startu!

– Nie wystarczy – Jarek czyta w moich myślach. – Najwyżej zawrócimy, a co tam! I tak niewiele już mamy do stracenia – dodaje z uśmiechem.

Zegar rusza, a my po pokonaniu kilkuset metrów OS-u zaczynamy robić kółko, przez chwilę jedziemy w zasadzie pod prąd (co jest absolutnie niedopuszczalne i grozi wykluczeniem z rajdu!) i na oczach sędziów wjeżdżamy do strefy tankowania. Sędziowie mrugają nam tylko porozumiewawczo i udają, że w ogóle tego wszystkiego nie widzą. Żeby nie było, że takie z nas ostatnie ofermy, to dodam tylko, że Grégoire De Mévius wyciął podobny numer.

Tymczasem „stacja benzynowa" to po prostu leżące w nieładzie beczki z benzyną i olejem napędowym. Zawiaduje tym wszystkim gość, który wygląda jak cieć – ma na sobie czapeczkę, brudną koszulkę z logo sponsora rajdu sprzed kilku lat i nie wyjmuje z ust papierosa, nawet kiedy nalewa paliwo. Teraz kręci korbką i ręcznie przepompowuje paliwo do naszego zbiornika. Zważywszy, że nasza Toyota ma bak o pojemności 200 litrów, musimy uzbroić się w cierpliwość. Mijają minuty, ale jeśli masz kilka godzin straty do czołówki, to czas przestaje mieć tak wielkie znaczenie...

Już na odcinku okazuje się, że reanimacja naszej Toyoty się nie powiodła. Pacjentowi pada wspomaganie kierownicy, bez którego jazda w takich warunkach wymaga siły Pudzianowskiego. Chwilę później tracimy trzeci bieg, a koło znów trze o błotnik.

– Pewnie musimy wyglądać jak pojazd z kreskówki, który właśnie rozpada się na kawałki na oczach tłumu – mówię do Jarka i zaczynamy się z tego wszystkiego histerycznie śmiać. Chyba dopadł nas atak pustynnej głupawki...

Zatrzymujemy się, żeby uzupełnić płyn wspomagania układu kierowniczego, bo nie mam już siły kręcić kółkiem i wydedukowaliśmy, że zanim wszystko wyciek nie przez uszkodzone przewody, to może z 50 kilometrów da się jakoś przejechać.

– Wracamy do obozu, przyjmujemy dodatkową karę czasową i naprawiamy samochód czy ryzykujemy wszystko i jednak napieramy? – pada pytanie i dziś nie jestem w stanie przypomnieć sobie, które z nas było jego autorem. Ale wiem, że oboje o tym myśleliśmy.

Na trasie tego OS-u są trzy punkty kontrolne, a według przepisów musimy zaliczyć przynajmniej jeden. Postanawiamy ominąć CP2 i przyjąć dotkliwą karę – aż dziewięć godzin doliczonych do całkowitego czasu. Dla nas jednak to jest „wariant zdroworozsądkowy" i choć początkowo czuję się z tym fatalnie, wiem, że nie mamy wyjścia, jeżeli nie chcemy utknąć w saharyjskich piaskach na amen.

Dojeżdżamy do pierwszego punktu i wracamy bokiem tej samej trasy do Tichit. Tam spotykamy Argentyńczyków na światłach awaryjnych. Okazuje się, że ekipa Sergia Gory i Pabla Gomeza ma poważne kłopoty z silnikiem, który im się po prostu zagotował. Jerry wymienia im filtr powietrza, bo chłopaki kompletnie nie radzą sobie z mechaniką, i dalej postanawiamy jechać już razem.

Po kilkudziesięciu kilometrach w ich Toyocie pada jednak elektronika, a do mety wciąż mamy jeszcze około 100 kilometrów, i od razu wykluczamy pomysł wzięcia ich na hol, bo nasz własny Land Cruiser jest za słaby... Decydujemy więc, że zabierzemy Pabla z nami, żeby sprowadził pomoc, a drugi z Argentyńczyków zostanie pilnować auta. Oczywiście mogliśmy wrócić do obozu i zgłosić ich awarię, ale nie sądzę, żeby przy tak skromnych siłach w serwisie znalazł się jakiś gorliwy mechanik i faktycznie po nich pojechał.

Zabrać trzecią osobę do normalnego samochodu to nie problem, ale rajdówka nie ma tylnych foteli (w zasadzie cały tył samochodu jest jednym wielkim zbiornikiem paliwa i z trudem mieszczą się tam dwa koła zapasowe), więc nie jest łatwo upchnąć w nim nawet tak malutkiego faceta jak Pablo. Sadzamy gościa między na-

Mycie w butelce wody,
spanie na stojąco...
Taki to rajd

szymi fotelami i unieruchamiamy go taśmą montażową, żeby za bardzo nim nie rzucało (my mamy pasy). Mimo tego biedaczyna lata jak piłka we wszystkie strony. Poza tym Pablo siedzi wprost na skrzyni biegów i sterującej nią dźwigni – mam więc spory problem ze zmianą biegów. Gdy zamierzam wrzucić bieg (inny niż trzeci, bo ten już nie istnieje), mówię tylko „hop" i Pablo unosi lekko tyłek, żebym mogła zmienić przełożenie. Na kilka kilometrów przed metą przenosimy Argentyńczyka na tył. Podróżowanie członków innej załogi na pokładzie nie swojego auta, w dodatku bez kasku i bez zapiętych pasów, groziło dyskwalifikacją. Ale w końcu czego się nie robi dla przyjaciół?!

Łącznie pokonujemy tego dnia ponad 220 kilometrów i dziś uważam, że taktycznie rozegraliśmy to bardzo dobrze. Zresztą podobnie postąpiło tego dnia dwadzieścia kilka innych załóg. Przeliczanie sił na możliwości ma sens, ale wtedy czułam się podle. Przecież obiecywaliśmy sobie, że nie będziemy robić takich numerów, że mamy swój honor, że my Polacy... Czasem jednak trzeba wybrać mniejsze zło. I to jest właśnie taktyka. Kto chce wygrać jedną bitwę, jeżeli ceną jest przegranie wojny?

## 15. I 16. DZIEŃ - 11-12.01.2001
### MARATON TÎCHÎT - KIFFA (MAURETANIA) - DAKAR (SENEGAL)
## TOTAL 1472 KM

OS 457 km ❱ dojazdówka 4 km ❱ dojazdówka 450 km ❱ OS 165 km ❱ dojazdówka 396 km

W nocy rozszalała się burza piaskowa, więc znów nie zmrużyliśmy oka. Spróbujcie kiedyś zasnąć podczas huraganu, który szarpie tropikiem tak, że człowiek ma wrażenie, jakby zaraz cały ten majdan z nami w środku miał odlecieć. Obawy o tyle uzasadnione, że co chwilę słyszymy krzyki i nawoływania, bo oto przeleciał obok kolejny porwany przez wiatr namiot. W goglach i maskach przeciwpyłowych wyczołgujemy się na zewnątrz i przywiązujemy linki namiotu do samochodu. Pomysł raczej nietrafiony, bo taka wichura potrafi bez trudu przewrócić ponaddwutonową rajdówkę. Duje tak ostro, że nawet piloci muszą tej nocy przymocować swoje transportowce kotwicami do podłoża!

Gdy nad ranem wygrzebujemy się ze śpiworów, okazuje się, że dosłownie wszystko wewnątrz namiotu jest pokryte kilkucentymetrową warstwą pyłu, bo saharyjski piach potrafi przecisnąć się nawet przez zasunięte suwaki. Otrzepujemy się i zwijamy obóz – przed nami blisko 1,5 tysiąca kilometrów do pokonania, czyli kolejny dwudniowy maraton i jazda bez punktów kontrolnych, na azymut.

*Wielka tragedia dotknęła dzisiaj wicelidera klasyfikacji generalnej motocykli, doświadczonego Hiszpana Juana Romę, którego strata trzech minut do lidera po 13. etapie dawała jeszcze szansę na walkę o zwycięstwo. Pomylił on trasę, zjeżdżając w dół kamienistego wzgórza. Kiedy się zorientował, usiłował wjechać na trasę z powrotem – niestety bez skutku. Jego walkę mogliśmy obserwować na żywo w Eurosporcie. Osłabiony i krańcowo wyczerpany został odtransportowany do szpitala śmigłowcem z objawami hiperwentylacji – i oczywiście odpadł z rajdu.*

*Wielu innych motocyklistów też miało kłopoty na tym odcinku. Lider Meoni również pomylił trasę i tylko dzięki pomocy tubylców odnalazł właściwą drogę. Nie lepiej poszło Polakom – zgubili się na 78. kilometrze i musieli nadrobić około 100 kilometrów. Z niepokojem patrzyliśmy na komunikat organizatorów, którzy sygnalizowali brak benzyny w ich motocyklach. Nasi poradzili sobie prawdziwie „po polsku", w czym pomogło im wielkie szczęście. Znaleźli na pustyni motocykl zawodnika, który połamał się i został zabrany do szpitala. Skorzystali z benzyny i ukończyli etap na dobrych miejscach: Marek Dąbrowski był 24., a Jacek Czachor na 25. pozycji.*

(autoklub.pl)

W tym feralnym miejscu, gdzie wszyscy motocykliści pomylili trasę, my też pojechaliśmy źle i musieliśmy nadrobić równie dużo. Ale tego typu błąd ekipy samochodowej nie jest aż tak wielkim problemem, jak w przypadku motocykli, gdzie paliwo jest wyliczone niemal co do litra. Ich pomyłka oznacza więc nocleg na bezludziu, daleko od oficjalnego biwaku i jakiegokolwiek wsparcia.

Media w Polsce tymczasem komentowały, że chłopaki z teamu Orlen, Jacek Czachor i Marek Dąbrowski, zachowali się jak sępy i zamiast pomóc jakiemuś pechowemu połamańcowi, przelewali sobie paliwo z jego zbiornika. Bzdura! Poza tym i tak musieli ukończyć ten odcinek. W przeciwnym razie organizator musiałby wysłać następny śmigłowiec, tym razem im na ratunek. Ocenianie wyborów z punktu widzenia kanapowego dyskutanta, który nigdy się nie ruszył sprzed telewizora w teren, jest przekleństwem i niestety domeną Polaków. Ja całym sercem kibicowałam wtedy Jackowi i Markowi, choć o całej sprawie dowiedzieliśmy się dopiero na mecie etapu.

Mały, cholerny,
wiecznie psujący się,
ale nieodzowny
ciśnieniomierz

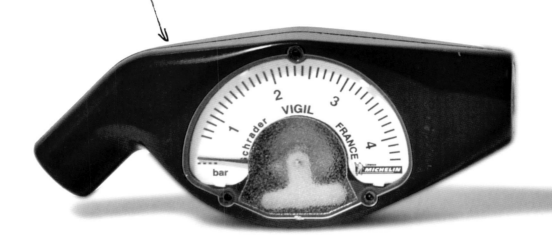

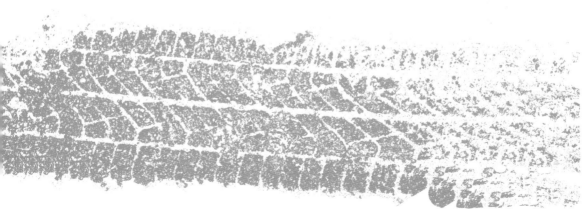

Po pięciu godzinach jazdy nie osiągnęliśmy nawet pierwszego punktu kontrolnego. Nasza Toyota starzeje się z każdym kilometrem coraz bardziej – jedzie mniej więcej 50 km/h, a silnik i tak się wciąż dławi. No i jakby tego było mało, łapiemy dwa kapcie, zostając bez zapasowych opon. I wtedy Petrus Gintas z teamu Neptunas pożycza nam jedno koło, bo sam ma jeszcze wszystkie całe – do dziś uważam, że za taką postawę Litwinowi należy się nagroda fair play!

Tuż przed północą – bardzo blisko punktu kontroli – zjeżdżamy z trasy, żeby spróbować naprawić awarię. Okazuje się, że ropa, którą tankowaliśmy z beczek dostarczonych przez organizatora, była solidnie zanieczyszczona wodą i piaskiem – przez to doszło do awarii modułu elektronicznego. Jarek po raz siódmy (!) w ciągu tych ostatnich dni wymienia filtr przy pompie paliwa w zbiorniku, a ja dziękuję Bogu, że mam tak doświadczonego partnera w tym rajdzie. Dobry kierowca, świetny nawigator i sprawny mechanik – nieczęsto się zdarza, żeby jedna osoba posiadała te wszystkie umiejętności. A przy tym jest silny, odporny na zmęczenie i bezkonfliktowy, a to już absolutna rzadkość w tej dziedzinie sportu.

– Dobrze mieć cię obok – mówię z wdzięcznością, ale on, zajęty odkręcaniem kolejnej śruby, chyba tego nie słyszy...

Zaledwie kilometr przez punktem kontroli decydujemy się zjechać z odcinka specjalnego i minąć wydmy bokiem, drogą przeznaczoną dla serwisów – będzie znacznie dłużej, ale po płaskim terenie. Nasz plan zakłada, że nadrobimy w ten sposób 500 kilometrów, a potem podjedziemy na metę od drugiej strony, żeby podstemplować kartę.

– Nie możecie jechać sami – stwierdzają chłopcy z argentyńskiego teamu 299.

Szacun! Oni nie mieli problemów z samochodem jak my, ale mimo wszystko postanowili nam pomóc. Tak po prostu.

Nikt z nas nie ma jednak pojęcia, w co się pakujemy, wybierając taką trasę. Już po chwili zaczyna padać ulewny deszcz, który błyskawicznie zmienia drogę w błotnistą sadzawkę rodem z Camel Trophy. Nawet Jarkowi, który przecież ukończył tę arcytrudną imprezę w 1996 roku, przestaje się podobać taka nawierzchnia. Ciężarówki serwisowe zapadają się aż po same osie.

Z trudem pokonujemy tę kleistą breję metr po metrze. Zapada zmrok, w strugach deszczu rozmazującego brud na naszych szybach dostrzegamy gdzieniegdzie światła aut. Nasz Land Criuser wyciąga może z 20 km/h i w końcu także staje w błocie. Otwieram drzwi, żeby podejść do samochodu organizatora, którego widzę tuż przed nami, ale wpadam w czarną maź po kolana.

Opis tej gehenny zajmuje w tej książce tylko kilka akapitów, ale my jesteśmy od jakichś 12 godzin w drodze...

– Hej, którędy do Dakaru? – z reguły próbuję żartować w sytuacjach z rodzaju tych mało zabawnych.

– Olejcie to i zostańcie z nimi do następnego dnia – słyszę w odpowiedzi. – Musimy poczekać, aż przestanie padać.

– Ale ja jadę w rajdzie i nie mam czasu! – tłumaczę się, myśląc, że może pan wziął nas za kibiców czy lotny serwis, i pokazuję mu wymownie na zegarek.

– Spieszymy się na metę odcinka!

– Dziewczyno, który raz tu jesteś? – sędzia patrzy na mnie zdumiony i jakby trochę zniesmaczony.

– Pierwszy – odpowiadam zgodnie z prawdą.

– A ja dziewiąty – najwyraźniej gość stara się przemówić mi do rozsądku, używając jako argumentu swojego autorytetu i doświadczenia. – Więc mówię ci, że dzisiaj tędy nie przejedziecie, bo się nie da!

– Pan nie rozumie – próbuję tłumaczyć...

Wtedy rosły mężczyzna łapie mnie za ramiona i potrząsa niczym szmacianą lalką:

– Dojedziesz do Dakaru, tylko najwyżej niesklasyfikowana – cedzi. – Nie rozumiesz? Powtarzam ci, że to za duże ryzyko! Rozbijcie tu namiot i idźcie spać!

Wyszarpuję się z jego uścisku i otrzepuję, jakby właśnie dotknął mnie trędowaty. Ale ten tylko macha ręką i przestaje się nami interesować.

Po Ojcu jestem zawzięta, ale Jarek też raczej nie lubi się poddawać, więc po naradzie decydujemy się jechać dalej. Macham do sunącej przez błoto ciężarówki i już po chwili chłopaki wyciągają nas na holu z pułapki. Potem prosimy kolejne załogi gigantycznych trucków o pomoc – jak ja im wtedy zazdroszczę tych ośmiu kół i potężnej mocy!

Już nad ranem docieramy do Sangrafy, gdzie jest tak zwany regrouping (przetasowanie miejsc, żeby szybsi startowali z należnych im pozycji). Do mety, która znajduje się w Kiffie (na południu Mauretanii, niedaleko granicy z Senegalem), mamy jeszcze ponad 200 kilometrów i to pod prąd.

– Ale tam już nikogo nie ma! – słyszę od napotkanych komisarzy.

– Jak możecie zwinąć metę, kiedy zawodnicy są jeszcze na trasie? – pytam zdumiona.

Meta powinna być przecież aż do wyczerpania limitu czasu. Tymczasem ktoś zamknął ją kilka godzin wcześniej, bo uznał, że już nikt tam pewnie nie dojedzie. Jakież to francuskie! Jak wszystko na tym rajdzie.

– Cholera, faktycznie – sędzia drapie się po głowie.

– Dajcie tę kartę – komenderuje.

I po krótkiej naradzie organizator podstemplowuje karty wszystkim załogom, które nie mogły się zameldować na mecie, bo jej już fizycznie nie było. Powinnam teraz śpiewać lub tańczyć, bo oto wciąż mamy szansę ukończyć Dakar. Nie miałam wtedy pojęcia, że media w Polsce rozdmuchały tę historię na pierwszych stronach gazet. Niedouczeni dziennikarze zadawali pytanie: jak może skończyć rajd ktoś, kto nie skończył odcinka? Jeden z pismaków napisał nawet, że „oto przepisy zostały nagięte specjalnie dla panienki z »Big Brothera«”.

Takie bzdury może pisać tylko ktoś, kto nigdy nie był na tym rajdzie i nie zna mentalności Francuzów i panów z ASO. Może i byłam wtedy panienką z „Big Brothera”, ale w Polsce, a oni mają własne gwiazdy.

Przed nami 15., przedostatni etap Rajdu Arras-Dakar – druga część rozpoczętego wczoraj niemal 1500-kilometrowego maratonu z Tîchît do Dakaru. Trasa Kiffa––Dakar to 165 kilometrów OS-u i aż… 846 kilometrów dwóch dróg dojazdowych – w sumie jest to więc najdłuższy etap całej tej imprezy. Taki prezent od organizatorów dla zajechanych zawodników na sam koniec.

– Mimo koszmarnego zmęczenia wytrzymamy. Miejmy nadzieję, że nasz samochód również… – mówi Jarek do Mariusza Ficonia, który każdego dnia pisze relacje prasowe, odpowiada na pytania dziennikarzy, wspiera duchowo moich Rodziców i przesyła nam przez telefon niezmiennie dużo dobrej energii.

Pod kołami mamy szuter, ale poruszamy się w tempie żółwia – kompletnie straciliśmy moc w silniku. Co chwilę mijają nas auta, a my zamiast podjąć walkę, traktujemy nasze auto jak porcelanowe cacko. I cieszymy się, że w ogóle jedziemy. Spośród 16 samochodów Pucharu Toyoty, które wystartowały z Arras, na trasie pozostała zaledwie połowa.

– Łup – czuję uderzenie, ktoś rzucił kamieniem prosto w naszą szybę.

Kurczę się, odruchowo chował głowę w ramiona. No cóż, im dalej na południe, tym robi się bardziej niebezpiecznie – ludzie witają nas tu na swój sposób. Zamiast konfetti obsypują nasze samochody kamieniami.

Staram się nie myśleć, co się stanie, kiedy silnik naszego Land Cruisera w końcu odmówi współpracy i zatrzymamy się na środku tej niby bezludnej pustyni. Tym razem, wyjątkowo jak na nas, nie chcemy się integrować z lokalsami. Może gdybym znała francuski, byłoby ciut łatwiej... Atak zawsze jest możliwy, ale mam świadomość, że tutejsi „terroryści” to raczej wsiowi macho, którzy w białych upatrują nie tyle wszelkiego zła, ile skarbonki pełnej drobnych – zawsze istnieje ryzyko, że taki koleś walnie „świnkę” maczetą w łeb, a pieniądze same się posypią.

Zderzenie dwóch światów, kultur i przede wszystkim religii może być bardzo bolesne. Ran zadanych Afryce przez historię nie da się szybko wyleczyć. Francuzi nie kojarzą się miejscowym zbyt dobrze, bo jako kolonizatorzy czerpali pełnymi garściami ze skarbca Sahary i wyciskali z niej, co się da, a przy tym mieli gdzieś lokalne zwyczaje czy bogów.

Niestety miejscowej ludności trudno wytłumaczyć, że w rajdowej karawanie prócz znienawidzonych Francuzów jadą też dziesiątki przedstawicieli innych nacji. Poza tym złości ich, że ci wszyscy biali jeżdżą przez ich tereny na pełnych prędkościach, strasząc dzieci i kury. Oni nie mają z tego żadnych korzyści, bo gigantyczne pieniądze zawsze trafiają w ręce najbogatszych notabli i skorumpowanego rządu – takie bowiem panują zasady w Afryce. I choć współczuję tym wszystkim ludziom pokrzywdzonym przez niesprawiedliwy system, trudno mi zaakceptować fakt, że w 1999 roku w Mauretanii ograbiono – jak napisali dziennikarze BBC – aż 52 zawodników.

Niby od kradzieży i zwykłego rozboju do zbrojnego ataku terrorystycznego jest długa droga, ale jednak kiedyś rozeszła się plotka – jakoby w oparciu o prawdziwy donos – że na uczestników Dakaru 2000 na Saharze miało czekać 300 uzbrojonych po zęby gangsterów-bojowników. W mediach wybuchła afera. Oficjele z Nigru zaprzeczali doniesieniom, chcieli nawet wysłać całą armię dla zabezpieczenia Rajdu Dakar, ale niewiele to pomogło. ASO zorganizowała więc most powietrzny z Niamey w Nigrze do Sabha w Libii – tak na wszelki wypadek. Wynajęto wtedy (kosztem grubo ponad miliona dolarów) kilka wielkich antonowów 124, które przetransportowały 1,5 tysiąca ludzi ze sprzętem i ich pojazdami. Odwołano cztery etapy o łącznej długości 3 tysięcy kilometrów.

Po ataku na World Trade Center w 2001 roku było już tylko gorzej. W roku 2004 odwołano dwa etapy w Burkina Faso, bo podobno „mieli atakować rajdówki". Strzały oczywiście nie padły, ale rajd i tak się wyniósł z Sahary. Cztery lata później organizatorzy przestraszyli się gróźb islamskich bojowników z Al-Kaidy i legendarna impreza po raz pierwszy w historii w ogóle się nie odbyła. A w końcu przeniesiono ją do Ameryki Południowej. Dla mnie Dakar na pustyni Atacama zamiast na Saharze to jednak pomyłka – tym bardziej się cieszę, że wraz z Jarkiem zdążyliśmy wystartować w tym „oryginalnym".

– Fajnie jest być prawie u celu – Jerry wygląda na szczęśliwego, kiedy docieramy ledwo dyszącym samochodem do mety.

Szkoda tylko, że na dojazdówce pakujemy się w gigantyczne korki, które mają po kilkadziesiąt kilometrów długości. A ponieważ to jedyna droga do Dakaru – znów mamy mnóstwo czasu na gadanie. O dziwo po tak długim czasie spędzonym we dwójkę wciąż mamy o czym dyskutować.

– No to teraz pogadajmy o…

Szczerze mówiąc, jakoś najwięcej rozmów pamiętam o seksie. Nie wiedzieć czemu – jakoś ten temat pasował nam najbardziej, choć to podobno tylko panowie w kółko o TYM gadają. Już w Polsce koleżanki często wypytywały mnie, jak to było na tym rajdzie, tylu facetów, mało kobiet, więc i konkurencja żadna. Fakt, zdarzyło mi się kilka razy uchwycić wygłodniałe spojrzenie jakiegoś zawodnika… Pamiętam, kiedy na jednym z biwaków schyliłam się, żeby odkręcić koło, i usłyszałam za swoimi plecami coś na kształt… warczenia. A może to był jednak pomruk? No cóż, prawdopodobnie chętnych na moje nie najświeższe i udręczone ciało nie brakowało, ale z kolei ja zdecydowanie lubię czystych facetów. Trudno mi sobie wyobrazić, że jakakolwiek kobieta czułaby się w tych polowych warunkach komfortowo podczas tête-à-tête, ale może po prostu jestem zbyt tradycyjna w tych sprawach…

Czasem z nudów, ale też żeby poprawić sobie morale – śpiewaliśmy. Z reguły była to jedna zwrotka i refren, bo więcej tekstu nie pamiętaliśmy. Na pierwszy ogień zwykle szła „Autobiografia" Perfectu czy „Jolka, Jolka, pamiętasz" Budki Suflera, ale zdarzał się też lżejszy repertuar, na przykład „Pieski małe dwa" albo „Ogórek zielony ma garniturek". Choć przyznam szczerze – okazało się, że oboje nie posiadamy talentów wokalnych.

Tak to już jest, że po dłuższym czasie dzielenia z kimś niewielkiej przestrzeni przychodzi taki moment, kiedy człowiek przestaje się starać, udawać, zachowywać pozory. Bo, nie oszukujmy się, zwykle na początku trochę stroszymy piórka. Ja na przykład kiedy jestem niepewna, to gadam jak najęta. A gdy w końcu poczuję się bezpiecznie, to po prostu przestaję mówić. I pewnego dnia milczenie przy Jarku przestało być dla mnie krępujące – był to też dowód, że zaczęłam traktować go jak przyjaciela.

W takim momencie pojawia się taka absolutna szczerość. Można się przyznać do wszystkiego, nawet do najbardziej wstydliwych rzeczy w naszym życiorysie, do wyczynów mało chlubnych i najgorszych perwersji – nie ma to znaczenia, ponieważ dostaje się całkowitą akceptację. W końcu przyjaciel to ktoś, kto wie o tobie wszystko i wciąż, a może pomimo wszystko, cię kocha.

Pod hotelem w Dakarze, gdzie znajdowało się biuro rajdu, wpadamy w gęsty tłum kibiców. Znajomi i nowo poznani szarpią nas teraz, ściskają, podczas gdy my czujemy się, jakbyśmy wrócili z wojny. Nie mogę się odnaleźć w normalnym świecie i chyba oboje nie jesteśmy pewni, czy w ogóle chcemy wracać do tej rzeczywistości, która właśnie się o nas upomina…

## 17. DZIEŃ - 13.01.2001
### DAKAR - DAKAR
TOTAL **69 KM**
dojazdówka 38 km ❯ OS 31 km

## TO JUŻ JEST KONIEC

Trzynasty dzień stycznia. Nie jestem szczególnie przesądna, ale mam cichą nadzieję, że nie będziemy mieli pecha na tym ostatnim odcinku Rajdu Dakar. Ostatnim? Wciąż nie mogę w to uwierzyć. Do końca pozostało nam 31 kilometrów odcinka specjalnego i czuję, że teraz, kiedy dojechaliśmy już tak daleko, porażka byłaby ciosem, po którym trudno byłoby mi się pozbierać. Ale nawet gdybym miała pchać samochód przez całą pętlę wokół tego słynnego Różowego Jeziora (Lac Rose), to i tak wiem już, że ukończyliśmy ten rajd.

Na start podjeżdża właśnie Ukyo Katayama z Pucharu Toyoty. Japończyk ścigał się wiele lat wcześniej w Formule 1 i zasłynął z tego, że – choć szybki – rzadko docierał do mety. Teraz jego Land Cruiser przypomina auto ze szrotu, brakuje w nim nawet przedniej szyby. Japończyk na przedostatnim etapie tak się bowiem spiął, że chyba zapomniał, że ścigać się należy na początku, a nie na końcu rajdu, kiedy i tak wszystkie karty są rozdane, a różnice czasu pomiędzy zawodnikami spoza pierwszej dziesiątki sięgają kilku godzin. O co więc walczyć?! Okazuje się jednak, że niektórzy rywalizację mają we krwi i nie odpuszczają do końca. Zresztą Japończycy są z tego znani. Tak więc na tej totalnie otwartej przestrzeni, w miejscu, gdzie nagle schodziły się „drogi" (w tym przypadku ślady innych aut), Ukyo rozpędził się solidnie i z pełną prędkością wydachował...

– Do zobaczenia na mecie – machamy do nich wesoło, bo chłopakom szczęśliwie nic poważnego się jednak nie stało.

Podchodzą do nas zawodnicy z Mercedesa (numer boczny 271) i o dziwo przepraszają za głupie zachowanie na trasie i zdemolowanie naszej Toyoty, kiedy to wpadli w nas na pełnej prędkości na OS-ie między Tidjikja a Tîchît. Miłe.

Kolejna osoba puka w boczną szybę auta:

– Dzięki za pomoc! – uśmiechnięty od ucha do ucha chłopak jest wyraźnie wdzięczny. – Nie pamiętacie mnie? Stałem na odcinku chyba z godzinę i nikt się nie zatrzymał, aż wy mnie podholowaliście.

Teraz sobie przypominam.

– W kasku wyglądałeś inaczej – komentuję ze śmiechem i życzę mu powodzenia na ostatnim etapie.

W takiej chwili nachodzą mnie refleksje. Wielokrotnie mijając samochody i motocykle stojące na OS-ach, zastanawialiśmy się, czy kierowca uległ wypadkowi, czy też po prostu się położył, żeby odpocząć?

– Może to jednak nic poważnego – myślisz sobie, bo nie chcesz niepotrzebnie tracić cennego czasu.

Ale jeśli go miniesz i nie zapytasz, czy wszystko w porządku, a ten ktoś właśnie potrzebuje pomocy? Nasz Dakar składał się też z takich wyborów. W sumie jednak się cieszę, że nie mieliśmy wielkiego budżetu i mogliśmy zasmakować survivalu. Tego z pewnością nie przeżyli zawodnicy z czołówki, bo ominęła ich większość niewygód i innych rzeczy, które dla mnie już zawsze będą stanowić esencję tego rajdu.

Ostatni odcinek specjalny
nad Różowym Jeziorem
w Dakarze zgromadził tłumy
kibiców z całego świata

– Dla takich amatorów jak my, dysponujących samochodem w niewielkim tylko stopniu różniącym się od seryjnego, na Dakarze liczy się przetrwanie i wcale nie jest to łatwiejsze zadanie niż walka o sekundy w czołówce – powiedział Jarek w relacji prasowej z tego ostatniego dnia.

To jasne, że na tego typu imprezach, kiedy w grę wchodzi rywalizacja, liczy się plan maksimum – być pierwszym, lub minimum – nie odpaść z rywalizacji. Kiedy Jarek i ja przestaliśmy napinać się na wynik, to zaczęliśmy wreszcie dostrzegać mijane krajobrazy i, przede wszystkim, ludzi. Na szczęście z natury oboje mamy potrzebę pochylania się nad każdym napotkanym człowiekiem i pomagania innym. Czemu więc nie pojechaliśmy przez pustynię ot tak sobie, żeby pokontemplować widoki i przeżyć wyjątkową przygodę, a jednak wybraliśmy ten rajd? Prawda jest taka, że w normalnych warunkach człowiek nie sięga do najgłębszych pokładów swoich możliwości, często sobie odpuszcza, bo po co tak się męczyć, ryzykować. Nigdy nie dowiedziałabym się, na co mnie stać, gdyby nie ekstremalne warunki, w jakich się wtedy znaleźliśmy.

Praktycznie cały ostatni odcinek pokonujemy na światłach awaryjnych, bo choć w taki sposób chcemy się usprawiedliwić przed zgromadzonymi na plaży kibicami, dlaczego przemieszczamy się w tempie spacerowym niczym 80-letni staruszek, któremu od dawna trzeba zabrać prawo jazdy...

– Jedź, kochana! No jedź! – mówię pieszczotliwie do Toyoty i gładzę ją po desce rozdzielczej, wierząc, że to wystarczy, żeby doturlała się jeszcze do mety.

*Rajd ukończyło 52 motocyklistów (na 170 startujących), 45 samochodów (118 na starcie) i 15 ciężarówek (wystartowało 35).*

*Z pewnością bohaterem Rajdu Dakar 2002 jest japoński kierowca Hiroshi Masuoka, który po raz pierwszy w swojej karierze wygrał Rajd Dakar. Na trasach rajdu walczy od 1987 roku i od 15 lat całe życie podporządkował temu zwycięstwu – od dwóch lat mieszkał we Francji, by lepiej poznać swoich mechaników i specyfikę rajdu. W 1990 roku wygrał kategorię T-2. Wcześniej wielokrotnie plasował się w ścisłej czołówce, jednak zwycięstwo przyszło dopiero teraz. Masuoka jest bardzo doświadczonym rajdowcem, wyspecjalizowanym w zawodach na pustyni – wygrywał wcześniej rajdy Tunezji, Dubaju i Egiptu.*

*Do zwycięzców można również zaliczyć polską załogę Martyna Wojciechowska/Jarosław Kazberuk. Startując po raz pierwszy w rajdzie, dojechali do mety w Dakarze na 44. pozycji.*

(toyotaclub.hg.pl)

Wysyłam do najbliższych SMS o treści: „Jesteśmy na mecie w Dakarze i nic już tego nie zmieni". Kiedy więc wjeżdżamy na rampę jako 44. załoga w klasyfikacji generalnej (czyli na szarym końcu), czuję rozpierającą mnie dumę. Tak bardzo chcę podziękować Hubertowi Auriolowi, który wręcza nam medale, że rzucam mu się na szyję i oboje omal nie spadamy z rampy.

– *Viva Polonia!* – krzyczy komandor do mikrofonu.

A my wdrapujemy się na dach naszej Toyoty i rozwijamy biało-czerwoną flagę, którą dali nam chłopaki z Orlenu. W końcu ściskamy się serdecznie.

Cały czas nie dociera do mnie, że to już koniec i że za godzinę nie trzeba będzie ruszać na trasę kolejnego etapu. I dopiero z relacji prasowych dowiaduję się, że „nasz Dakar" należał do najtrudniejszych w historii tej imprezy – ukończyło go zaledwie 30 procent załóg, które wyruszały z Arras trzy tygodnie wcześniej. Dla nas ten trzynasty dzień stycznia okazał się szczęśliwy.

– Wiem, że było mnóstwo osób, które we mnie nie wierzyły – mówię do kamery i czuję, że głos mi się łamie, choć bardzo tego nie chcę. – Ale jesteśmy tu!

**P.S.:** Nie mamy czasu świętować, bo już trzeba zapakować naszą wysłużoną i dzielną rajdówkę do kontenera. Otwieram skrzypiące drzwi, a z wnętrza auta bucha mi w twarz smród gorącego pustynnego kurzu, mieszaniny paliwa, smaru i potu. Zaciągam się nim.

– Zapach Przygody – mówię do Jarka. – Popłynie promem do Marsylii i tam odbiorę moją Toyotę za kilkanaście dni – klepię ją po dachu na pożegnanie.

Po Rajdzie Dakar 2002 Jean-Paul Libert, twórca Toyota Trophy, popada w spore problemy finansowe. Żeby pokryć długi uprowadza więc kilka Land Cruiserów, w tym mojego, wprost z promu u wybrzeża Francji. Ponoć Interpol wciąż szuka Liberta po całym świecie, nawet gdzieś w Brazylii… Auto jest jednak nieubezpieczone od kradzieży (wyłącznie od wypadku), więc żadnych pieniędzy nie odzyskuję.

I już nigdy więcej nie zobaczyłam mojej rajdówki.

Ten świstek papieru
i zapasowy kluczyk.
Tyle zostało
po mojej Toyocie

Janko,
jeszcze raz
dziękuję
za wszystko!

TOTAL DAKAR

M. WOJCIECH
J. KAZBERUK

300

port

DAKAR

ELIA
TANCE
ZUR

www.daka .com

*Ci najlepsi na mecie w Dakarze 2002*

## KLASYFIKACJA KOŃCOWA: SAMOCHODY:

1. **MASUOKA/MAIMON 46:11.30**
2. **KLEINSCHMIDT/SCHULZ +22.01**
3. **SHINOZUKA/DELLI-ZOTTI +35.15**
4. **FONTENAY/PICARD +1h 37.30**
5. **SOUSA/JESUS +5:20.57**
6. **AL HAJRI/STEVENSON +8:24.51**
7. **ALPHAND/DEBRON +10:40.02**
8. **KOLBERG/LARROQUE +12:21.09**
9. **RATET/GARCIN +15:48:03**
10. **MISSLIN/POLATO +18:04.22**
(...)
44. **WOJCIECHOWSKA/KAZBERUK +61:59.27**
    **(w tym 18 godzin kar za spóźnienia)**
    **Potrzebowaliśmy ponad dwa razy więcej czasu**
    **na przejechanie wszystkich odcinków specjalnych rajdu.**
    **Ale mówi się, że na mecie w Dakarze wszyscy są zwycięzcami!**

*Jarek vel "Kazber" lub "Kazio"*

Jarek startował w Rajdzie Dakar
jeszcze trzy razy (łącznie cztery edycje: 2002,
2003, 2007, 2010) i za każdym razem dojeżdżał
do mety, co należy uznać za ewenement.
Kiedy ma się Kazberuka na pokładzie
to da się przejechać pustynię nawet
w najgorszym wraku :-)

Marek
Dąbrowski
– 21. miejsce
w motocyklach

Jacek Czachor
– 20. na mecie

Szczęśliwy
Hiroshi Masuoka
w Mitsubishi

ZAMIAST

EPILOGU

Mija właśnie 10 lat od mojego startu w Rajdzie Dakar. Nie mam wątpliwości, że to, kim teraz jestem i czym się zajmuję, zawdzięczam wielkiemu uwielbieniu do dwóch i czterech kółek. Wszystko jakoś się tak ładnie zazębiło... Po prostu wierzę, że trzeba mieć odwagę marzyć i mieć odwagę realizować swoje marzenia. Ba! Trzeba mieć odwagę czasem pójść pod prąd. Nawet gdy się później okazuje, że człowiek zrobił głupio...

Kiedy jako młoda dziewczyna całą energię wkładałam w licencje sportowe, zloty motocyklowe czy teamy rajdowe, to podświadomie czułam, że to może stać się moim pomysłem na życie. Że jeśli coś naprawdę kocham, wierzę w to i robię z poświęceniem, to musi mnie to doprowadzić we właściwe dla mnie miejsce. Choć przyznaję, że sama wtedy nie wiedziałam, gdzie konkretnie to będzie, ale liczyłam, że po drodze przynajmniej nie będzie nudno...

Gdyby w połowie lat 80. ktoś mi powiedział, że kiedyś będę dla telewizji testować najwspanialsze motocykle, samochody, że poznam najwybitniejszych kierowców wyścigowych – nie uwierzyłabym. Z czasem jednak na trasach Rajdowych Mistrzostw Świata zaczęłam bardziej rozglądać się za krajobrazami, zwykłymi ludźmi, kulturą, obyczajami panującymi w tych odległych krajach – tak zrodził się pomysł na programy podróżnicze.

Pewnego dnia motosport przestał mnie fascynować. Zrozumiałam, że nie chcę ścigać się „kto pierwszy, ten lepszy" i że tak naprawdę to jest bardzo nierówna walka. Na rajdzie pomiędzy Naturą i człowiekiem jest łącznik – samochód lub motocykl. On może być drogi lub tani, dobry lub zły, może się też zwyczajnie popsuć i tym samym musisz zakończyć udział w imprezie. Znalazłam dla siebie kolejną pasję – wspinaczkę w Górach wysokich. To jest dla mnie prawdziwy pojedynek człowieka z przyrodą – jeden na jednego. Czysta gra. Najbardziej uczciwa z możliwych w dzisiejszych czasach (no, może oprócz żeglarstwa transoceanicznego).

Na rajdzie walczy się głównie z własnym ego – możesz zrezygnować, wezwać pomoc, w końcu – trzasnąć drzwiami auta i wrócić do domu. W Górach, gdzieś pomiędzy obozem III i IV, na wysokości blisko 8 tysięcy metrów, człowiek nie może się poddać, bo to zazwyczaj oznacza śmierć. W takich warunkach jesteś w stanie dać z siebie absolutnie wszystko i naprawdę przesunąć swój horyzont. Tak daleko, jak nawet nie przypuszczałeś, że jesteś w stanie, że w ogóle cię na to stać.

Może kiedyś jeszcze wystartuję w Dakarze, tym razem ciężarówką. Na razie trzymam kciuki za innych Polaków, którzy reprezentują nas w tej morderczej imprezie. Chłopaki z teamu Orlen plasują się na wysokich miejscach, Krzysztof Hołowczyc jeździ coraz lepiej, Jarkowi Kazberukowi też wciąż chce się walczyć z pustynią. Teraz dołączył do nich także Adam Małysz i cała Polska trzyma za niego kciuki. Nadal jednak poza mną żadna kobieta z Polski nie wystartowała w tym rajdzie, a szkoda. Ja tymczasem każdego dnia budzę się z poczuciem, że mam życie najlepsze z możliwych – łączę pasję z pracą. I jeszcze dostaję za to pieniądze.

Martyna Wojciechowska

## Podziękowania:

W ciągu kilku ostatnich tygodni niemal zrezygnowałam ze snu, z jedzenia, z przyjemności… Czuję się kompletnie wycieńczona (także psychicznie) i marzę o odpoczynku. Kończę wysyłkę tej książki do drukarni i zastanawiam się co było łatwiejsze – przeżyć te motoryzacyjne szaleństwa i przejechać Rajd Dakar czy wszystko to opisać i złożyć w jednej publikacji?! Z pewnością to drugie nie byłoby możliwe bez pomocy wielu życzliwych mi osób, którym teraz chciałabym serdecznie podziękować!

**Agnieszka Franus** była wobec mnie najbardziej krytyczna (jak zwykle) i bardzo Jej za to dziękuję, bo bez polemiki nie da się wypracować nic wartościowego. Poza tym Aga nie ma prawa jazdy, co akurat tym razem uważam za zaletę – „A co to jest WRC, wahacz, co robi pilot w samochodzie rajdowym?!" – te wszystkie pytania bardzo dobrze wpłynęły na ostateczny kształt tekstu…

**Rafał Jemielita** z Playboya służył mi motoryzacyjną wiedzą i niezmiennie dobrym nastrojem. Jako stuprocentowy facet miał na większość rzeczy odmienny pogląd… I bardzo dobrze!

**Paulina Szczucińska** zgłosiła się do pomocy na ochotnika, co jest ewenementem w dzisiejszych czasach. Paula, bez Ciebie ta wysyłka, by się po prostu nie udała.

Supercierpliwy **Tomek Cholaś** zarwał wiele nocy, żeby nałożyć korektę i ujednolicić tekst. Przepraszam teraz za setki poprawek w ostatniej chwili! To się więcej nie powtórzy…

Ogromne podziękowania należą się **Wioli Wiśniewskiej**, na co dzień odpowiedzialnej za National Geographic Traveler jako grafik prowadząca. Ponad 37 lat mojego motożycia ułożyła w piękną formę. Wiolinko, jestem baaardzo wdzięczna za wszystko!

**Iza Idziak**, fotoedytor wyszukała dla nas świetne zdjęcia i o dziwo nawet była się w stanie połapać w tym materiale.

**Asia Kopka**, przeniosła każdy centymetr rajdowej trasy na mapę i sprawdziła poprawność nazw geograficznych – tylko ona potrafi się w tym połapać :-)

**Krzysztof Stypułkowski** okazał się nieoceniony. Zebrał moje zdjęcia rodzinne od lat 50. XX wieku – przez Jego ręce przeszło kilka tysięcy fotografii. Przygotowując cały materiał do druku zawsze był na posterunku i niezmiennie gotowy do pomocy. Krzysiu, jestem Twoją fanką :-)

Na koniec pracy, jakoś bladym świtem Agnieszka vel „Frania" powiedziała tylko: „Chyba znów się nam udało". Mnie też to dziwi, bo przy tych obowiązkach, które mamy na co dzień łatwo nie było… I dodała jeszcze „Wiesz co, sporo ciekawych rzeczy dowiedziałam się podczas pracy nad tą książką". Mam nadzieję, że Wam się też podobało!

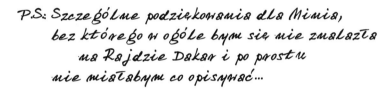

P.S: Szczególne podziękowania dla Mimia,
bez którego w ogóle bym się nie znalazła
na Rajdzie Dakar i po prostu
nie miałabym co opisywać...

# SPIS TREŚCI

G+J Gruner + Jahr Polska Sp. z o.o. & Co. Spółka Komandytowa.
02-674 Warszawa, ul. Marynarska 15


Dział handlowy:
tel. (48 22) 360 38 38
fax (48 22) 360 38 49

Sprzedaż wysyłkowa:
Dział Obsługi Klienta, tel. (48) 22 360 37 77

Redakcja: **Agnieszka Franus**
Opracowanie merytoryczne i konsultacja: **Rafał Jemielita**/Playboy
Współpraca redakcyjna: **Paulina Szczucińska, Danuta Śmierzchalska, Sławomir Borkowski**
Research: **Katarzyna Frydrych, Anna Wróblewska**
Korekta: **Tomasz Cholaś**
Koordynacja: **Agnieszka Radzikowska**
Projekt graficzny i okładka: **Wiola Wiśniewska**
Fotoedycja: **Izabela Idziak, Paulina Pytlak, Martyna Wojciechowska**
Kartograf: **Joanna Kopka**
Przygotowanie do druku: **Krzysztof Stypułkowski**

Zdjęcia: OKŁADKA: WOJTEK SZABELSKI/FREEPRESS.PL; AGENCJA GAZETA: 162, 187; ARCHIWUM PRYWATNE: 14-15, 19, 22-23, 26, 27, 31, 34, 48, 52-53, 54, 65, 88, 97, 101, 102, 103, 106, 107, 112, 117, 118, 119, 129, 138-139, 141, 155, 164, 166, 167, 219, 357; ARCHIWUM TVN: 117, 122; ARMAND URBANIAK: 91, 116; CORBIS: WKLEJKA PRZÓD-TYŁ, 214; DARIUSZ PROSIŃSKI: 142, 168-169, 170, 171, 196, 198, 199, 358-359; DR: 39, 48, 58-59, 216; EAST NEWS: 130, 162, 163, 164, 166, 167, 171, 215, 217, 219, 248-249, 254, 258-259, 270-271, 274-275, 288-289, 290-291, 300-301, 304-305, 332, 349; FORUM: 12-13, 66-67, 68, 69, 70, 71, 72-73, 117, 162, 164; FPM: 146, 165, 217; JACEK BONECKI: 129, 141, 284-285; JACEK GDOWSKI: 87; JAKUB ALABORSKI: 117; KRZYSZTOF NALEWAJKO: 165; MAREK BAFIA: 163, 183, 220-221, 227, 237, 243, 250-251, 262, 293, 326; MATERIAŁY PRASOWE: 148-149, 160, 179, 215, 218; MAREK WICHER: 163, 183; PAP: 71, 211; RAFAŁ JEMIELITA/PLAYBOY: 348; RAFAŁ RUTKOWSKI: 120-121, 134-135; RYSZARD ORZECHOWSKI: 129; TOMASZ FILIPIAK: 165; WOJTEK SZABELSKI/FREEPRESS.PL: 188-189, 190; WOJCIECH RZĄŻEWSKI/SE/EAST NEWS: 213, 231, 238-239, 243, 247, 260-261, 267, 280, 287, 292, 293, 307, 311, 319, 321, 322, 326, 338-339, 344, 345, 346-347, 350-351; WOJCIECH KOPCZYŃSKI: 90; ZDJĘCIA GADŻETÓW, IDENTYFIKATORÓW, LICENCJI ORAZ SKANY DOKUMENTÓW: KRZYSZTOF STYPUŁKOWSKI ORAZ SHUTTERSTOCK


**Druk: Białostockie Zakłady Graficzne SA**
ISBN: 978-83-7778-101-2